eleanor & park

Rainbow Rowell

eleanor & park

novo século®

São Paulo 2014

Editor assistente	Daniel Lameira
Coordenação Editorial	Mateus Duque Erthal
Tradução	Caio Pereira
Preparação	Equipe Novo Século
Diagramação	Project Nine
Revisão	Tássia Carvalho
	Rhennan Santos

Texto de acordo com as normas do Novo Acordo Ortográfico da Língua Portuguesa (Decreto Legislativo nº 54, de 1995)

Dados Internacionais de Catalogação na Publicação (CIP)
(Câmara Brasileira do Livro, SP, Brasil)

Rowell, Rainbow
Eleanor & Park / Rainbow Rowell ; [tradução Caio Pereira].
-- Barueri, SP : Novo Século Editora, 2013.

Título original: Eleanor & Park.
1. Ficção norte-americana I. Título.

13-11358 CDD-813

Índices para catálogo sistemático:

1. Ficção : Literatura norte-americana 813

2014

Alameda Araguaia, 2190 — 11º andar
Alphaville Industrial, Barueri — SP — CEP 06455-000
Tel. (11) 2321-5080
www.novoseculo.com.br
atendimento@novoseculo.com.br

agosto de 1986

Ele parou de tentar trazê-la de volta.

Ela só voltava quando bem entendia, em sonhos e mentiras e *déjà-vus* partidos.

Por exemplo, quando ele estava dirigindo para o trabalho e viu uma garota com os cabelos vermelhos, em pé na esquina. E ele podia jurar, pelo menos por um momento, ser ela.

Então, ele via que aquele cabelo era, na verdade, mais loiro do que ruivo.

E que ela estava com um cigarro na mão... E vestindo uma camiseta do Sex Pistols.

Eleanor odiava o Sex Pistols.

Eleanor...

Em pé, às suas costas, até que ele virasse para trás. Deitada ao seu lado segundos antes de ele acordar. Fazendo que todo o resto do mundo parecesse mais sombrio, mais superficial, e nunca bom o bastante.

Eleanor, acabando com tudo.

Eleanor, indo embora.

Ele parou de tentar trazê-la de volta.

1

park

Apertando os fones contra as orelhas, Park admitiu que o XTC não conseguia abafar o barulho do ônibus. No dia seguinte, ouviria Skinny Puppy ou Misfits. Ou talvez gravasse uma fita para o ônibus com o máximo de gritaria possível.

Park poderia voltar a ouvir pós-punk dentro de dois meses, depois que tirasse a carteira de motorista. Sua mãe lhe daria o Impala, e ele já tinha economizado dinheiro suficiente para um toca-fitas. Além disso, depois que começasse a ir de carro para a escola, poderia dormir vinte minutos a mais.

– Isso não existe – alguém gritou, lá no fundo do ônibus, por cima das risadas.

– Existe sim, porra – disse Steve. – Estilo do macaco bêbado, cara, essa porra existe mesmo. Dá pra matar uma pessoa com esse estilo...

– Tá de gozação.

– *Você* tá de gozação – retrucou Steve. – Park! Ei, Park!

Park ouviu, mas não respondeu. Às vezes, se você ignorasse o Steve por um minuto, ele procurava outra pessoa. Saber disso já garantia 80%

de chance de sobrevivência tendo o Steve como vizinho. Os outros 20% eram ficar de cabeça baixa.

Algo de que Park se esquecera por um momento. Uma bola de papel o atingiu bem na nuca.

– Você acaba de amassar minhas anotações de Crescimento e Desenvolvimento Humano, seu mala sem alça – Tina falou.

– Desculpa, gatinha – respondeu Steve. – Eu te ensino tudo sobre crescimento e desenvolvimento humano; o que você precisa saber?

– Ensine o estilo do macaco bêbado – alguém afirmou.

– PARK! – Steve gritou.

Park virou-se para o fundo do ônibus. Steve concentrava todas as atenções para si, lá na frente. Mesmo sentado, sua cabeça praticamente encostava no teto. Sempre parecia que tudo que o cercava era feito em miniatura. Desde a sétima série, ele já tinha cara de adulto, e isso foi antes de a barba cheia crescer. Bem antes.

Às vezes, Park se perguntava se Steve começara a perseguir a Tina porque ela o fazia parecer ainda mais monstruoso. A maioria das meninas das Colinas era baixa, mas Tina não tinha mais do que um metro e meio. Contando o cabelão.

Uma vez, no ano passado, alguém estava zoando o Steve, dizendo que era melhor ele não engravidar a Tina, ou seus bebês gigantes poderiam matá-la.

– Vão sair rasgando a barriga dela feito aliens – o cara falou. Steve quebrou o dedinho na cara do sujeito.

– Alguém tem que ensinar a esse brutamontes como se dá um soco – disse o pai de Park quando ouviu a história, mas Park torcia para que ninguém o fizesse. O garoto que Steve socou ficou sem abrir o olho por uma semana.

Park virou-se em seu assento e jogou para Tina a sua bola de lição de casa. Ela a pegou.

– Park – disse Steve –, conte pro Mikey sobre o estilo do macaco bêbado.

– Não sei nada disso – Park deu de ombros.

– Mas existe, né?

– Acho que já ouvi falar.

– Aí – Steve procurou algo para arremessar em Mikey, mas não achou nada. Em vez disso, só apontou para ele. – Eu não disse, cacete?

– Mas o que o Sheridan sabe sobre kung fu? – Mikey perguntou.

– Você é retardado? – Steve disse. – A mãe dele é chinesa.

Mikey olhou para Park com atenção. Park sorriu e seus olhos quase se fecharam.

– Ah, tô vendo mesmo – Mikey. – Sempre pensei que você fosse mexicano.

– Caramba, Mikey – disse Steve –, você é um puta dum racista.

– Ela não é chinesa – Tina interpelou. – É coreana.

– Quem? – Steve perguntou.

– A mãe do Park.

A mãe do Park cortava o cabelo da Tina desde o Ensino Fundamental. As duas usavam o mesmo estilo: permanente com espirais compridas e franja repicada.

– Ela é muito gostosa, isso sim – disse Steve, rolando de rir. – Sem ofensa, Park.

Park esforçou-se para sorrir mais uma vez e se esparramou no banco, colocando os fones nos ouvidos e aumentando o volume. Ainda dava para ouvir Steve e Mikey, quatro bancos atrás.

– Mas do que se trata, afinal? – Mikey perguntou.

– Velho, você ia querer lutar com um macaco bêbado? Eles são imensos, grandes pra cacete. É tipo aquele filme *Doido para brigar... Louco para amar*, mano. Imagina um cara descendo o cacete em você.

Park notou a aluna nova quase ao mesmo tempo que o resto da turma. Ela estava em pé na entrada do ônibus, ao lado do primeiro lugar vago.

Havia um menino sentado ali sozinho, um calouro. Ele colocou a mochila no assento ao lado, depois virou a cara. Ao longo de todo o corredor, ninguém sentado sozinho abriu espaço para que ela se sentasse. Park ouviu Tina abafar um risinho; ela vivia para tirar sarro dos outros.

A garota, a aluna nova, respirou fundo e foi seguindo pelo corredor. Ninguém nem a olhava. Park tentou fazer o mesmo, mas era uma situação do tipo desastre de trem, ou eclipse: você simplesmente *tem de olhar*.

A menina tinha a aparência exata do tipo de pessoa com o qual isso costuma acontecer. Não só por ser uma pessoa nova ali, mas por ser grande e esquisita. Com cabelo bagunçado, bem ruivo, além de cacheado. E se vestia como se... como se *quisesse* que as pessoas ficassem olhando. Como se não sacasse que estava um desastre completo. Usava camisa xadrez masculina, meia dúzia de colares estranhos pendurados em volta do pescoço e lenços amarrados nos pulsos. Fez Park pensar num espantalho ou nas bonequinhas das preocupações que ficavam na cômoda da mãe. Enfim, do tipo que não conseguiria sobreviver no colegial.

O ônibus parou novamente, e mais um grupo de crianças entrou. Passaram pela menina, empurrando-a, trombando nela, e cada um despencou no seu lugar.

O fato era que todo mundo que andava no ônibus já tinha seu lugar definido, escolhido no primeiro dia de aula. Quem teve a sorte de ficar com um banco inteiro só para si – caso do Park – não ia querer perdê-lo. Principalmente por causa de uma pessoa dessas.

Park olhou mais uma vez para a menina. Ela estava ali, em pé, parada.

– Ei, você – gritou a motorista –, vá se sentar.

– Ei, você – Steve brincou, fazendo voz de homem das cavernas. Todos concordavam que a motorista tinha inteligência suficiente apenas para levá-los ao colégio. Sempre que ela abria a boca, Steve tirava sarro. – Em pé, errado – ele grunhiu de novo. – Sentado, certo. – Tina soltou um risinho.

A garota foi para o fundo do ônibus. Direto para a boca do tubarão. *Não*, pensou Park, *pare*. *Volte para trás*. Dava para imaginar Steve e Mickey lambendo os beiços conforme a menina se aproximava. Ele tentou desviar o olhar mais uma vez.

Então, a garota avistou o banco vazio oposto ao de Park. O rosto dela se iluminou, aliviado, e ela correu para se sentar.

– Ei – Tina disse, ardida. – A menina continuou andando. – Ei – Tina provocou. – Bozo.

Steve desatou a rir. Os amigos caíram no riso alguns segundos depois.

– Não pode se sentar aí – disse Tina. – É o lugar da Mikayla.

A menina parou e olhou para Tina, depois de volta para o banco vazio.

– Sente-se – gritou a motorista, lá da frente.

– Tenho que me sentar em algum lugar – a garota falou, num tom calmo e firme.

– Não diga que não avisei – Tina devolveu. O ônibus partiu, e a menina deu um passo para a frente, a fim de não cair. Park tentou aumentar o volume do walkman, mas já estava no máximo. Olhou de novo para a menina; parecia que ela ia começar a chorar.

Antes mesmo de decidir fazê-lo, Park deslizou para perto da janela.

– Sente-se aí – disse, num tom agressivo. A menina ficou parada, olhando, como se não soubesse se era outra gozação ou algo assim. – Caramba – Park continuou, baixinho, acenando com a cabeça para o espaço ao lado dele –, é só *sentar*.

A menina obedeceu. Não falou nada – felizmente, ela não agradeceu – e deixou quinze centímetros de espaço entre os dois.

Park virou-se para o vidro da janela e esperou que o mundo desabasse sobre sua cabeça.

2

eleanor

Eleanor ponderou sobre suas opções:

1. Podia voltar da escola a pé. Prós: exercício, blush natural, tempo para si mesma. Contras: ainda não sabia seu novo endereço, nem mesmo em que direção começar a andar.

2. Podia ligar para a mãe e pedir carona. Prós: vários. Contras: sua mãe não tinha telefone. Nem carro.

3. Podia ligar para o pai. *Há*.

4. Podia ligar para a avó. Só pra dar um oi.

Sentada nos degraus de concreto da entrada da escola, observava a fileira de ônibus amarelos. O seu estava logo ali. Número 666.

Ainda que Eleanor conseguisse evitar o ônibus naquele dia, ainda que sua fada madrinha aparecesse com uma carruagem de abóbora, ainda assim teria que arranjar um jeito de voltar para a escola na manhã seguinte.

E não ia acontecer de aqueles garotos demoníacos acordarem com seu lado angelical aflorado no dia seguinte. Na boa. Não seria surpresa alguma se eles escancarassem a boca feito uma sucuri da próxima vez em que a vissem. Aquela menina do fundão de cabelo loiro e jaqueta desbotada? Dava quase para ver os chifres por baixo da franja. E o namorado dela devia ser um membro dos Nefilins.

A menina e todos os outros odiaram Eleanor antes mesmo de botar os olhos nela. Como se tivessem sido contratados para matá-la numa vida passada.

Eleanor não sabia ao certo se o mestiço que a deixara se sentar finalmente era outro inimigo, ou se resolvera dar uma de idiota mesmo. (Mas não idiota-*idiota*... Ele cursava, assim como ela, duas das matérias mais difíceis que ela fazia.)

A mãe de Eleanor insistira que a nova escola a colocasse Eleanor em matérias avançadas. Havia ficado louca quando vira as notas da filha na nona série.

– Isso não pode ser uma surpresa para você, Sra. Douglas – disse o orientador. *Ah*, pensou Eleanor, *você ficaria surpreso com o que pode ser surpreendente a essa altura.*

Não importa. Eleanor permaneceu olhando para as nuvens com a facilidade de sempre nas matérias avançadas. Havia o mesmo número de janelas nessas salas de aula.

Isso se algum dia ela voltasse a essa escola.

Se algum dia ela conseguisse chegar em casa.

Não dava para contar à mãe a situação do ônibus, de qualquer modo, porque a mãe já havia dito que ela não precisava ir de ônibus. Na noite anterior, enquanto Eleanor desfazia as malas...

– Richie disse que vai levar você – falou a mãe –; fica no caminho dele pro trabalho.

– Ele vai me colocar na caçamba do caminhão?

– Ele está tentando fazer as pazes, Eleanor. Você prometeu que também ia tentar.

– Acho mais fácil fazer as pazes bem de longe.

– Eu disse a ele que você está pronta para fazer parte desta família.

– Eu já sou parte dela. Sou tipo uma fundadora.

– Eleanor – afirmou a mãe. – Por favor.

– Eu vou de ônibus – Eleanor disse. – Não tem problema. Vou fazer amizades.

Ah, pensou Eleanor, sentada na escadaria. Um *ah* imenso e dramático.

Seu ônibus estava para sair. Alguns já estavam partindo. Alguém passou correndo pelos degraus ao lado de Eleanor e chutou sua mochila, por acidente. Ela tirou a mochila do caminho e começou a pedir desculpas, mas era aquele menino mestiço idiota, e ele fez uma careta quando viu que era ela. Ela devolveu-lhe a careta, e ele saiu correndo.

Ah, que ótimo, pensou Eleanor. *Os filhos do mal não vão passar fome no meu turno.*

3

park

Ela não conversou com ele na volta para casa.

Park passou o dia todo pensando num jeito de se livrar da aluna nova. Trocar de lugar era a única saída. Mas trocar para qual lugar? Não queria ter que se impor sobre ninguém. E até o fato de trocar de lugar chamaria a atenção de Steve.

Park esperava que Steve dissesse alguma coisa estúpida assim que ele deixasse a menina se sentar, mas o garoto apenas voltou a falar de kung fu. Park, a propósito, sabia bastante sobre kung fu. Porque seu pai era obcecado por artes marciais – e não porque sua mãe era coreana –, Park e o irmão mais novo, Josh, faziam aula de taekwondo desde que começaram a andar.

Trocar de lugar *como*? Ele poderia achar um lugar na frente, com o pessoal do primeiro ano, mas isso seria um megaespetáculo de esquisitice. E chegava a dar ódio pensar em deixar a estranha aluna nova com um lugar só para ela no fundo do ônibus.

Park sentiu ódio de si mesmo por pensar assim.

Se o pai soubesse que ele pensava assim, iria chamá-lo de maricas. Bem alto, para variar. Se a avó soubesse, iria dar-lhe um tapa na nuca.

– Onde estão seus modos? – diria ela. – Isso é jeito de tratar alguém que não está com sorte?

Mas Park nunca tinha sorte – nem status – para dar de graça àquela ruiva boboca. Tinha o suficiente para evitar confusão. E, apesar de saber que isso era tosco, sentia-se meio grato por gente como essa menina existir. Afinal, pessoas como Steve e Mickey e Tina também existiam e precisavam ser alimentadas. Se não fosse a ruivinha, seria outra pessoa. E, se não fosse outra pessoa, seria o Park.

Steve deixara a situação de lado naquela manhã, mas não faria isso sempre. Encontraria um jeito de tornar a situação humilhante.

Park até podia ouvir a avó dizendo:

– Francamente, filhinho, você está cultivando uma dor de cabeça porque fez uma boa ação na frente das outras pessoas?

Nem foi tão boa assim, Park pensou. Deixou a menina sentar-se, mas foi grosseiro com ela. E, quando a menina apareceu na mesma aula de Inglês que ele fazia à tarde, parecia até uma assombração a persegui-lo.

– Eleanor – disse o Sr. Stessman. – Que nome poderoso. É nome de uma rainha, sabia?

– É o nome da mais gordinha daquele desenho, *Alvin e os esquilos* – alguém falou atrás de Park. Outro aluno riu.

O Sr. Stessman apontou para uma carteira vazia na frente da sala.

– Estamos lendo poesia, Eleanor – explicou ele. – Dickinson. Que tal começar a leitura de hoje? – O professor abriu o livro da aluna na página certa e apontou. – Pode começar – disse –, em voz alta. Eu digo até onde deve ler.

A aluna nova fitou o Sr. Stessman como se esperasse que fosse brincadeira. Quando ficou claro que não era – ele quase nunca brincava –, ela começou a ler:

– "Tive fome todos estes anos" –. Alguns alunos riram. *Meu Deus*, pensou Park, *só o Sr. Stessman pra fazer uma gordinha ler um poema sobre comida no primeiro dia de aula.*

– Continue, Eleanor – pediu o professor.

Ela voltou ao início, o que Park considerou uma péssima ideia.

– "Tive fome todos estes anos" – repetiu, ainda mais alto.

"A cada meio-dia vim almoçar;

tremendo, aproximei a mesa,
e degustei o curioso vinho.
Tinha visto este sobre a mesa,
quando faminta, vagava sozinha,
olhava às janelas, eis a fartura
que para mim não podia esperar."

O Sr. Stessman não a interrompeu. Então ela leu o poema inteiro com aquela voz calma e desafiadora. A mesma voz com que encarara a Tina.

– Isso foi fabuloso – elogiou o professor quando ela terminou. Ele estava radiante. – Simplesmente fabuloso. Espero que fique conosco, Eleanor, pelo menos até que façamos *Medeia*. Essa é uma voz que chega numa carruagem conduzida por dragões.

Quando a garota apareceu na aula de História, o Sr. Sanderhoff não a fez pagar mico. Mas disse isto: "Ah. Rainha Eleanor de Aquitânia", assim que ela entregou o dever de casa. Ela se sentou algumas fileiras à frente de Park e, até quando ele reparou, passou a aula inteira observando o céu.

Park não conseguia pensar numa forma de se livrar dela no ônibus. Ou de si mesmo. Então, colocou os fones no ouvido antes que Eleanor se sentasse e aumentou o volume.

Por sorte, ela nem tentou conversar com ele.

4

eleanor

Ela chegou em casa naquela tarde antes dos irmãos mais novos, o que foi ótimo, porque não estava pronta para vê-los novamente. Já tinha sido um supershow de horrores na noite anterior, quando entrara em casa.

Eleanor passara tanto tempo pensando em como seria voltar para o lar finalmente e em quanto sentira saudades de todos que esperava ser recebida com um desfile de boas-vindas. Pensava que haveria uma verdadeira festa do abraço.

Mas, quando entrou na sala, parecia que os irmãos nem a reconheciam. Ben apenas olhou para ela, e Maisie... Maisie estava no colo de Richie. O que teria feito Eleanor vomitar, não fosse a promessa feita à mãe de ter o melhor comportamento do mundo para o resto da vida.

Só Mouse correu para abraçá-la. Ela o pegou no colo, agradecida. Ele tinha cinco aninhos, e estava bem pesado.

– Oi, Mouse – ela disse. Chamavam-no assim desde que era bebê, ela nem se lembrava por quê. O menino parecia mais um filhotinho de cachorro, dos grandes e desengonçados, sempre espevitado, sempre tentando pular para o colo das pessoas.

– Olha, pai, é a Eleanor – Mouse falou, quando ela o pôs no chão. – Você conhece a Eleanor?

Richie fingiu que não escutou. Maisie observava a cena, chupando o dedão. Eleanor não a via fazer isso havia muito tempo. Estava com oito anos de idade, mas, com o dedo na boca, parecia um bebezinho.

O bebê não se lembraria de Eleanor de maneira alguma. Tinha só dois anos... Sentava-se no chão junto de Ben, que estava com onze. Fitava a parede atrás da TV.

A mãe carregou a mochila com as coisas de Eleanor para um quarto que dava para a sala de estar, e a garota acompanhou-a. O quarto era pequeno, com espaço suficiente apenas para uma cômoda e alguns beliches. Mouse entrou correndo, logo em seguida.

– Você vai ficar com a cama de cima – falou –, e Ben vai ter que dormir no chão comigo. A mãe já contou pra gente, e o Ben começou a chorar.

– Não se preocupe com isso – disse a mãe, calmamente. – É só a gente se acostumar.

Não havia espaço naquele quarto para se acostumar (o que Eleanor evitou mencionar). Foi deitar-se assim que pôde, para não ter de voltar à sala de estar.

Quando acordou, no meio da noite, os três irmãos dormiam a sono alto, deitados no chão. Não havia jeito de se levantar sem pisar um deles, e ela nem sabia onde ficava o banheiro...

Encontrou-o. Havia somente cinco cômodos na casa, e o banheiro era ligado à cozinha – tipo, literalmente ligado, sem porta. A casa fora arquitetada por trolls das cavernas, pensou Eleanor. Alguém, provavelmente sua mãe, pendurara um lençol florido entre a geladeira e o vaso sanitário.

À luz do dia, depois da escola, a casa ainda parecia uma caverna, ainda mais deprimente. Porém, pelo menos Eleanor tinha o lugar todo, e a mãe, só para ela.

Foi esquisito chegar em casa e vê-la na cozinha, como... como se fosse normal. Estava fazendo sopa, picando cebola. Eleanor teve vontade de chorar.

– Como foi na escola? – perguntou a mãe.

– Bem – Eleanor respondeu.

– Alguma novidade de primeiro dia?

– Sim, quer dizer, ah, as mesmas aulas de sempre.

– Vai ter muita coisa pra correr atrás?

– Acho que não.

A mãe limpou as mãos nas calças e arrumou o cabelo atrás das orelhas, e Eleanor ficou embasbacada, pela milionésima vez, com quão bonita ela era.

Quando pequena, Eleanor achava que a mãe se parecia com uma rainha, como se fosse a protagonista de um conto de fadas.

Não uma princesa, princesas são só bonitinhas. A mãe de Eleanor era linda. Alta e majestosa, ombros largos e cintura elegante. Seus ossos pareciam mais determinados do que os das outras pessoas. Como se não estivessem ali só para mantê-la em pé, mas para expressar um ponto de vista.

Tinha nariz proeminente e queixo fino, e as maçãs do rosto eram salientes e macias. Quem visse a mãe de Eleanor poderia imaginá-la entalhada na proa de um navio viking ou talvez pintada como emblema de um avião.

Eleanor se parecia muito com ela.

Mas não o suficiente.

Eleanor se parecia com a mãe, só que vista através de um aquário. Mais curvilínea e molenga. Borrada. O que na mãe lembrava uma estátua, em Eleanor era carregado. O que na mãe fora bem desenhado, em Eleanor era um rascunho.

Depois de cinco filhos, a mãe ainda tinha seios e quadris de modelo de propaganda de cigarro. Aos dezesseis, Eleanor já estava com a silhueta de uma gerente de uma taverna medieval.

Tinha muito de tudo e altura de menos para esconder. Os seios começavam logo abaixo do queixo, os quadris eram... uma paródia. Até o cabelo da mãe, longo e ondulado e castanho, era uma versão mais legítima dos cachos ruivos de Eleanor.

A garota deitou as mãos sobre a cabeça, encanada com tais observações.

– Tenho uma coisa pra lhe mostrar – disse a mãe, pondo uma tampa sobre a sopa –, mas não quis fazer isso na frente das crianças. Venha comigo.

Eleanor a seguiu até o quarto dos irmãos. A mãe abriu o armário e retirou dele um pacote de toalhas e uma cesta cheia de meias.

– Não consegui trazer todas as suas coisas quando nos mudamos – ela disse. – Como você já viu, não temos tanto espaço quanto na outra casa... – Ela pesquisou mais a fundo no armário e puxou uma sacola de plástico preto. – Mas trouxe o máximo que pude. – E entregou o saco a Eleanor.

– Me perdoe pelo resto – disse.

Eleanor supôs que Richie se desfizera de todas as suas coisas dela no ano anterior, dez minutos depois de tê-la botado para fora.

– Tudo bem – ela afirmou. – Obrigada.

A mãe levou a mão ao ombro de Eleanor e o tocou por um segundo.

– Seus irmãos vão chegar em mais ou menos vinte minutos – disse – e jantaremos às 4h30. Quero ver tudo arrumado antes que o Richie chegue.

Eleanor concordou. Abriu o saco assim que a mãe saiu do quarto. Queria saber o que ainda era seu...

A primeira coisa que reconheceu foram as bonecas de papel. Estavam soltas no saco, e amassadas, algumas pintadas com giz de cera. Havia anos que Eleanor não brincava mais com elas, mas, mesmo assim, ficou feliz de vê-las ali. Alisou-as e organizou-as numa pilha.

Sob as bonecas, havia livros, cerca de uma dúzia, que a mãe devia ter escolhido ao acaso... Não devia saber quais eram os favoritos de Eleanor. A garota ficou contente ao ver *Garp e Watership down*. Foi péssimo descobrir que *Oliver's Story* sobrevivera, mas *Love Story* não. E *Little Men* estava lá, mas *Little Women e Jo's Boys* não.

Havia mais um monte de papéis no saco. Eleanor tinha um arquivo no quarto da antiga casa, e, pelo visto, sua mãe enfiara no saco boa parte das pastas. A garota tentou arrumar tudo numa pilha ordenada, todos os boletins e as fotos da escola e as cartas para amigos por correspondência.

Ficou imaginando onde teria ido parar tudo mais que ficava na outra casa. Não só suas coisas, mas as dos outros também. Como a mobília e os brinquedos, e todas as plantas e as pinturas da mãe. A louça de casamento dinamarquesa da avó... O cavalinho "Eita!" que vivia em cima da pia. Talvez estivesse tudo no porão. Talvez a mãe esperasse que a casa de troll fosse coisa temporária.

Eleanor ainda esperava que Richie fosse coisa temporária.

No fundo do saco, havia uma caixa. O coração de Eleanor disparou quando a viu. O tio de Minnesota costumava enviar à família, todo Natal, uma amostra do Clube da Fruta do Mês, e ela e os irmãos sempre brigavam pelas caixas onde vinham as frutas. Parecia bobeira, mas eram boas caixas – sólidas, com boas tampas. Aquela era de *grapefruit*, meio amassada nas bordas.

Eleanor abriu-a com cuidado. Nada lá dentro fora tocado. Lá estava seu kit de pintar, seus lápis de cor e as canetinhas Primacolor (mais um presente de Natal do tio). Havia um monte de cartõezinhos de amostra do shopping que ainda carregavam o cheiro de perfumes caros. E havia um walkman, a chance de ouvir música. Eleanor deixou sua cabeça pender sobre a caixa. Tinha cheiro de Chanel Nº 5 e lascas de lápis apontados. Ela suspirou.

Não soube o que fazer com aqueles pertences quando terminou de vê-los. Não havia nem espaço na cômoda para suas roupas. Então, a menina pôs de lado a caixa e os livros, e cuidadosamente depositou o restante de volta no saco de lixo. Depois, empurrou o saco o mais longe possível na prateleira mais alta do armário, por trás das toalhas e do umidificador.

Escalou para a cama de cima do beliche e encontrou um gato desgrenhado tirando uma soneca.

– Chispa – disse Eleanor, empurrando-o. O gato saltou para o chão e saiu do quarto.

5

park

O Sr. Stessman estava fazendo a turma memorizar um poema, o poema que cada um escolhesse.

– Vocês vão se esquecer de tudo o que lhes ensinei – disse o professor, afagando o bigode. – Tudo. Talvez se lembrem de que Beowulf lutou com um monstro. Talvez se lembrem de que "Ser ou não ser" é *Hamlet*, não *Macbeth*... Mas o restante? Esqueçam.

Ele caminhava lentamente por entre os corredores. Adorava esse tipo de coisa: encenação. Então parou ao lado da carteira do Park e inclinou-se casualmente, com a mão pousada na cadeira do garoto. Park interrompeu o desenho e se ajeitou no assento. Ele nem sabia desenhar, na verdade.

– Então, vocês vão memorizar um poema – disse o Sr. Stessman, parando por um momento para sorrir para Park como se fosse o Gene Wilder, da fábrica de chocolates. – O cérebro ama poesia. É uma coisinha grudenta. Vocês memorizarão esse poema e, daqui a cinco anos, vamos nos encontrar na pousada Village e vocês dirão: "Sr. Stessman, ainda me lembro de *A estrada não escolhida*! Ouça... 'Duas estradas divergiam num bosque'...".

O professor passou para a carteira seguinte. Park ficou mais tranquilo.

– Ninguém pode escolher *A estrada não escolhida*, a propósito; não aguento mais esse poema. E nada de Shel Silverstein. Ele é ótimo, mas vocês se formaram. Somos todos adultos aqui. Escolham um poema adulto... Escolham um poema *romântico*, esse é o meu conselho. Farão muito uso de um desses.

Ele caminhou até a carteira da aluna nova, mas ela não afastou os olhos da janela.

– É claro, vocês é que mandam. Você pode escolher *Sonho diferido*... Eleanor? – Ela olhou para ele, perdida. O professor se aproximou dela. – Pode escolher esse, Eleanor. É mordaz e é verdadeiro. Mas com que frequência vai ter a chance de declamar? A cada década, mais ou menos, no tipo certo de coquetel? Não. Escolham um poema que fale para vocês. Escolham um poema que os ajude a falar para alguém. Escolham um poema que possa ser seu companheiro para toda a vida!

Park planejava escolher um poema que rimasse, mais fácil de memorizar. Gostava do Sr. Stessman, gostava mesmo, mas gostaria que ele descesse um pouco do pedestal. Toda vez que o professor se empolgava daquele jeito, Park sentia vergonha por ele.

– Nos encontramos amanhã, na biblioteca – disse Stessman, de volta à sua mesa. – Amanhã, vamos colher botões de rosas.

Tocou o sinal. Bem na hora.

6

eleanor

– Cuidado aí, "Cabeçorvente".

Tina passou por Eleanor, empurrando-a, e subiu no ônibus.

Ela vinha fazendo todo mundo na Educação Física chamar Eleanor de Bozo, mas já passara para Cabeçorvente e Bloody Mary.

– Porque parece que a sua cabeça tá naqueles dias – explicou a menina, no vestiário.

Fazia sentido que Tina estivesse na mesma turma de Educação Física que Eleanor, já que a aula era uma extensão do inferno, e Tina, sem dúvida, um demônio. Uma miniatura estranha de demônio. Tipo um demônio de brinquedo. Ou um chaveirinho. E possuía toda uma gangue de demônios subalternos, todos usando uniforme combinando.

Na verdade, todo mundo usava uniforme combinando.

Na escola em que Eleanor estudava antes, ela achava um saco ter que usar shorts na Educação Física (odiava suas pernas ainda mais do que o resto do corpo). Mas, na North, todos tinham que usar uniforme. Macacão de poliéster. A parte de baixo era vermelha, a de cima, listrada em vermelho e branco, com um zíper na frente.

– O vermelho não te valoriza, Bozo – Tina falou quando viu Eleanor de uniforme pela primeira vez. As outras meninas riram, até mesmo as negras que odiavam Tina. Rir de Eleanor era a última moda.

Depois que Tina a empurrou, Eleanor esperou um pouco até entrar no ônibus. Mesmo assim, chegou ao seu lugar antes do mestiço idiota. O que significava que ela teria que se levantar para deixá-lo sentar-se no lugar dele, ao lado da janela. O que seria esquisito. Era tudo esquisito. Toda vez que o ônibus passava sobre um buraco, Eleanor era praticamente jogada no colo dele.

Talvez alguém do ônibus saísse da escola ou morresse ou algo do gênero, e ela poderia ficar longe dele.

Pelo menos ele ainda não tinha conversado com ela. Nem sequer olhado para ela.

Pelo menos ela *achava* que não; ela também não tinha olhado para ele.

Às vezes, Eleanor olhava para os tênis dele, por sinal bem legais. E às vezes via o que ele estava lendo...

Sempre gibis.

Eleanor não trazia nada para ler. Não queria que Tina nem ninguém no ônibus a pegasse com a cabeça baixa.

park

Parecia errado sentar-se ao lado de uma pessoa todos os dias e não conversar com ela. Ainda que fosse esquisita (nossa, vocês precisavam vê-la naquele dia. Estava vestida feito uma árvore de Natal, com um monte de treco pregado nas roupas, uns retalhos de tecido, um laço... Tão esquisito). Park mal podia esperar para sair do ônibus e ir para longe dela, longe de todo mundo.

– Cara, cadê seu *dobok*?

Park estava tentando jantar sozinho no quarto, mas o irmão mais novo não o deixava em paz. Josh estava na porta, pronto para a aula de taekwondo, devorando uma coxa de galinha.

– O papai vai chegar daqui a pouco – disse ele, detrás do ossinho –, e vai dar merda se você não estiver pronto.

A mãe deles apareceu atrás do menino e deu-lhe um tapinha na cabeça.

– Sem palavrão, boca suja – ela teve de erguer o braço para tanto. Josh puxara ao pai; já estava pelo menos quinze centímetros mais alto que a mãe, e sete mais que Park.

O que era um saco.

Park empurrou Josh para fora do quarto e bateu a porta. Até então, a estratégia para manter o status de irmão mais velho, apesar da diferença de crescimento era fingir que ele ainda conseguia acabar com Josh.

Ele *ainda o* vencia no taekwondo, mas somente porque Josh ficava impaciente com qualquer esporte no qual seu tamanho não representava vantagem óbvia. O técnico de futebol do colegial já andava rondando os jogos de que Josh participava.

Park colocou seu *dobok*, imaginando se algum dia herdaria roupas usadas do irmão. Ele podia mandar ver na canetinha em todas as camisetas do Huskers, time de futebol para o qual Josh torcia, e escrever Hüsker Dü. Ou talvez ele nem viesse a ter esse problema, talvez nem passasse de 1,65m de altura. Talvez nunca fosse precisar de roupas maiores.

Calçou seus All Star, levou o jantar até a cozinha e terminou-o sobre a bancada da pia. Sua mãe tentava tirar uma mancha de molho de uma jaqueta branca de Josh com um paninho.

– Mindy?

Era isso que o pai de Park dizia toda noite quando chegava em casa, como o pai daquele seriado de TV ("*Lucy?*"). E sua mãe respondia de onde estivesse: "Tô aqui!".

A diferença é que ela dizia: "Tô-qui!". Porque, pelo visto, ela jamais deixaria de soar como se tivesse acabado de chegar da Coreia. Às vezes, Park achava que a mãe mantinha o sotaque de propósito, porque o pai gostava. Mas ela tentava com tanto afinco se enturmar em todos os demais aspectos... Se ela conseguisse soar como se tivesse crescido na rua de baixo, teria uma chance.

O pai invadiu a cozinha e pescou a mãe nos braços. Faziam isso também todas as noites. Sessões de amasso completas, independente de quem estivesse por perto. Era como ver Paul Bunyan, o lenhador gigante, agarrando uma daquelas bonecas da Moranguinho.

Park puxou o irmão pela manga do uniforme.

– Anda, vamos indo.

Eles podiam esperar no Impala. O pai viria em pouco tempo, os encontraria assim que colocasse seu *dobok* gigantesco.

eleanor

Ainda não tinha se acostumado a jantar tão cedo.

Quando começou tudo aquilo? Na outra casa, todos comiam juntos, até o Richie. Eleanor não estava reclamando de não jantar com a presença dele... Mas parecia que sua mãe queria que todo mundo saísse de seu caminho quando ele chegasse em casa.

Inclusive ela fez um jantar novo só para ele. As crianças iam comer queijo grelhado, e Richie, bife. Eleanor também não estava reclamando do queijo grelhado: era uma boa variação para a sopa de feijão, ou o feijão e arroz, e *huevos e frijoles*.

Depois do jantar, Eleanor costumava desaparecer no quarto para ler, e os menores sempre iam brincar lá fora. O que pretendiam fazer quando esfriasse, e quando começasse a escurecer cedo? Iriam todos se esconder no quarto? Que coisa louca. *O diário de Anne Frank*, versão louca.

Eleanor escalou para a cama superior do beliche e pegou seu kit de pintar. Aquele gato cinza boboca dormia ali de novo. Ela o empurrou para fora.

Pegou a caixa de *grapefruit* e pesquisou um item no kit. Fazia tempo que queria escrever cartas para os amigos da escola anterior. Não conseguira dizer adeus a todo mundo quando fora embora. Sua mãe a tirara da escola do nada, no meio da aula, tipo "Pegue as suas coisas, vamos para casa".

Sua mãe estava tão feliz.

E Eleanor estava tão feliz.

Foram direto para a North a fim de matricular Eleanor, depois pararam no Burger King no caminho para casa. A mãe não soltava a mão da filha... Eleanor fingiu não notar os hematomas nos pulsos da mãe.

A porta do quarto se abriu, e uma das irmãzinhas entrou, carregando o gato.

– A mamãe quer que você deixe a porta aberta – disse Maisie – pra brisa entrar. – Cada janela da casa estava aberta, mas não parecia haver brisa alguma. Com a porta aberta, Eleanor podia ver Richie sentado no sofá. Ela foi deslizando para a ponta da cama o mais longe que pôde.

– O que você tá fazendo? – Maisie perguntou.

– Escrevendo uma carta.

– Pra quem?

– Ainda não sei.

– Posso subir aí?

– Não – naquele momento, Eleanor só conseguia pensar em manter sua caixa em segurança. Não queria que Maisie visse os lápis coloridos e o papel novinho. Além disso, uma parte dela ainda queria punir a garotinha por se sentar no colo de Richie.

Isso jamais teria acontecido antigamente.

Antes de Richie ter expulsado Eleanor de casa, todos eram aliados contra ele. Talvez Eleanor fosse quem mais o odiava, e mais abertamente, e estavam todos do lado dela, Ben e Maisie, até Mouse, que roubava os cigarros de Richie e os escondia. E era Mouse que mandavam bater à porta do quarto da mãe quando ouviam o barulho das molas da cama.

Quando era pior do que as molas, quando eram gritos ou choro, amontoavam-se, todos os cinco, na cama de Eleanor (cada um tinha uma cama para si na outra casa).

Então, Maisie se sentava à direita de Eleanor. Enquanto Mouse chorava, enquanto o rosto de Ben ficava pálido e perdido, Maisie e Eleanor grudavam os olhos uma na outra.

– Odeio ele – dizia Eleanor.

– Odeio ele tanto que queria que ele morresse – Maisie retrucava.

– Tomara que ele caia de uma escada no trabalho.

– Tomara que ele seja atropelado por um caminhão.

– Um caminhão de lixo.

– Isso – Maisie concordava, mostrando os dentinhos. – E o lixo todo vai cair por cima do corpo dele.

– E depois um ônibus vai passar por cima.

– Isso.

– Quero estar nesse ônibus.

Maisie colocou o gato de volta na cama de Eleanor.

– Ele gosta de dormir aí em cima – disse.

– Você também chama ele de pai? – Eleanor perguntou.

– Ele é nosso pai agora.

***

Eleanor acordou no meio da noite. Richie pegara no sono na sala de estar, com a TV ligada. Ela nem respirou no caminho até o banheiro, e teve medo demais para dar a descarga. Quando voltou ao quarto, fechou a porta. *A brisa que se ferre.*

7

park

– Vou chamar a Kim pra sair – disse Cal.

– Não chame a Kim pra sair – falou Park.

– Por que não? – Eles estavam sentados na biblioteca, onde supostamente deveriam estar procurando poemas. Cal já tinha escolhido alguma coisa curta sobre uma garota chamada Júlia e a "liquefação das roupas dela" (*Grosseiro*, disse Park, *não pode ser grosseiro*. Carl argumentou: *Tem trezentos anos de idade*).

– Porque é a Kim – Park falou. – Não dá pra convidá-la pra sair. Olhe pra ela.

Kim estava sentada à mesa seguinte, com duas meninas igualmente almofadinhas.

– Olhe pra ela – disse Cal –; ela é chocante.

– Nossa. Que coisa mais idiota.

– O quê? É uma gata. Chocante porque é uma gata.

– Mas você tirou essa da revista *Thrasher* ou algo assim, tô certo?

– É assim que se aprendem palavras novas, Park. – Cal deu um tapinha no livro de poesia: – Lendo.

– Você tá viajando.

– Ela é chocante – Cal falou, piscando para Kim e tirando um salgadinho da mochila.

Park olhou para a menina de novo. Tinha cabelo loiro cheio de cachos e uma franja curvada bem firme, e era a única aluna que usava um relógio da Swatch. Era uma daquelas pessoas que estão sempre perfeitas... Ela jamais faria contato visual com Cal. Teria medo de que ele lhe deixasse uma mancha.

– Este é o meu ano – disse Cal. – Vou arranjar uma namorada.

– Mas provavelmente não vai ser a Kim.

– Por que não? Acha que tenho que pegar mais leve?

Park olhou para o amigo. Cal não era um cara feio. Tinha um quê de Barney Rubble, só que era mais alto. E já estava com um pedaço do salgadinho enfiado no meio dos dentes da frente.

– Escolha outra pessoa – Park falou.

– Não quero saber – disse Cal. – Vou começar pela melhor. E vou arranjar uma pra você também.

– Obrigado, mas não, obrigado.

– Vamos sair em casais.

– Não.

– No Impala.

– Nem sonhe com isso.

O pai de Park resolvera agir feito um fascista no que se referia à carteira de motorista do filho; anunciara na noite anterior que Park teria de aprender a dirigir um carro de marcha manual primeiro. O garoto abriu outro livro de poesia. Só falava de guerra. Fechou-o.

– Agora, tem uma menina que deve estar a fim de você – disse Cal. – Acho que tem *alguém* querendo misturar as etnias.

– Nem dá pra definir a etnia dela – Park falou, olhando para cima. O amigo indicava, com a cabeça, o canto oposto da biblioteca. A aluna nova estava sentada lá, olhando bem para eles.

– Ela é meio grande – disse Cal –, mas o Impala é um automóvel espaçoso.

– Ela não tá olhando pra mim. Tá só olhando, ela faz isso. Observe. – Park acenou para a menina, que pareceu não notar.

Fizera contato visual com ela somente uma vez desde aquele primeiro dia no ônibus. Fora na semana anterior, na aula de História, e ela quase escavou os olhos dele para fora com os dela.

Se ela não queria que as pessoas a olhassem – foi o que Park pensou na hora –, não devia usar iscas de pesca enfiadas no cabelo. A caixa de bijuterias da garota devia parecer mais uma gaveta de quinquilharias.

Não que tudo o que ela usava fosse idiota...

Ela usava tênis Vans de que ele gostava, com estampa de morango. Tinha também um blazer de couro de tubarão que até ele mesmo usaria, caso não imaginasse que todo mundo tiraria sarro se o fizesse.

Será que a menina pensava que ninguém tirava sarro dela?

Park se preparava psicologicamente toda manhã, antes de ela entrar no ônibus, mas não dava para se preparar tanto para uma visão daquelas.

– Conhece ela? – Cal perguntou.

– Não – Park tratou de responder. – Encontro ela no ônibus, ela é estranha.

– Misturar etnias é chocante – disse Cal.

– Quando se pertence a uma. Pra quem se importa com uma. O que não acho nada importante.

– Seu povo pertence a uma etnia – Cal falou, apontando para o amigo. – Pelo menos é o que dizem em *Apocalypse Now*!

– Você devia mesmo chamar a Kim pra sair. Seria uma ótima ideia.

eleanor

Eleanor não pretendia brigar por um livro do E. E. Cummings como se fosse a última Boneca Repolhinho do mundo. Escolheu uma mesa na seção de literatura afro-americana e resolveu trabalhar com aquele poema do passarinho enjaulado que vira no programa da Oprah.

Este era mais um detalhe ferrado daquela escola – detalhe complicado, ela se corrigiu.

A maioria dos alunos era negra, mas boa parte dos alunos nas matérias avançadas era branca. Os primeiros vinham de ônibus do oeste da cidade de Omaha. E os alunos brancos das Colinas que não faziam as matérias mais difíceis vinham da direção oposta.

Eleanor queria poder cursar mais matérias avançadas. Queria que houvesse Educação Física avançada...

Não que fossem deixá-la entrar em Educação Física avançada. Teria de começar pela Educação Física terapêutica. Junto a todas as outras gordinhas que não conseguiam fazer abdominais.

Enfim, os alunos avançados – negros, brancos ou orientais – costumavam ser mais gentis. Talvez fossem igualmente maus no interior, mas tinham medo de arranjar confusão. Ou talvez fossem igualmente maus no interior, mas foram treinados para ser educados. Para cederem o lugar para idosos ou meninas.

Eleanor fazia Inglês, História e Geografia avançados, mas passava o restante do dia na Cidade Maluca. Sério. *Sementes da violência*. Talvez fosse melhor se esforçar bastante nas matérias avançadas para não ser expulsa delas.

Começou a copiar o poema do passarinho enjaulado num caderno... Legal. Tinha rimas.

8

park

Ela andava lendo o gibi dele.

Primeiro Park pensara que estivera imaginando coisas. Tinha sempre a sensação de que ela estava olhando para ele, mas, sempre que a olhava, ela estava olhando para baixo.

Finalmente, percebeu que ela olhava para o colo dele. Não com sacanagem. Olhava para o gibi, e dava até para ver os olhos dela movendo-se.

Park não sabia que uma pessoa de cabelos ruivos pudesse ter olhos castanhos (não sabia que alguém pudesse ter cabelo *tão* ruivo. Ou a pele tão branca). Os olhos da aluna nova eram mais escuros que os da mãe dele, muito escuros, eram quase como buracos no rosto.

Pensar assim parecia maldade, mas não era. Talvez fosse a melhor coisa nela. Fazia Park se lembrar, mais ou menos, do jeito com que os artistas desenhavam Jean Grey, às vezes, quando ela estava usando sua telepatia, com os olhos totalmente pretos, tipo alienígena.

Naquele dia, a menina estava usando uma camisa masculina gigante, coberta com conchas. A gola devia ser grande mesmo, grande feito um disco, porque fora cortada, e agora estava soltando fiapos. Tinha uma gravata amarrando o rabo de cavalo, um laço enorme de poliéster. Estava ridícula.

E ficava olhando para o gibi dele.

Park achou que devia dizer-lhe alguma coisa. Sempre sentia que devia dizer-lhe alguma coisa, mesmo que fosse apenas um "oi?" ou "com licença". Mas passara tempo demais sem dizer nada desde a primeira vez em que fora grosso com ela, e depois tudo ficou irrevogavelmente esquisito. Durante uma *hora*, todo dia. Trinta minutos na ida para a escola, trinta minutos na volta.

Park não disse nada. Somente abriu mais o gibi e foi virando as páginas mais lentamente.

eleanor

Quando chegou em casa, Eleanor achou sua mãe cansada. Mais do que de costume. Como uma caixinha seca e empoada nas bordas.

Assim que os irmãos menores de Eleanor entraram correndo, ao chegar da escola, a mãe perdeu a cabeça devido a uma bobagem – Ben e Mouse brigando por um brinquedo – e empurrou todos pela porta dos fundos afora, inclusive Eleanor.

A garota sentiu-se tão estarrecida por estar do lado de fora que ficou parada na varanda por um segundo, fitando a rottweiler de Richie. A cachorra se chamava Tonya, nome da ex-mulher dele. Ela devia mesmo maltratar os homens, a Tonya – a cachorra, no caso –, mas Eleanor jamais a vira mais do que semiacordada.

Ela tentou bater à porta.

– Mãe! Me deixe entrar. Nem tomei banho ainda.

Ela costumava tomar banho logo depois da aula, antes que Richie chegasse em casa. Tornava o processo bem menos estressante, visto que não havia porta naquele banheiro, o que piorou depois que alguém rasgou o lençol que garantia certa privacidade.

A mãe simplesmente a ignorou.

As crianças já estavam brincando no parquinho. A casa nova era vizinha de uma escola infantil – a escola onde Ben, Mouse e Maisie estudavam –, e o parquinho ficava logo depois do quintal.

Eleanor não sabia mais o que fazer, então foi até onde pôde ver Ben, sentado num dos balanços, e sentou-se junto dele. O friozinho pedia um agasalho. Eleanor quis estar usando um.

– O que vocês vão fazer quando ficar frio demais pra brincar aqui fora? – ela perguntou a Ben. Ele estava tirando carrinhos dos bolsos, os quais alinhava sobre a terra.

– Ano passado – disse –, o papai fazia a gente ir pra cama às 7h30.

– Caramba. Você também? Por que chamam ele assim? – ela tentou não soar irritada.

Ben deu de ombros.

– Acho que porque ele é casado com a mamãe.

– Tá, mas – Eleanor percorreu com as mãos as correntes do balanço, depois as cheirou – a gente não chamava ele assim. Você considera ele como pai?

– Não sei – Ben respondeu, sem emoção. – Como devo considerar?

Ela não retrucou, então ele voltou a arrumar os carrinhos. Precisava cortar o cabelo, as madeixas louro-avermelhadas desciam em caracóis quase até a gola da camiseta. A peça de roupa pertencera a Eleanor; o menino usava também calças de veludo que a mãe transformara em shorts. Estava ficando velho demais para aquilo, carrinhos e parquinhos, já com onze anos. Os meninos da idade dele jogavam basquete a noite toda ou ficavam em turmas conversando à beira do parquinho. Eleanor torcia para que Ben demorasse a crescer. Não havia espaço naquela casa para ser adolescente.

– Ele gosta quando a gente chama ele de pai – Ben falou, ainda alinhando os carrinhos.

Eleanor olhou para o parquinho. Mouse brincava, junto a um bando de crianças, com uma bola de futebol. Maisie devia ter levado o bebê para algum lugar com as amiguinhas...

Antes, era Eleanor quem costumava ficar com o bebê o tempo todo. Nem se importaria de tomar conta dele, afinal seria algo a se fazer, mas Maisie não queria a ajuda da irmã.

– Como era? – perguntou Ben.

– Como era o quê?

– Morar com aquelas pessoas.

O sol estava uns cinco centímetros acima do horizonte, e Eleanor olhava direto para ele.

– Hum... – disse. – Terrível. Solitário. Melhor do que aqui.

– Havia outras crianças?

– Sim. Bem pequenas. Eram três.

– E havia um quarto só pra você?

– Mais ou menos. – Tecnicamente, ela não tinha de dividir a sala de estar da casa dos Hickman com ninguém.

– Eles eram legais? – o menino perguntou.

– Sim... sim. Eram legais. Mas não como vocês.

Os Hickmans foram legais no início. Mas depois se cansaram.

Eleanor devia ter ficado com eles somente por alguns dias, talvez uma semana. Somente até que Richie se acalmasse.

– Vai ser igual festa do pijama – a Sra. Hickman disse a Eleanor na primeira noite, enquanto arrumava o sofá. A Sra. Hickman, Tammy, conhecia a mãe de Eleanor desde o colegial. Havia uma foto sobre a TV do casamento dos Hickman, e a mãe de Eleanor fora madrinha. Vestia um longo verde-escuro e uma flor branca no cabelo.

No início, a mãe de Eleanor ligava todos os dias depois da escola. Depois de dois meses, ela parou de ligar. Richie deixou de pagar a conta de telefone, e este fora desconectado. Mas Eleanor demorou a ficar sabendo disso.

– Devíamos ligar para o Estado – dizia sempre o Sr. Hickman. Pensavam que Eleanor não pudesse ouvi-los, mas o quarto deles ficava bem acima da sala. – Isso não pode continuar, Tammy.

– Andy, ela não tem culpa.

– Não estou dizendo que a culpa é dela; só estou dizendo que não temos nada a ver com a história.

– Ela não incomoda.

– Ela não é nossa filha.

Eleanor tentava incomodar menos ainda. Treinava ficar nos cômodos sem deixar pistas de que passara por eles. Jamais ligava a TV nem pedia para usar o telefone. Jamais pedia para repetir no jantar. Jamais pedia nada a Tammy e ao Sr. Hickman, e eles não tinham filhos adolescentes, então nunca lhes ocorria que ela pudesse precisar de alguma coisa. Para a felicidade de Eleanor, eles não sabiam em que dia ela fazia aniversário.

– Pensamos que você não voltaria mais – Ben disse, empurrando um carrinho sobre a terra. Parecia que evitava o choro.

– Oh, homens de pouca fé – afirmou Eleanor, pondo o balanço em movimento.

Procurou Maisie mais uma vez e divisou-a sentada perto de onde os meninos mais velhos jogavam basquete. Eleanor reconhecia boa parte deles, pois pegavam o mesmo ônibus. O mestiço idiota estava lá, pulando mais alto do que ela imaginava que ele fosse capaz. Usava um shorts preto comprido e uma camiseta em que estava escrito "Loucura".

– Vou embora – disse ela a Ben, saltando do balanço e dando um empurrãozinho na cabeça dele. – Mas não sumirei nem nada disso. Não precisa molhar as calças.

Ela voltou para casa e passou voando pela cozinha, antes que a mãe pudesse dizer qualquer coisa. Richie estava na sala de estar. Eleanor passou por entre ele e a TV, sem desviar os olhos. Queria estar usando um agasalho.

9

park

Ele ia dizer que ela tinha mandado bem no poema. Mas dizer isso seria muito pouco. Ela foi a única pessoa da sala que leu seu poema como se fosse mais do que lição de casa. Recitou-o como se tivesse vida. Como se botasse algo para fora. Foi impossível tirar os olhos de Eleanor enquanto ela não parou de ler (ainda mais impossível de tirar os olhos dela do que já era para Park). Quando ela terminou, muita gente aplaudiu, e o Sr. Stessman a abraçou. O que foi totalmente contra o Código de Conduta.

– Oi. Mandou bem. Na aula de inglês – é o que Park pretendia dizer.

Ou, talvez:

– Estou na sua turma de inglês. Aquele poema que você leu tava legal.

Ou:

– Você está na turma do Sr. Stessman, né? É, bem que eu percebi.

Park pegou seus gibis depois do taekwondo na quarta-feira à noite, mas esperou até a manhã da quinta para ler.

eleanor

Aquele mestiço idiota sabia com certeza que ela andava lendo o gibi. Ele chegou até a olhá-la algumas vezes antes de virar a página, como se fosse *assim educado*.

Sem dúvida, ele não era um deles, os diabos do ônibus. Não conversava com ninguém no ônibus (muito menos com ela). Mas ele tinha alguma coisa com os outros, porque, quando Eleanor se sentava a seu lado, todos a deixavam em paz. Até a Tina. Tinha vontade de ficar sentada ao lado dele o dia inteiro.

Naquela manhã, quando Eleanor entrou no ônibus, teve a sensação de que ele estivesse esperando por ela. Ele estava lendo um gibi chamado *Watchmen*, e os desenhos eram tão feios que ela nem se deu o trabalho de espiar. Ou ler junto. Algo assim.

(Ela gostava mais quando ele lia *X-Men*, mesmo que ela não entendesse muito o que estava acontecendo na história; *X-Men* era pior do que *General Hospital*. Eleanor levou algumas semanas para sacar que Scott Summers e Ciclope eram o mesmo cara, e ainda não tinha entendido muito bem qual era a da Fênix.)

Mas, como não tinha mais nada para fazer, seu olhar zanzou até o gibi feioso... E então ela começou a ler. E, de repente, estavam na escola. O que foi megaestranho, porque eles mal chegaram à metade da história.

E foi uma droga, porque significava que ele terminaria de ler o gibi durante a aula, e levaria uma porcaria tipo *ROM* para o caminho de volta.

Só que não foi assim.

Quando Eleanor entrou no ônibus à tarde, o mestiço abriu o gibi do *Watchmen* bem onde haviam parado.

Ainda estavam lendo quando chegaram ao ponto em que ela descia. Havia tanta coisa acontecendo, os dois ficavam vidrados em cada quadrinho por, tipo, minutos inteiros, e, assim que ela se levantou para sair, ele lhe entregou o gibi.

Eleanor ficou tão surpresa que tentou devolvê-lo, mas ele já tinha se virado. Ela guardou o gibi no meio dos livros, como se fosse algo secreto, depois desceu do ônibus.

Leu o gibi mais três vezes naquela noite, deitada na cama de cima do beliche, acariciando seu velho gato rabugento. Depois, colocou a revista na caixa para dormir, para que nada lhe acontecesse.

park

E se ela não o devolvesse?

E se ele não pudesse mais ler a primeira edição de *Watchmen* porque a emprestara para uma menina que nem havia pedido nada e que provavelmente nem sabia quem era Alan Moore?

Se ela não devolvesse o gibi, estariam quites. Acabaria com aquela história toda do "caramba-é-só-sentar"...

Caramba. Não, não acabaria.

E se ela o devolvesse, *sim*? O que ele deveria falar? Obrigado?

eleanor

Quando ela entrou no ônibus, ele estava olhando pela janela. Ela entregou-lhe o gibi, e ele o pegou.

10

eleanor

Na manhã seguinte, quando Eleanor entrou no ônibus, havia uma pilha de gibis no lugar dela.

Ela os pegou e se sentou. Ele já estava lendo.

Eleanor guardou os gibis na mochila e olhou pela janela. Por algum motivo, não queria ler na frente dele. Seria como deixar que ele assistisse a ela comendo. Seria como... admitir alguma coisa.

Mas ela pensou nos gibis o dia todo e, assim que chegou em casa, subiu na cama e os tirou da mochila. Eram todos do mesmo título: *O monstro do pântano*.

Eleanor jantou sentada com as pernas cruzadas, em cima da cama, tomando cuidado extra para não espirrar nada nas revistas, porque cada edição estava intacta. Não havia nem uns cantinhos dobrados (mestiço bobo e perfeito).

Naquela noite, depois que os irmãos e a irmã pegaram no sono, Eleanor acendeu de novo a luz, para que pudesse ler. Quanto barulho eles faziam dormindo! Ben falava enquanto dormia, e Maisie e o bebê roncavam. Mouse molhou o colchão, o que não fez barulho algum, mas mesmo assim incomodou a paz geral. A luz não parecia incomodá-los, no entanto.

Eleanor ouvia de longe Richie assistindo à TV no cômodo ao lado, e quase caiu da cama quando ele abriu a porta do quarto com tudo. Ele parecia preparado para deparar com algum tipo de invasor da meia-noite, mas, quando viu que era somente Eleanor, e que ela estava lendo, resmungou – vivia resmungando – e mandou que ela apagasse a luz para que as crianças pudessem dormir.

Depois que Richie fechou a porta, Eleanor se levantou e apagou a luz. (Ela conseguia sair da cama sem pisar ninguém, o que era ótimo para os outros, já que ela era a primeira a se levantar toda manhã.)

Eleanor pensou que talvez conseguisse não ser pega com a luz acesa, mas não valia a pena correr o risco. Não queria ter de ver Richie de novo.

Ele era igualzinho a um rato. Como a versão humana de um rato. Como o vilão de um filme de Don Bluth. Vai saber o que a mãe via nele; o pai de Eleanor era zoado, também.

Muito de vez em quando, após Richie conseguir tomar um banho, vestir roupas legais e permanecer sóbrio, tudo no mesmo dia, Eleanor até entendia por que a mãe chegou a achá-lo bonito. Graças a Deus, isso não costumava acontecer. Quando acontecia, Eleanor tinha vontade de ir ao banheiro e enfiar o dedo na garganta.

Enfim. Que seja. Ainda dava para ler. Havia luz suficiente entrando pela janela.

park

Ela lia tudo tão rápido quanto ele podia prover. E, quando lhe devolvia na manhã seguinte, sempre agia como se estivesse entregando algo frágil. Algo precioso. Não daria para imaginar que ela tocara as revistas se não fosse pelo cheiro.

Todas que Park lhe emprestava voltavam com cheiro de perfume. Não do tipo de perfume que sua mãe usava. Imari. Também não era o cheiro da aluna nova; ela exalava cheiro de baunilha.

Ela deixava nos gibis um cheiro de rosas. Em boa parte deles.

Lera tudo o que ele tinha de Alan Moore em menos de duas semanas. Depois, ele passou a lhe emprestar revistas-X em porções de cinco, e dava para ver que ela curtia, porque ficava escrevendo os nomes dos personagens nos livros dela, entre nomes de bandas e letras de músicas.

Eles ainda não conversavam no ônibus, mas o silêncio se tornara menos confrontante. Quase amigável. (Mas nem tanto.)

Porém, Park *teria* de falar com ela naquele dia, para dizer que não trouxera nada para ela levar. Perdera a hora, e depois se esquecera de pegar a pilha de gibis que ajeitara na noite anterior. Nem tivera tempo de tomar café da manhã ou escovar os dentes, o que o deixou preocupado, sabendo que se sentaria bem perto dela.

Mas, quando ela entrou no ônibus e lhe entregou os gibis do dia anterior, Park somente deu de ombros. Ela virou a cara. Ficaram ambos olhando para baixo.

Ela usava aquela gravata feia de novo. No entanto, naquela manhã, estava amarrada no pulso. Os braços e os pulsos dela eram salpicados de sardas, camadas de diferentes tons dourados e róseos, até mesmo nas costas das mãos. Mãozinhas de menino, diria a mãe dele, com unhas curtas e cutículas ressecadas.

Ela fitava os gibis sobre o colo dele. Talvez pensasse que ele estava bravo com ela. Ele também fitava os gibis: os rabiscos de Art Nouveau.

– Então – ele começou, antes de pensar no que diria em seguida. – Você curte Smiths? – tomou cuidado para não soprar seu bafo matinal na cara dela.

Eleanor olhou para ele, surpresa. Talvez confusa. Ele apontou para o livro no qual ela escrevera "*How soon is now*?" em letras maiúsculas com caneta verde.

– Não sei – ela respondeu. – Nunca ouvi.

– Então você só quer que as pessoas *pensem* que você gosta de Smiths? – ele não pôde evitar parecer desdenhoso.

– É – ela disse, olhando ao redor do ônibus. – Estou tentando impressionar os locais.

Ele não sabia dizer se ela não conseguia evitar dar uma de sabe-tudo, mas sem dúvida o fazia com naturalidade. O ar amargou-se ao redor deles. Park virou-se para a parede. Ela olhou por cima do corredor, para a janela oposta.

Quando ele chegou à aula de Inglês, tentou cruzar seu olhar com o dela, que virou o rosto. Parecia que estava se esforçando tanto para ignorá-lo que nem participou da aula. O Sr. Stessman ficava tentando destacá-la, algo que ele passara a fazer quando a aula se tornava entediante.

Naquele dia, estudavam *Romeu e Julieta*.

– Você não parece chateada com a morte do casal, Srta. Douglas.

– Como? – ela perguntou, franzindo o cenho para o professor.

– Você não acha triste? – insistiu ele. – Dois jovens amantes mortos. "Nunca houve história mais triste". Não a tocam essas palavras?

– Acho que não.

– Por que tanta frieza? Tamanha distância? – ele ficou em pé em frente à carteira dela, fingindo estarem em meio a uma discussão acalorada.

– Não sei... – ela respondeu. – Só não acho que é uma tragédia.

– É *a* tragédia – disse o professor.

Ela entortou os olhos. Estava usando dois ou três colares de pérolas falsas, tipo os que a avó de Park usava para ir à igreja, e brincava com eles enquanto falava.

– Mas ele fica tão obviamente tirando sarro deles – comentou ela.

– Quem?

– Shakespeare.

– Explique-se...

Ela entortou os olhos mais uma vez. Compreendera o joguinho do Sr. Stessman.

– Romeu e Julieta são apenas dois jovens ricos que sempre tiveram tudo o que quiseram. E, agora, eles *acham* que querem um ao outro.

– Estão apaixonados... – disse o professor, com a mão no coração.

– Eles mal se conhecem.

– Foi amor à primeira vista.

– Foi "Ai, meu Deus, ele é tão fofo" à primeira vista. Se Shakespeare quisesse fazer você acreditar que eles estavam apaixonados, não diria quase na primeira cena que o Romeu estava pensando muito na Rosaline. Isso é Shakespeare tirando sarro do amor – explicou a garota.

– Então por que ele sobreviveu?

– Sei lá, porque Shakespeare é um ótimo escritor?

– Não! – disse o Sr. Stessman. – Alguém mais, alguém com coração. Sr. Sheridan, o que pulsa em seu peito? Diga-nos, por que *Romeu e Julieta* sobreviveu por quatrocentos anos?

Park odiava falar na aula. Eleanor franziu o cenho para ele, depois virou a cara. Ele notou que ficou vermelho.

– Porque... – disse, baixinho, olhando para a carteira. – Porque as pessoas querem se lembrar de como é ser jovem? E estar apaixonado? – O Sr. Stessman se recostou em sua cadeira e acariciou a barba. – Acertei? – perguntou Park.

– Ah, sem dúvida, acertou – respondeu o professor. – Não sei se foi por isso que *Romeu e Julieta* se tornou a peça mais amada de todos os tempos. Mas, sim, Sr. Sheridan. Ninguém nunca disse algo mais correto.

Ela não notou Park na aula de História, mas ela nunca notava mesmo.

Quando ele subiu no ônibus naquela tarde, a garota já estava lá. Ela levantou-se para que ele entrasse no lugar dele, na janela, e depois o surpreendeu ao começar a falar. Baixo. Quase sussurrando. Mas falou:

– É tipo uma lista de presentes.

– O quê?

– São canções que eu queria conhecer. Ou bandas que queria conhecer. Coisas que parecem ser interessantes.

– Se nunca as ouviu, como sabe que existem, afinal?

– Não sei – ela disse, defensiva. – Meus amigos, amigos mais velhos... revistas. Sei lá. Por aí.

– Por que não ouve as bandas de uma vez?

Ela o olhou como se ele fosse um babaca completo.

– Não toca Smiths na rádio Sweet 98. – Então, porque Park não disse nada, ela entortou os olhos castanhos. – *Deixa quieto* – ela disse.

Eles não conversaram mais durante o trajeto para casa.

Naquela noite, enquanto fazia seu dever de casa, Park fez uma fita com todas as suas favoritas dos Smiths, mais algumas canções de Echo and the Bunnymen e Joy Division.

Colocou a fita e mais cinco gibis-X na mochila antes de pegar no sono.

11

eleanor

– Por que está tão calada? – perguntou a mãe de Eleanor. A garota estava tomando banho, e sua mãe fazia sopa de quinze feijões. *Portanto, são três grãos para cada um*, dissera Ben, mais cedo, brincando com Eleanor.

– Não estou calada. Estou tomando banho.

– Geralmente, você canta na banheira.

– Não canto, *não*.

– Canta, sim. Costuma cantar *Rocky Raccoon*.

– *Gente*. Bom, obrigada por me informar; não vou mais cantar. Saco.

Eleanor vestiu-se rapidamente e tentou passar espremida por trás da mãe, que a pegou pelos pulsos.

– Gosto de ouvir você cantando.

Ela pescou um frasco de cima do balcão atrás de Eleanor e pingou uma gota de baunilha atrás de cada uma das orelhas da menina. Eleanor ergueu os ombros, sentindo cócegas.

– Por que você sempre faz isso? Fico com o cheiro da Moranguinho.

– Faço isso – disse a mãe – porque é mais barato que perfume, mas o cheiro é tão bom quanto. – Em seguida, passou um pouco de baunilha atrás das próprias orelhas e riu.

Eleanor riu junto, e ficou ali na cozinha por alguns segundos, apenas sorrindo. Sua mãe usava calça jeans antiga e larga, e uma camiseta, com os cabelos puxados para trás, num rabo de cavalo frouxo. Estava parecida com antigamente. Havia uma foto dela numa das festas de aniversário de Maisie, servindo sorvete na casquinha, com um rabo de cavalo igualzinho.

– Você está bem? – ela perguntou.

– Tô... – disse Eleanor – Tô só um pouco cansada. Vou fazer a lição de casa e me deitar.

A mãe parecia saber que algo estava errado, mas, mesmo assim, não insistiu. Ela geralmente fazia a filha contar-lhe tudo. "O que é que você tem aqui?", ela costumava perguntar, dando batidinhas no topo da cabeça de Eleanor, "Você vai ficar louca de tanto pensar, é?". Mas sua mãe não disse mais nada desde que Eleanor voltou para casa. Ela parecia ter percebido que já não tinha mais o direito às batidinhas.

Eleanor subiu em sua cama e empurrou o gato até os pés. Não tinha nada para ler. Nada novo, pelo menos. Será que ele não ia mais trazer gibis? Por que começara a trazê-los? Ela passou os dedos por sobre os embaraçosos títulos das canções – *This Charming Man e How Soon is Now?* – escritos no livro de matemática. Queria apagá-los, mas ele provavelmente notaria e ficaria todo arrogante.

Eleanor estava mesmo cansada, não era mentira. Andava ficando acordada, lendo, quase todas as noites. Naquela noite, pegou no sono logo após o jantar.

***

Acordou com gritos. Gritos de Richie. Eleanor não entendia o que ele dizia.

Por baixo da gritaria, o choro da mãe. Soava como se tivesse chorado por muito tempo. Devia ter perdido totalmente a cabeça para deixar que a ouvissem chorar daquele jeito.

Eleanor percebeu que todo mundo no quarto já havia acordado. Ela se inclinou para fora da cama até que conseguiu enxergar o formato dos irmãos mais novos em meio à escuridão. Estavam os quatro sentados juntos dentro de um amontoado de cobertores, no chão. Maisie segurava o bebê no colo, ninando-o quase freneticamente. Eleanor deslizou para fora da cama sem fazer ruído e foi juntar-se a eles. Mouse subiu no colo dela de imediato. Estava molhado e tremia; envolveu a irmã com braços e pernas, como se fosse um macaco. Ouviram um guincho da mãe, separada deles por dois cômodos, e deram um pulo ao mesmo tempo.

Se a cena estivesse acontecendo dois anos antes, Eleanor teria ela mesma corrido e batido à porta. Gritaria com Richie, para que parasse. Teria ligado para a emergência, no mínimo – *no mínimo*. Mas sentia, então, que isso era algo que uma criança faria, ou um tolo. Naquele momento, conseguia somente pensar no que poderiam fazer caso o bebê começasse a chorar. Felizmente, não aconteceu. Até ele parecia compreender que tentar encerrar a briga apenas pioraria a situação.

***

Quando o alarme tocou na manhã seguinte, Eleanor nem se lembrava de ter pego no sono. Não se lembrava do momento em que a gritaria terminara.

Um pensamento horrível lhe veio à mente, e ela se levantou, tropeçando nas crianças e nos cobertores. Abriu a porta do quarto e sentiu cheiro de bacon.

A mãe estava viva.

E o padrasto devia estar tomando café da manhã ainda.

Eleanor respirou fundo. Estava fedendo a xixi. *Saco*. As roupas mais limpas que tinha eram as que usara no dia anterior, e Tina sem dúvida repararia, afinal, haveria aula de Educação Física, para piorar tudo.

A garota pegou suas roupas e adentrou com tudo na sala de estar, determinada a não fazer contato visual com Richie, caso ele estivesse ali. Ele estava. (*Aquele demônio. Aquele maldito.*) A mãe permanecia em pé, em frente ao fogão, mais imóvel do que de costume. Não dava para não notar o hematoma que tinha no rosto. Nem o chupão embaixo do pescoço. (*Que monstro, que monstro, que monstro.*)

– Mãe – Eleanor sussurrou, exasperada –, tenho que me limpar.

Os olhos da mãe pareceram focalizar a filha.

– Qual o problema?

Eleanor gesticulou para suas roupas, que provavelmente aparentassem estar apenas amarrotadas.

– Dormi no chão com Mouse.

A mãe olhou com preocupação para a sala; Richie puniria Mouse se ficasse sabendo.

– Tá bom, tá bom – ela disse, empurrando Eleanor para o banheiro. – Me dê suas roupas, vou ficar de olho na porta. E não deixe ele sentir o cheiro. Não preciso de mais essa agora de manhã.

Como se fosse Eleanor quem tivesse feito xixi no quarto todo.

Lavou a metade superior do corpo, depois a inferior, de forma que não precisasse nunca ficar totalmente nua. Depois, voltou para o quarto, passando pela sala, vestindo as roupas do dia anterior, tentando de toda maneira não feder a xixi.

A mochila estava no quarto, mas Eleanor não quis abrir a porta e soltar mais ar fedorento. Então, ela simplesmente saiu.

Chegou ao ponto de ônibus quinze minutos mais cedo. Ainda se sentia toda amassada e ridícula, e, graças ao bacon, seu estômago roncava.

12

park

Quando Park entrou no ônibus, deixou os gibis e a fita dos Smiths ao seu lado, para que ficassem ali, esperando por ela. Para que ele não tivesse que dizer nada.

Quando ela entrou no ônibus, alguns minutos depois, Park reparou que havia algo errado. Ela entrou como se tivesse se perdido e ido parar ali. Vestia as mesmas roupas do dia anterior – o que não era *tão* estranho; ela sempre usava uma versão diferente da mesma coisa –, mas naquele dia algo mudara. O pescoço e os pulsos estavam expostos, e o cabelo, uma baderna: uma pilha, uma maçaroca de cachos ruivos.

Ela parou no lugar deles e olhou para a pilha de coisas deixadas ali. (Onde estavam os livros dela?) Depois, pegou tudo, com o maior cuidado do mundo, e se sentou.

Park queria olhar para o rosto dela, mas não conseguia. Em vez disso, ficou olhando para os pulsos. Ela pegou a fita. Ele havia escrito "*How Soon is Now* e Outras" no adesivo branco fino.

Ela a entregou para ele:

– Obrigada – disse. *Isso* sim ele jamais a ouvira dizer. – Mas não posso aceitar.

Ele não pegou.

– É para você, fique com ela – ele sussurrou, desviando o olhar das mãos dela para seu queixo.

– Não – ela disse –, quero dizer, obrigada, mas... não dá.

Ela enfiou a fita na mão dele, mas ele não a aceitou. Por que ela tinha que fazer tudo ser tão difícil?

– Não quero – ele falou.

Ela mostrou os dentes e o encarou. Devia odiá-lo pra caramba.

– Não – disse ela alto o bastante para que praticamente todo mundo ouvisse. – Quero dizer que *não dá*. Não tenho como ouvir a fita. *Meu*, pegue de volta.

Ele pegou. Ela cobriu o rosto. Um garoto sentado no banco oposto ao deles, um segundanista boboca chamado Júnior, assistia à cena.

Park fez careta para o menino até que ele virou a cara. Depois, voltou-se para a garota.

Ele sacou o walkman do bolso do casaco e removeu a fita do Dead Kennedys. Deslizou a fita nova lá dentro, apertou o play, e então – com cuidado – colocou os fones de ouvido por cima dos cabelos. Foi tão cuidadoso que nem chegou a tocá-la.

Deu para ouvir a introdução com a guitarra distorcida e depois os primeiros versos da canção. "*I am the son... and the heir...*"

Ela levantou um pouco a cabeça, mas não olhou para ele. Nem tirou as mãos do rosto.

Quando chegaram à escola, ela tirou os fones e devolveu-os para ele.

Os dois saíram juntos do ônibus e ficaram juntos. O que foi esquisito. Geralmente, separavam-se assim que pisavam a calçada. Park reparou em como essa rotina era estranha: eles seguiam o mesmo caminho todo dia, o armário dela ficava no final do mesmo corredor que o dele. Como conseguiam se separar todas as manhãs?

Park parou por um minuto quando chegaram ao armário dela. Não ficou perto de Eleanor, mas parou. Ela parou também.

– Bem – ele disse, olhando para o final do corredor –, agora você conhece os Smiths.

E ela... ela riu.

eleanor

Ela podia ter aceitado a fita.

Não precisava ficar contando para todo mundo o que tinha e o que não tinha. Não precisava ficar contando nada para nenhum mestiço esquisito.

Tinha quase certeza de que ele era oriental. Difícil dizer. Os olhos eram verdes. E a pele da cor da luz do sol atravessando o mel.

Talvez fosse filipino. As Filipinas ficam na Ásia? Provavelmente. A Ásia é tão grande que chega a perder o controle.

Eleanor conhecera somente um oriental na vida: Paul, que estava na mesma turma de matemática que ela na escola antiga. Paul era chinês. Os pais dele se mudaram da China para Omaha para fugir do governo. (O que soava como uma decisão extremada. Como se tivessem pesquisado no globo terrestre e dito "É, aqui é o mais longe possível".)

Paul foi quem ensinou Eleanor a dizer oriental e não simplesmente japa. *Japa é para a culinária*, dizia ele. *Tanto faz, Xing-Ling*, ela retrucava.

Eleanor não compreendia o que fazia um oriental nas Colinas, afinal. Todo mundo que morava ali era superbranco. Tipo, branco por escolha. Eleanor nem tinha ouvido a palavra que começa com *p* dita em voz alta até se mudar para lá, mas a garotada do ônibus a usava como se fosse o único jeito de indicar que alguém era negro. Como se não existisse outra palavra ou expressão que servisse.

O que era louco demais, considerando que a maioria dos alunos do colegial era negra. Eleanor mantinha-se longe da palavra que começa com *p* até mesmo dentro da própria cabeça. Já era muito ruim que, graças à influência de Richie, ela vivia chamando mentalmente todo mundo que encontrava por aí de "filho da puta". (Irônico.)

Havia outros três ou quatro orientais na escola. Primos. Um deles escrevera uma dissertação sobre como era ser um refugiado do Laos.

E havia o bom e velho menino dos olhos verdes.

A quem ela estava prestes, pelo visto, a contar toda a história da sua vida. Talvez no caminho para casa ela lhe contasse que não tinha telefone nem máquina de lavar roupa nem escova de dentes.

Esse último item, ela pretendia contá-lo só para a orientadora da escola. A Srta. Dunne se sentara com ela no primeiro dia de aula e lhe passara um pequeno sermão sobre como Eleanor poderia contar *qualquer coisa* para ela. Durante todo o discurso, ela ficava apalpando a parte mais fofinha do braço de Eleanor.

Se ela contasse *tudo* à Srta. Dunne – sobre Richie, a mãe, tudo –, não imaginava o que poderia acontecer.

Mas, se contasse a ela sobre a escova de dentes... Talvez a Srta. Dunne simplesmente lhe arranjasse uma. E então Eleanor poderia parar de entrar sorrateiramente no banheiro depois do almoço para esfregar os dentes com sal. (Vira tal técnica num filme de bangue-bangue certa vez. Provavelmente, nem devia funcionar.)

Tocou o sinal: 10h12.

Faltavam apenas duas aulas para a de Inglês. Ficou imaginando se ele ia conversar com ela na aula. Talvez fosse esse o próximo passo de ambos.

Ou talvez só conversassem no ônibus.

Ainda podia ouvir aquela voz na cabeça dela... Não a dele, a do vocalista. Dos Smiths. Dava para ouvir o sotaque dele, mesmo quando cantanva. Parecia que estava quase gritando.

"I am the sun... and the air..."

***

Eleanor não notou logo de cara como todos não estavam horríveis na aula de Educação Física. (Estava com a cabeça ainda no ônibus.) Jogavam vôlei, e Tina disse uma vez: "Você que saca, biscate", mas isso foi tudo, e quase uma brincadeirinha, considerando as coisas da Tina.

Quando Eleanor entrou no vestiário, notou por que Tina estivera tão na dela; apenas esperara. Ela e as amigas – e as meninas negras também, todo mundo queria participar – estavam paradas no fim do corredor de Eleanor, esperando que ela passasse por ali e fosse até o armário.

Estava coberto de absorventes. Uma caixa inteira, pelo visto.

Inicialmente, Eleanor chegou a pensar que os absorventes estivessem, de fato, sujos de sangue, mas, quando se aproximou, percebeu que era apenas canetinha vermelha. Alguém escrevera "Cabeçorvente" e "Ruivona" em alguns dos absorventes, mas, eram do tipo mais caro, por isso a tinta já começava a ser absorvida.

Se as roupas dela não estivessem dentro daquele armário, se ela estivesse usando qualquer coisa que não o uniforme de Educação Física, teria simplesmente dado meia-volta e ido embora.

Em vez disso, passou pelas meninas, com o queixo o mais elevado que conseguiu, e removeu metodicamente cada um dos absorventes do armário. Havia até alguns lá dentro, grudados nas roupas.

Eleanor chorou um pouquinho, não pôde evitar, mas ficou de costas para todas, para não entregar o show. Acabou tudo em questão de minutos, porque ninguém queria se atrasar para o almoço. A maioria das meninas ainda tinha que se trocar e arrumar o cabelo.

Todas as meninas saíram aos poucos dali, com exceção de duas garotas negras. Elas se aproximaram de Eleanor e começaram a puxar os absorventes da parede.

– Não liga, não – sussurrou uma das meninas, acrescentando um absorvente à bola que já tinha na mão. Seu nome era DeNice, e ela parecia nova demais para estar no primeiro ano do ensino médio. DeNice era pequena, e seus cabelos estavam amarrados em duas maria-chiquinhas.

Eleanor concordou com a cabeça, mas não disse nada.

– Essas meninas não valem nada – disse DeNice. – São tão insignificantes que se bobear nem Deus consegue enxergar nenhuma delas.

– Ahã – concordou a outra garota. Eleanor tinha quase certeza de que ela se chamava Beebi.

Beebi era o que a mãe de Eleanor costumava chamar de "menina grande". Era muito maior que Eleanor; o uniforme de ginástica de Beebi tinha até uma cor diferente dos das outras pessoas, como se tivessem que pedir o dela separado. Perto de Beebi, Eleanor se sentia uma boboca por odiar tanto o próprio corpo. (Embora tivesse reparado que era sempre ela que era chamada de porca na Educação Física, nunca Beebi.)

Elas jogaram os absorventes na lixeira, ajeitando algumas toalhas de papel molhadas por cima, para que ninguém os descobrisse ali.

Se DeNice e Beebi não estivessem ali, Eleanor provavelmente teria ficado com alguns dos absorventes, aqueles onde não havia nada escrito, porque, gente, que desperdício.

Atrasou-se para o almoço, o que a fez se atrasar para a aula de Inglês. E, também se ela ainda não tivesse sacado que estava gostando daquele mestiço idiota maldito, acabou descobrindo.

Porque, mesmo depois de tudo o que acontecera nos últimos 45 minutos – e tudo o que acontecera nas últimas 24 horas –, ela só conseguia pensar em encontrar Park.

park

Quando voltaram ao ônibus, ela aceitou o walkman sem discutir. E sem fazer o garoto colocar os fones nela. Na parada antes da dela, Eleanor o devolveu.

– Pode pegar emprestado – ele disse baixinho. – Ouça o restante da fita.

– Estou com medo de quebrar.

– Não vai quebrar.

– Não quero gastar a pilha.

– Não ligo pra pilha.

Ela olhou para ele, bem nos olhos, talvez pela primeira vez. Os cabelos de Eleanor estavam ainda mais bagunçados do que naquela manhã, mais crespos do que cacheados, como se a ideia fosse usar um grande e ruivo penteado afro. Mas os olhos estavam supersérios, muito sóbrios. Qualquer clichê que você possa ter ouvido para descrever o olhar de Clint Eastwood: os olhos dela estavam assim.

– Sério? – perguntou. – Você não liga?

– São só pilhas.

Ela tirou as pilhas e a fita do walkman de Park, devolveu-o para ele, depois saiu do ônibus sem olhar para trás.

Nossa, como ela era esquisita!

eleanor

As pilhas começaram a enfraquecer à uma da manhã, mas Eleanor continuou ouvindo por mais uma hora, até que as vozes foram ficando mais lentas e pararam.

13

eleanor

Lembrou-se de levar os livros, e vestia roupas limpas. Tivera de lavar a calça jeans na banheira na noite anterior, então ela ainda estava meio úmida. Porém, no fim das contas, Eleanor se sentia mil vezes melhor do que no dia anterior. Até o cabelo estava meio que cooperando. Amarrara-o para cima, num coque, prendendo-o com elástico. Ia doer pra burro tentar tirá-lo depois, mas, pelo menos, o arranjo estava se sustentando, por ora.

E, o melhor de tudo, tinha as canções de Park na cabeça. E no peito, de alguma forma.

Havia algo nas canções daquela fita. Eram diferentes. Causavam um aperto no peito e na barriga. Havia algo de excitante, e algo de angustiante. Faziam Eleanor se sentir como se tudo, como se o *mundo*, não fosse o que ela pensava ser. E era uma coisa boa. Era a melhor coisa de todas.

Quando ela subiu no ônibus naquela manhã, ergueu a cabeça imediatamente para encontrar Park. Ele estava olhando para a frente também, como se a esperasse. Ela não pôde conter um sorriso. Só por um segundo.

Logo que se sentou, Eleanor se afundou no banco, assim os facínoras do fundão não poderiam ver, pelo topo da cabeça dela, como estava feliz.

Dava para sentir que Park estava sentado ao lado dela, ainda que mantivesse pelo menos quinze centímetros de distância.

Ela lhe entregou os gibis, depois ficou nervosa, puxando o laço verde que lhe envolvia o pulso. Não sabia o que dizer. Começou a recear que não fosse conseguir dizer nada, que nem conseguiria agradecer-lhe.

As mãos de Park estavam perfeitamente paradas no colo. E perfeitamente perfeitas. Cor de mel, com unhas limpas e rosadas. Ele era todo forte e esbelto. Todos seus movimentos tinham uma intenção.

Estavam quase na escola quando ele rompeu o silêncio:

– Escutou? – Ela fez que sim com a cabeça, deixando os olhos escalarem até os ombros dele. – Gostou? – ele perguntou.

Ela entortou os olhos.

– Minha nossa. Foi... assim, tão... – ela esticou os dedos – tão incrível.

– Está sendo sarcástica? Não dá pra saber.

Ela o fitou no rosto, mesmo sabendo a sensação que a invadiria: como se alguém lhe puxasse as vísceras pelo peito.

– Não. Foi incrível. Não queria parar de escutar. Aquela música, *Love Will Tear Us Apart*.

– Sei, Joy Division.

– Meu Deus, aquela é a melhor introdução do mundo. – Ele imitou a guitarra e a bateria. – Isso mesmo – ela continuou. – Eu só queria ouvir aqueles três segundos sem parar.

– Devia ter ouvido – ele sorria com os olhos, mas nem tanto com a boca.

– Não queria gastar a pilha. – Ele balançou a cabeça, como se ela fosse uma boba. – Além disso – ela disse –, adorei o resto tanto quanto, tipo a parte mais alta, a melodia, *o dahhh, dah-de-dah-dah, de-dahh, de-dahh.*

Ele concordou.

– E a voz dele no final – ela disse –, quando ele canta um pouco mais agudo... E depois o finzinho, quando parece que a bateria tá resistindo, como se não quisessem que a música terminasse...

Park fez barulhos de bateria com a boca: *"tch-tch-tch, tch-tch-tch".*

– Só queria partir essa música em pedaços – ela falou – e amar todos até a morte.

Essa fez ele rir.

– E os Smiths? – ele quis saber.

– Não sabia qual era qual.

– Vou escrever pra você.

– Gostei de todas.

– Legal.

– Amei.

Ele sorriu, mas logo se virou e olhou para fora. Ela, para baixo.

O ônibus estava entrando no estacionamento. Ela não queria que essa coisa nova de conversar, tipo, conversar *mesmo*, na ida e na volta, sorrindo um para o outro, parasse.

– E... – ela disse, rápido – tô adorando os X-Men. Mas odeio o Ciclope.

Ele jogou a cabeça para trás.

– Você não pode odiar o Ciclope. Ele é o líder da equipe.

– Muito chato. Pior que o Batman.

– Por quê? Você odeia o Batman?

– Nossa. Muito chato. Não consegui me forçar a ler. Sempre que você traz um do Batman, me pego ouvindo o Steve falar, ou olhando pela janela querendo estar na Terra do Nunca. O ônibus parou.

– Hum – ele disse, de forma bem crítica, levantando-se.

– Que foi?

– Agora sei no que você fica pensando quando olha pela janela.

– Não sabe, não – ela falou. – Penso em várias coisas.

Os outros alunos iam passando por eles, pelo corredor.

– Vou trazer *O Cavaleiro das Trevas* pra você – ele disse.

– Que é isso?

– Basicamente, a história menos chata do Batman.

– A história menos chata do Batman, é? Ele resolve levantar as *duas* sobrancelhas, é isso?

Ele riu de novo. O rosto dele mudava completamente quando ele ria. Não tinha covinhas, exatamente, mas os lados do rosto ficavam côncavos, e os olhos quase desapareciam.

– Aguarde e confie – ele disse.

park

Naquela manhã, na aula de Inglês, Park notou que o cabelo de Eleanor ficava vermelho clarinho na nuca.

eleanor

Naquela tarde, na aula de História, Eleanor notou que Park mastigava a caneta quando estava pensando. E que a menina que se sentava atrás dele – como era o nome dela? Kim, dos seios gigantes, com a mochila laranja da Esprit – estava totalmente a fim dele.

park

Naquela noite, Park fez uma fita só com a canção do Joy Division, repetida ao infinito.

Esvaziou os videogames de mão e os carrinhos de controle de Josh, e chamou a avó para dizer que tudo o que queria de presente de aniversário eram pilhas tipo AA.

14

eleanor

– Espero que ela não esteja pensando que eu vou pular por cima daquela coisa ali – disse DeNice.

DeNice e a outra garota, a "grande" Beebi, agora conversavam com Eleanor nas aulas de educação física. (Claro, sofrer um ataque de absorventes no vestiário é mesmo uma excelente forma de se fazer amigos.)

Na aula de hoje, a Sra. Burt, professora das meninas, mostrou a elas como fazer movimentos circulares sobre um cavalo de ginástica olímpica de mais de cem anos de idade. Disse também que, na próxima vez, todas teriam que tentar.

– Ela pode ir tirando essa ideia da cabeça – disse DeNice depois da aula, no vestiário. – E eu lá tenho cara de Mary Lou Retton?

Beebi soltou uma risadinha.

– É melhor dizer pra ela que você não comeu cereal suficiente no café da manhã.

Na verdade, Eleanor pensou que DeNice até se parecia com uma ginasta, mesmo, com aquela franjinha e os prendedores que ela usava no cabelo. Ela parecia nova demais para estar no ensino médio, e usava umas roupas que só pioravam a situação: mangas bufantes, macacões, prendedores de cabelo combinantes... O uniforme de ginástica de DeNice era sempre largo, parecendo um conjuntinho infantil.

Eleanor não estava com medo do cavalo, mas não queria ter que correr pelos colchonetes até chegar a ele, não na frente da turma inteira. Ela não queria correr, ponto. Isso fazia seus seios pularem como se quisessem se descolar de seu corpo.

– Vou dizer à Sra. Burt que minha mãe não quer que eu faça nada que possa romper meu hímen – disse Eleanor. – Por questões religiosas.

– E isso é verdade? – Beebi perguntou.

– Não – respondeu Eleanor, sorrindo. – Na verdade...

– Safadinha... – disse DeNice, puxando as alças do macacão para cima.

Eleanor vestiu uma camiseta por cima do uniforme, tirando-o depois, usando a camiseta como proteção.

– Você vem? – perguntou DeNice.

– Bem, eu não pretendo começar a faltar a outras aulas agora, só por causa da de educação física – disse Eleanor, dando pulinhos para vestir seus jeans.

– Não, você vem para o almoço?

– Ah – disse Eleanor, levantando os olhos. As garotas estavam esperando por ela no fim do corredor dos armários. – Sim.

– Então vem logo, Srta. Jackson.

Eleanor sentou-se com DeNice e Beebi na mesa de sempre, perto das janelas. No meio do intervalo, ela viu Park passar.

park

– Por que você não tira sua habilitação antes da formatura? – Cal perguntou.

O Sr. Stessman pediu que formassem pequenos grupos. Tinham de comparar Julieta e Ofélia.

– Porque não tenho como controlar o tempo nem o espaço – Park respondeu. Eleanor estava sentada do outro lado da sala, perto da janela.

Formava dupla com um cara chamado Eric, jogador de basquete. Ele falava, e ela só franzia o cenho.

– Se você tivesse carro – disse Cal –, eu podia convidar a Kim.

– Você pode convidar a Kim.

Eric era um desses caras altos que sempre andam com os ombros quase cinco centímetros atrás dos quadris. Sempre fazendo a dança da cordinha. Como se tivesse receio de bater a cabeça no batente de todas as portas.

– Ela quer ir em turma – disse Cal. – Além disso, acho que ela gosta de você.

– O quê? Não quero ir à formatura com a Kim. Nem gosto dela. Quero dizer, você sabe... É *você* quem gosta dela.

– Eu sei. E é por isso que o plano vai funcionar. Vamos todos juntos à formatura. Ela vai perceber que você não gosta dela, vai ficar inconsolável, e adivinha quem vai estar bem ali, pedindo pra dançar uma lenta?

– Não quero deixar Kim inconsolável.

– Ou ela ou eu, velho.

Eric disse outra coisa, e Eleanor franziu o cenho de novo. Depois, ela olhou para Park... e clareou o rosto. Park sorriu.

– Um minuto – disse o Sr. Stessman.

– Droga! – exclamou Cal. – O que vamos escrever... A Ofélia era maluca, né? E a Julieta, o quê? Tava na sexta série?

eleanor

– Então, a Psylocke é outra telepata?

– Uhum – Park respondeu.

Toda manhã, ao entrar no ônibus, Eleanor receava que Park não tirasse os fones de ouvido. Que parasse de conversar com ela tão subitamente quanto começara. E, se isso acontecesse, se ela entrasse naquele ônibus e ele não olhasse para a frente, não queria que ele visse quão arrasada ela ficaria.

Até então, não acontecera.

Até então, não haviam *parado* de conversar. Assim, literalmente. Conversavam o tempo inteiro que passavam sentados juntos. E quase todas as conversas começavam com as palavras "O que você acha...".

O que Eleanor achava daquele disco do U2? Ela amava.

O que Park achava de *Miami Vice*? Achava chato.

– Sim – diziam quando concordavam um com o outro. Um para o outro. "Sim", "*Sim*", "*Sim!*".

"*É mesmo.*"

"*Exatamente.*"

"*Não é?*"

Concordavam sobre tudo que era importante e discutiam sobre o restante. E isso era bom também, porque, quando discutiam, Eleanor sempre fazia Park morrer de rir.

– Por que os X-Men precisam de outra telepata? – ela perguntou.

– Essa tem cabelo roxo.

– Acho tão sexista.

Park escancarou os olhos. Bom, mais ou menos. Às vezes, ela se perguntava se o formato dos olhos dele afetava a forma como ele via as coisas. Essa devia ser provavelmente a ideia mais racista de todos os tempos.

– Os X-Men não são sexistas – ele disse, meneando a cabeça. – São uma metáfora para a aceitação; juraram proteger um mundo que os odeia e tem medo deles.

– É, mas...

– Não tem mas – ele disse, rindo.

– *Mas* – Eleanor insistiu – as garotas são todas tão estereotipicamente femininas e passivas. Metade delas só pensa com bastante força. Tipo *este* é o superpoder delas: *pensar*. E o poder da Lince Negra é pior ainda: ela desaparece.

– Ela fica intangível – Park corrigiu. – É diferente.

– Mesmo assim, é o tipo de coisa que você faz brincando de tomar chá.

– Não se você tem uma xícara de chá quente na mão. E mais, você tá esquecendo a Tempestade.

– Não estou esquecendo a Tempestade. Ela controla o clima com a mente; também é só pensamento. E é o máximo que ela *consegue fazer* em cima daquelas botas.

– Ela tem um moicano legal… – Park disse.

– Irrelevante – Eleanor retrucou.

Park recostou a cabeça no banco, sorrindo, e olhou para o teto.

– Os X-Men não são sexistas.

– Está tentando pensar em alguma personagem forte? – Eleanor perguntou. – E a Cristal? É um globo de discoteca ambulante. E a Rainha Branca? Ela pensa com muita força vestindo *lingerie* branca impecável.

– Que tipo de poder *você* queria ter? – ele lhe perguntou, mudando de assunto. Virou o rosto para o lado dela, encostando a bochecha no banco. Sorrindo.

– Queria voar – Eleanor respondeu, desviando o olhar. – Sei que não é muito útil, mas… é *voar*.

– *Sim* – ele disse.

park

– Droga, Park, você vai pra alguma missão ninja?

– Ninjas usam preto, Steve.

– O quê?

Park deveria ter entrado para tirar o uniforme de taekwondo, mas o pai dissera que ele teria que estar de volta às nove, e isso lhe dava menos de uma hora para ver Eleanor.

Steve permanecia na rua, cuidando de seu Camaro. Ele também não tinha habilitação ainda, mas estava se preparando.

– Indo ver a namorada? – ele perguntou a Park.

– O quê?

– Saindo de fininho pra ver a namorada? Bloody Mary?

– Não é minha namorada – Park disse, depois engoliu seco.

– Saindo de fininho, tipo ninja.

Park balançou a cabeça e saiu correndo. *Bom, e não é namorada mesmo*, ele pensou, cortando caminho pela alameda.

Não sabia exatamente onde Eleanor morava. Sabia o ponto em que ela descia do ônibus, e sabia que morava perto da escola.

Deve ser essa aqui, pensou. Parou em frente a uma pequena casa branca. Havia alguns brinquedos quebrados no quintal, e um rottweiler gigante dormindo na varanda.

Park caminhou lentamente até a casa. A cachorra ergueu a cabeça e o observou por um segundo, depois voltou a dormir. Continuou imóvel, até quando Park subiu os degraus e bateu à porta.

O cara que veio atender parecia jovem demais para ser o pai de Eleanor. Park tinha quase certeza de tê-lo visto em algum lugar na vizinhança. Não sabia quem esperava que atendesse a porta. Alguém mais exótico. Alguém mais parecido com ela.

O cara nem disse nada. Apenas ficou parado na porta, esperando.

– Eleanor está em casa? – Park perguntou.

– Quem quer saber? – O homem tinha um nariz fino feito faca, que apontava direto para Park.

– Estudamos na mesma escola.

O sujeito olhou para Park por mais um segundo, depois fechou a porta. Park não sabia ao certo o que fazer. Esperou por alguns segundos e, então, quando estava pensando em ir embora, Eleanor abriu a porta apenas o suficiente para atravessá-lo.

Os olhos dela estavam escancarados, alarmados. No escuro, nem pareciam ter íris.

Assim que a viu, Park compreendeu que cometera um erro vindo até ali, e achou que deveria ter imaginado isso antes. Ficara tão empolgado em lhe mostrar...

– Oi – disse.

– Oi.

– Eu...

– ... veio me desafiar para um combate mano a mano?

Park enfiou a mão dentro do *dobok* e retirou a segunda edição de *Watchmen*. O rosto dela se iluminou; estava tão pálida, tão luminosa sob a luz do poste, que iluminar não foi somente força de expressão.

– Já leu? – ela perguntou.

Ele balançou a cabeça.

– Pensei que a gente podia... ler junto.

Eleanor olhou para a casa, depois desceu com pressa os degraus. Ele a seguiu, descendo, cruzaram o caminho de cascalho, até o pátio de uma escola infantil. Havia uma grande lâmpada de segurança acima da porta. Eleanor se sentou no primeiro degrau, e ele se acomodou ao lado dela.

Levaram o dobro do tempo para ler *Watchmen* do que levavam para qualquer outro gibi; e levaram mais tempo ainda naquela noite, porque era tão estranho ficarem juntos, sentados, em outro lugar além do ônibus. Ou se encontrarem fora da escola. O cabelo de Eleanor estava molhado, caindo em cachos longos e escuros em volta do rosto.

Quando chegaram à última página, tudo o que Park mais queria era ficar ali conversando sobre a história. (Tudo o que queria era ficar sentado conversando com Eleanor.) Mas ela já foi se levantando, olhando para a casa.

– Tenho que ir – disse.

– Ah – ele falou. – Tá bom. Acho que eu também tenho.

Ela o deixou sentado nos degraus da escolinha. Desapareceu para dentro da casa antes que ele pudesse pensar em dizer tchau.

eleanor

Quando ela entou na casa, a sala estava escura, mas a TV, ligada. Eleanor viu Richie sentado no sofá, e a mãe em pé na porta da cozinha.

Apenas alguns passos distante de seu quarto...

– Aquele é seu namorado? – Richie perguntou antes de ela chegar lá. Ele nem tirou os olhos da TV.

– Não – ela respondeu. – É só um garoto da escola.

– O que ele queria?

– Falar sobre um trabalho.

Eleanor esperou na porta do quarto. Depois, vendo que Richie não dizia mais nada, foi para dentro e fechou-a atrás de si.

– Eu sei bem o que você tá aprontando – ele disse, erguendo a voz, assim que a porta se fechou. – Não passa de uma cadela no cio.

Eleanor deixou que as palavras dele a atingissem em cheio. Bem no rosto.

Subiu na cama e apertou olhos, mandíbula e punhos, e ficou apertando-os até que pôde respirar sem gritar.

Até aquele momento, mantivera Park num lugar da mente que julgara que Richie jamais poderia alcançar. Completamente separado daquela casa e de tudo que acontecia nela. (Era um lugar muito legal. O único em sua mente em que dava para rezar.)

Mas Richie ganhara acesso a ele, e mijara para todo lado, fazendo tudo o que ela sentia parecer tão fétido e podre quanto ele.

Não conseguia mais pensar em Park.

Em como estava vestido de branco, parecendo um super-herói no escuro.

Em seu cheiro de suor e sabonete.

Em como sorria quando gostava de alguma coisa, com os lábios erguidos nos cantos da boca.

Não conseguia mais fazê-lo sem pensar no olhar sugestivo de Richie.

Eleanor chutou o gato para fora da cama, só por maldade. Ele grunhiu, mas logo voltou.

– Eleanor – Maisie sussurrou da cama de baixo –, aquele era seu namorado?

Eleanor mordeu os dentes.

– Não – sussurrou de volta, rancorosa. – É só um garoto.

15

eleanor

A mãe ficou no quarto, na manhã seguinte, enquanto Eleanor se arrumava.

– Aqui – sussurrou, pegando uma escova e prendendo o cabelo da filha num rabo de cavalo, sem desfazer o cacheado. – Eleanor...

– Sei por que você está aqui – Eleanor disse, afastando-se. – Não quero falar sobre isso.

– Escute.

– Não. *Eu sei*. Ele não vai voltar, tá bem? Não convidei, mas vou falar com ele, e ele não vai voltar.

– Tá, bem... melhor – sussurrou a mãe, dobrando os braços. – É que você é tão nova.

– Não – Eleanor retrucou –, não é isso. Mas não importa. Ele não vai voltar, tá bom? As coisas nem estão desse jeito também.

A mãe saiu do quarto. Richie ainda estava em casa. Eleanor saiu pela porta da frente quando o ouviu abrir a torneira do banheiro.

As coisas nem estão desse jeito, ela pensou enquanto caminhava até o ponto de ônibus. E o pensamento lhe deu vontade de chorar, porque ela sabia que era verdade.

E a vontade de chorar virou raiva.

Porque, se ela ia chorar por uma coisa, seria pelo fato de sua vida ser uma droga completa, e não porque um garoto legal e bonitinho não gostava dela *desse jeito*.

Principalmente considerando que ser amiga de Park era, basicamente, a melhor coisa que já lhe acontecera na vida.

Ela devia estar parecendo muito irritada quando subiu no ônibus, pois Park nem disse oi assim que ela se sentou.

Eleanor ficou olhando para o corredor.

Depois de alguns segundos, ele pôs a mão no lenço de seda amarrado no pulso dela e brincou com ele.

– Desculpa – disse.

– Pelo quê? – ela até parecia brava. Gente, como era idiota.

– Sei lá – ele respondeu. – Fiquei com medo de você ter levado bronca ontem à noite...

Ele puxou o lenço de novo, então ela o olhou. Tentou não parecer brava, mas preferia parecer brava a parecer ter passado a noite inteira pensando em quão belos eram os lábios dele.

– Aquele era o seu pai? – ele perguntou.

Ela jogou a cabeça para trás.

– *Não*. Era o meu... o marido da minha mãe. Ele não é nada *meu*. Meu problema, talvez.

– Você levou bronca?

– Mais ou menos. – Ela não queria falar com Park sobre Richie. Acabara de limpar toda a presença dele do lugar ocupado por Park em sua mente.

– Desculpa – ele disse de novo.

– Tudo bem – ela afirmou. – Não foi culpa sua. De qualquer forma, obrigada por trazer o *Watchmen*. Fiquei feliz por ter podido ler.

– Foi legal, né?

– Ah, sim. Meio brutal. Quero dizer, a parte do Comediante...

– É... Foi mal...

– Não, não quis dizer isso. Quero dizer... Acho que eu precisava reler.

– Reli duas vezes ontem à noite. Pode levar pra você hoje.

– Mesmo? Obrigada.

Park ainda segurava a ponta do lenço, esfregando a seda entre os dedos. Ela o observava.

Se ele olhasse para o rosto de Eleanor naquele momento, veria quão idiota ela era. Dava para sentir seu rosto ficando todo risonho e abobado. Se Park a olhasse naquele momento, sacaria tudo.

Ele não olhou. Enrolou a seda em torno de seus dedos até que a mão dela ficou pendurada no espaço entre eles.

Então, deslizou seda e dedos para dentro da palma da mão dela.

E Eleanor desintegrou-se.

park

Segurar a mão de Eleanor era como segurar uma borboleta. Ou um coração a bater. Como segurar algo completo, e completamente vivo.

***

Assim que a tocou, perguntou-se como aguentara tanto tempo sem fazê-lo. Passou o dedão pela palma e pelos dedos dela, ciente de cada respiração de Eleanor.

Park já dera a mão para outras meninas. Meninas da Skateland. Uma menina no baile do nono ano, no ano anterior. (Beijaram-se enquanto esperavam que o pai dela fosse buscá-la.) Chegara até a pegar na mão da Tina, quando "saíam" no sétimo ano.

Até então, havia sido legal. Nada muito diferente do que segurar a mão de Josh, quando eram pequenos, para atravessar a rua. Ou segurar na mão da avó a caminho da igreja. Talvez um pouco mais tenso, mais embaraçoso.

Quando beijou a menina no ano anterior, com a boca seca e os olhos praticamente abertos, Park chegou a imaginar se havia algo errado com ele.

Chegou a supor – verdade, enquanto a beijava, chegou a supor – que fosse gay. Só que ele não tinha vontade de beijar meninos também.

E, se ele pensasse na Mulher-Hulk ou na Tempestade (em vez de pensar na garota em questão, a Dawn), o beijo ficava bem melhor.

Talvez eu não sinta atração por meninas de verdade, pensou ele na época. *Talvez eu seja uma espécie de tarado por gibis*.

Ou talvez, pensou ele mais tarde, ele não reconhecesse todas as outras garotas. Do mesmo jeito que um computador cospe fora um disquete se não lhe reconhecer o formato.

Quando tocou a mão de Eleanor, ele a reconheceu. Ele soube.

eleanor

Desintegrada.

Como se tivesse dado algo errado em seu teletransporte para a Enterprise.

Se você, alguma vez, já parou para pensar na sensação de ser teletransportado, concluira que é muito similar a derreter, só que mais violento.

Mesmo estilhaçada em milhões de pedaços, Eleanor ainda sentia o toque de Park em sua mão. Sentia o dedão dele explorando-lhe a palma. Ficou sentada, completamente imóvel, porque não tinha opção. Tentava lembrar-se de quais animais paralisavam a presa antes de devorá-la.

Talvez Park a paralisara usando magia ninja, seu punho vulcano, e estava prestes a devorá-la.

Isso seria incrível.

park

Soltaram as mãos quando o ônibus parou. Park foi inundado pela realidade, e olhou ao redor, preocupado, para ver se alguém os estava observando. Depois, olhou para Eleanor, preocupado, para ver se ela o notara olhando ao redor.

Ela continuava com os olhos no chão, mesmo quando pegou a mochila e parou no corredor.

Se alguém o estivera observando, o que teria visto? Park não conseguia imaginar como seu rosto tinha ficado enquanto ele tocava Eleanor. Como alguém que dá o primeiro gole num comercial de Pepsi Diet. Alegria extrema.

Park ficou atrás de Eleanor no corredor. Ela tinha quase a mesma altura que ele. O cabelo estava puxado para cima, e a nuca, ruborizada, toda pintadinha. Ele resistiu à vontade de encostar o rosto ali.

Acompanhou-a até o armário dela, e recostou-se na parede enquanto ela o abria. Eleanor não disse nada, apenas rearranjou alguns livros lá dentro e tirou outros.

Conforme o prazer de tocá-la se dissipou, ele começou a reparar que ela não fizera nada para tocá-lo também. Não dobrara seus dedos sobre os dele. Não olhara para ele. Ainda não olhara para ele. *Como assim?*

Ele bateu gentilmente na porta do armário.

– Toc-toc.

Ela fechou a porta.

– Oi, e aí? – ela disse.

– Tudo certo? – Ela fez que sim. – Te vejo na aula de Inglês?

Ela fez que sim e saiu andando.

Puxa.

eleanor

Durante a primeira, a segunda e a terceira aulas, Eleanor acariciou a palma da mão.

Não sentiu nada.

Como era possível que houvesse tantas terminações nervosas num só lugar?

E ficavam sempre ali ou simplesmente se ativavam quando tinham vontade? Porque, se sempre estiveram ali, como ela conseguia girar uma maçaneta sem desmaiar?

Talvez fosse esse o motivo pelo qual tanta gente afirmasse ser mais gostoso dirigir carro com câmbio manual.

park

Puxa. Será que dava para estuprar a mão de alguém?

Eleanor não conseguiu olhar para Park durante as aulas de Inglês e de História. Ele foi até o armário dela depois da aula, mas ela não estava lá.

Quando ele entrou no ônibus, ela já estava sentada no banco de sempre... mas no lugar dele, perto da parede. Ele ficou envergonhado demais para dizer qualquer coisa. Sentou-se ao lado dela e pousou as mãos no meio das pernas.

Sendo assim, ela teve de ir longe para alcançar o pulso dele, puxar sua mão e segurá-la. Entrelaçou seus dedos nos dele e tocou-lhe a palma com seu dedão.

Os dedos de Eleanor tremiam.

Park ajeitou-se no banco e ficou de costas para o corredor.

– Tudo certo? – ela sussurrou.

Ele fez que sim, respirando fundo. Os dois olharam para suas mãos.

Puxa.

16

eleanor

Os sábados eram os piores dias.

Nos domingos, Eleanor pensava o dia todo em quão perto já estava a segunda. Mas os sábados levavam dez anos para passar.

Já terminara de fazer a lição de casa. Algum doente escrevera "eu te deixo molhadinha?" no livro de geografia dela, então passou bastante tempo cobrindo a frase com caneta preta. Tentou transformá-la em alguma flor.

Assistiu a desenhos animados com os irmãos menores até começar a passar o golfe, depois jogou paciência de dupla com Maisie, a ponto de ambas se sentirem entediadas ao extremo.

Mais tarde, escutou música. Guardara as duas últimas pilhas que Park lhe dera para que pudesse escutar a fita naquele dia, em que mais sentia saudades dele. Estava com cinco fitas, o que significava que, se as pilhas durassem, ela teria 450 minutos para passar com Park em sua mente, segurando sua mão.

Podia parecer bobagem, mas era o que fazia com ele, até nas fantasias, nas quais tudo era possível. Até onde ela sabia, isso mostrava quão maravilhoso era segurar a mão de Park.

(Além disso, eles não ficavam apenas de mãos dadas. Park tocava as mãos dela como se fossem algo raro e precioso, como se seus dedos estivessem intimamente conectados com o restante de seu corpo. O que, é claro, era fato. Difícil explicar. Ele a fazia sentir como se ela fosse mais do que a soma de suas partes.)

A única coisa chata da nova rotina dos dois no ônibus era que ela interrompera totalmente as conversas. Eleanor mal conseguia olhar para Park enquanto estavam se tocando. E Park vinha tendo dificuldade de concluir suas frases. (O que significava que ele gostava dela. Ah!)

No dia anterior, a caminho de casa, o ônibus teve de dar uma volta de quinze minutos devido a um encanamento estourado. Steve começou a reclamar porque precisava chegar ao posto de gasolina em que trabalhava. Então, Park disse:

– Uau...

– O quê? – Eleanor passara a se sentar na janela, onde se sentia mais segura, menos exposta, como se pudesse de fato fingir, às vezes, que o ônibus era só deles.

– Posso estourar canos com a mente.

– Mas que mutação mais limitada – disse ela. – Qual é seu codinome?

– Meu codinome... hum... – e aí ele começou a rir e puxou um dos cachinhos dela. (Esta era a supernovidade, o toque nos cabelos. Às vezes, ele vinha por trás dela na escola e lhe puxava o rabo de cavalo ou lhe dava um tapinha no coque.)

– Hum... Não sei qual seria meu codinome – ele falou.

– Que tal Funcionário Público? – disse ela, colocando sua mão sobre a dele, dedo com dedo. Os dela eram bem menores, mal passando da metade dos dele. Devia ser a única parte dela que era menor do que ele.

– Você é mesmo uma menininha – ele comentou.

– O que quer dizer?

– Suas mãos. Elas são tão... – Ele tomou uma das mãos dela dentro das dele. – Sei lá... vulneráveis.

– Mestre dos Canos – ela sussurrou.

– Oi?

– Seu codinome de super-herói. Não, espera, Encanador. Tipo o Super Mario!

Ele riu e puxou outro cachinho.

Essa fora a mais longa conversa que tiveram em duas semanas. Ela começou a escrever-lhe uma carta – começou um milhão de vezes –, mas parecia uma coisa tão oitavo ano. O que poderia escrever?

"Querido Park, gosto de você. Seu cabelo é muito bonito."

Ele tinha mesmo um cabelo muito bonito. Muito, muito. Curtinho atrás, mas meio longo e bagunçado na frente. Era quase totalmente liso e quase totalmente negro, o que, em Park, parecia ser uma espécie de escolha de estilo de vida. Ele sempre usava preto, praticamente dos pés à cabeça. Camisetas pretas de punk rock por baixo de camisas de manga comprida pretas. Tênis pretos. Jeans azul. Quase tudo preto, quase todo dia. (Ele tinha uma camiseta branca, mas com os dizeres "Bandeira preta" na frente, em grandes letras pretas.)

Sempre que Eleanor usava preto, sua mãe dizia que parecia que ela estava indo a um funeral, num caixão. Enfim, era normal ela dizer esse tipo de coisa quando notava, vez ou outra, o que Eleanor estava vestindo. Eleanor teve de usar alfinetes do kit de costura da mãe para prender retalhos de seda e de veludo a fim de tampar os buracos dos jeans, e a mãe nem comentou nada.

Park ficava bem de preto. Parecia um desenho feito a carvão. Sobrancelhas grossas e arqueadas. Cílios curtos e negros. Bochechas salientes, brilhantes.

"Querido Park, gosto muito de você. Você tem bochechas muito bonitas."

Apenas não gostava de pensar sobre Park o que raios ele poderia ter visto nela.

park

A picape ficava morrendo.

O pai de Park não dizia nada, mas o garoto sabia que ele estava ficando irritado.

– Tente de novo – disse o pai. – E só escutar o motor, depois trocar de marcha.

Era a simplificação mais simplificadora que Park já ouvira. Escutar o motor, pisar a embreagem, pôr a marcha, pisar o acelerador, soltar a embreagem, manobrar, checar os espelhos, dar a seta, olhar duas vezes para ver se vinham motos...

O mais chato era que ele tinha certeza de que se sairia muito bem se o pai não estivesse sentado ao lado, fumegando. Park se imaginava fazendo tudo aquilo com muita eficiência.

Às vezes, acontecia o mesmo no taekwondo. Park nunca conseguia dominar uma técnica nova se fosse o pai quem estivesse ensinando.

Embreagem, marcha, acelerador.

A picape morreu.

– Você pensa demais – o pai atacou, como sempre dizia

Quando Park era criança, tentava argumentar:

– Não consigo *não* pensar – justificativa, em meio a uma aula de taekwondo. – Não consigo desligar o cérebro.

– Se lutar desse jeito, alguém vai desligá-lo por você.

Embreagem, marcha, tremelique.

– Ligue de novo... Agora, não pense; só coloque a marcha... Eu disse: *Não pense*.

O automóvel morreu de novo. Park segurou o volante pelas laterais e deitou a cabeça nele, desistindo. O pai irradiava frustração.

– Caramba, Park. Não sei o que fazer com você. Estou te ensinando já faz um ano. Ensinei seu irmão a dirigir em duas semanas.

Se a mãe estivesse ali, teria marcado a falta.

– Não faz isso – diria ela. – Dois meninos. *Diferentes*.

E o pai rangeria os dentes.

– Acho que é fácil pro Josh não pensar.

– Pode chamar seu irmão de burro quanto quiser – falou o pai. – Ele consegue dirigir um carro manual.

– Mas eu só vou dirigir o Impala na vida – Park murmurou, espontaneamente –, e é automático.

– A questão não é essa – comentou o pai, quase gritando.

Se a mãe estivesse ali, teria dito:

– Ei, ei, ei, não é assim que se fala. Vá lá fora e grite com o céu, seu nervosinho.

O que significava essa vontade de Park de ter a mãe por perto para defendê-lo?

Que ele era um bocó.

Era isso que o pai achava. Era provavelmente o que estava pensando naquele momento. Pelo visto, estava tão calado justamente porque se controlava para não dizer isso em voz alta.

– Tente de novo – disse ele.

– Não, chega.

– Chega quando eu disser que chega.

– Não – disse Park. – Não quero mais.

– Bom, não vou dirigir até em casa. Tente de novo.

Park deu a partida na picape. Morreu de novo. O pai desferiu um tapa com sua mão gigante no porta-luvas. Park abriu a porta da picape e saltou para o chão. O pai o chamou, gritando, mas ele continuou andando. Estavam a apenas alguns quilômetros de casa.

Se o pai passou por ele de carro, indo para casa, Park nem reparou. Quando chegou a seu bairro, no fim do dia, Park foi para a rua de Eleanor, em vez da sua. Havia duas crianças meio ruivinhas brincando no jardim, embora fizesse um pouco de frio.

Não dava para enxergar dentro da casa. Talvez, se ele ficasse ali fora por bastante tempo, ela o visse pela janela. Park só queria ver seu rosto. Os grandes olhos castanhos, os lábios rosados. A boca se parecia um pouco com a do Coringa, dependendo de quem o desenhava: bem larga e curvada. Não psicótica, é claro... Melhor Park jamais dizer-lhe isso. Não soava nem um pouco como elogio.

Eleanor não olhou pela janela. Quem olhou foram as crianças, então Park foi para casa.

Os sábados eram os piores dias de todos.

17

eleanor

As segundas-feiras eram os melhores dias de todos.

Naquela, quando Eleanor entrou no ônibus, Park sorriu muito para ela. Tipo, sorriu o tempo todo enquanto ela caminhava pelo corredor.

Eleanor não conseguiu retornar o sorriso direto para ele, não na frente de todo mundo. Mas não podia evitar sorrir, então o fez para o chão e olhou de vez em quando para ver se ele ainda estava olhando para ela.

E ele estava.

Tina também a estava olhando, mas Eleanor a ignorou.

Park levantou-se quando ela chegou ao banco deles e, assim que se sentou, ele tomou a mão dela e a beijou. Aconteceu tão rápido que ela nem teve tempo de morrer de êxtase ou de vergonha.

Ela apenas deitou o rosto, por alguns segundos, sobre o ombro dele, sobre a manga de seu casaco preto. Ele segurou a mão dela.

– Tava com saudade – Park sussurrou. Ela sentiu lágrimas lhe surgirem nos seus olhos e virou-se para a janela.

Não disseram mais nada durante todo o trajeto até a escola. Park acompanhou Eleanor até o armário dela, e ambos ficaram ali, quietos, encostados na parede, quase até a hora em que o sinal tocou. O corredor estava praticamente vazio.

Então, Park ergueu a mão e enrolou um dos cachinhos dela no dedo.

– Já estou com saudade – disse, soltando-o.

***

Eleanor atrasou-se para a chamada e não ouviu quando o Sr. Phelps lhe disse que ela tinha que ir à sala da orientadora. Ele jogou uma pasta na carteira dela.

– Eleanor, acorde! A orientadora quer que você veja isso com ela.

Nossa, que cara idiota! Muito bom que estivesse ali só para fazer a chamada. No caminho até a sala da orientadora, a garota foi tamborilando os dedos na parede, cantarolando uma canção que Park lhe mostrara.

Estava tão encantada que até sorriu para a Sra. Dunne quando chegou ao seu destino.

– Eleanor – disse a orientadora, abraçando a garota. A Sra. Dunne era chegada num abraço. Abraçaram-se logo na primeira vez em que se viram. – Como vai você?

– Vou bem.

– Boa *aparência* – comentou a Sra. Dunne.

Eleanor olhou para baixo, para sua blusa (certeza de que um cara muito gordo a comprara para jogar golfe em meados de 1968) e a calça jeans rasgada. Nossa, será que estava assim tão mal-vestida?

– Ah, obrigada – agradeceu, meio em dúvida, rindo.

– Andei conversando com seus professores – explicou a moça. – Sabia que vai tirar nota máxima em quase todas as matérias? – Eleanor deu de ombros. Não tinha TV a cabo nem telefone, e era como se morasse no subsolo da própria casa... Havia tempo de sobra para a lição de casa. – Bom, você vai – continuou a orientadora. – Estou tão *orgulhosa* de você.

Eleanor ficou feliz por haver uma mesa entre as duas nesse momento. A Sra. Dunne parecia armada para atacá-la com outro abraço.

– Mas não foi por isso que chamei você aqui. O motivo aqui é que recebi uma ligação para você agora de manhã. Um homem ligou... Ele disse ser seu pai... E ligou aqui porque não tinha o seu telefone de casa...

– Na verdade, não tenho telefone – contou Eleanor.

– Ah – disse a outra –, entendo. Seu pai não sabe disso?

– Não deve saber – respondeu Eleanor. Já era estranho ele saber em que escola ela estudava.

– Gostaria de ligar para ele? Pode usar o telefone do escritório.

Se gostaria de ligar para ele? Por que raios ele ligara para ela? Talvez alguma coisa horrível (alguma coisa horrível *mesmo*) acontecera. Talvez a avó tivesse morrido. Caramba.

– Claro... – disse Eleanor.

– Sabe – falou a Sra. Dunne –, pode usar meu telefone sempre que quiser. – Ela se levantou e sentou-se na ponta da mesa, e descansou a mão no joelho de Eleanor. A garota estava *a um triz* de pedir uma escova de dentes, mas pensou que isso levaria a uma maratona de abraços e afagos no joelho.

– Obrigada – agradeceu somente.

– Certo – a orientadora falou, radiante. – Volto já. Vou só retocar o batom.

Quando ela saiu, Eleanor discou o número do pai, surpresa em ainda sabê-lo de cor. Ele atendeu no terceiro toque.

– Oi, pai. É a Eleanor.

– Oi, filha, tudo bem com você?

Ela considerou, por um instante, contar-lhe a verdade toda.

– Tudo – disse.

– Como estão todos?

– Bem.

– Vocês nunca ligam.

Nem adiantava dizer-lhe que eles não tinham telefone. Ou comentar que ele nunca retornara a ligação quando eles ainda tinham e ligavam. Ou até mesmo dizer que era *ele* quem devia encontrar um jeito de falar com *eles*, sendo que tinha telefone, carro e uma vida própria.

Não adiantava dizer nada ao pai. Eleanor sabia disso fazia tanto tempo que nem se lembrava de quando compreendera o fato.

– Olha, tenho uma proposta legal pra lhe fazer – ele disse. – Pensei que você podia vir aqui na sexta à noite – a voz dele parecia com a de um desses caras da TV, desses que tentam vender discos de coletânea. Os melhores disco dos anos 70 ou a mais nova coleção *Time Life*. – Donna quer que eu vá a um casamento aí – ele continuou –, e eu lhe disse que talvez você pudesse cuidar do Matt. Pensei que ia querer ganhar uma graninha.

– Quem é Donna?

– Ué, a Donna. Donna, minha noiva. Vocês a conheceram da última vez que vieram aqui.

Fazia quase um ano.

– Sua vizinha? – perguntou Eleanor.

– Isso, Donna. Você pode vir e passar a noite aqui. Cuida do Matt, come uma pizza, fica no telefone... Vão ser os dez dólares mais fáceis da sua vida.

E provavelmente os primeiros.

– Tá bom – disse Eleanor. – Você vem buscar a gente? Sabe onde a gente mora agora?

– Busco você na escola; desta vez, só você. Não quero que fique com uma casa lotada de crianças pra tomar conta. A que horas você sai da escola?

– Às três.

– Legal. Te encontro na sexta, às três.

– Tá bem.

– Bom, então tá. Te amo, filha, estude bastante.

A Sra. Dunne esperava encostada na porta, de braços abertos.

Bem, pensou Eleanor, enquanto cruzava o corredor. Estava tudo bem. Todo mundo estava bem. Ela beijou as costas da mão só para sentir os próprios lábios.

park

– Não vou mais ao baile de formatura – disse Park.

– Claro que não. Ao baile – disse Cal. – Quero dizer, tá tarde demais pra alugar o smoking, afinal.

Estavam adiantados para a aula de Inglês. Cal sentava-se dois lugares atrás dele, por isso Park tinha de ficar olhando para trás o tempo todo para ver se Eleanor já chegara.

– Vai alugar smoking? – perguntou Park.

– Ah, sim.

– Ninguém aluga smoking pra formatura.

– Então quem vai ser o cara mais classudo? E outra, você sabe alguma coisa de baile? Você nem vai... ao baile, quero dizer. Agora, o jogo de futebol... outra história.

– Nem gosto de futebol – disse Park, olhando para a porta.

– Dá pra parar de ser o pior amigo do mundo por, tipo, uns cinco minutos?

Park olhou para o relógio.

– Claro.

– Por favor – pediu Cal –, faça esse único favor pra mim. Vai toda uma turma de gente legal, e, se você for, a Kim vai se sentar com a gente. Você é tipo um ímã de Kim.

– Você não entende como isso é problemático?

– Não. Considero que encontrei a melhor isca pra minha armadilha pra Kim.

– Pare de repetir o nome dela.

– Por quê? Ela não tá aqui, tá?

Park olhou para trás.

– Não dá pra você gostar de uma menina que também goste de você?

– Nenhuma gosta de mim – disse Cal. – Então posso gostar da que eu quero de verdade. Ah, vai, por favor. Vamos ao jogo na sexta... por mim.

– Não sei... – Park respondeu.

– Uau, qual é o problema dela? Parece que acabou de matar alguém.

Park olhou para trás com tudo. Eleanor. Sorrindo para ele.

Ela tinha aquele sorriso que a gente vê nos comerciais de creme dental, em que dá para ver quase todos os dentes da pessoa. Ela devia sorrir desse jeito o tempo inteiro, Park pensou, pois fazia o rosto dela passar de estranho para lindo. Queria fazê-la sorrir desse jeito mais frequentemente.

O Sr. Stessman fingiu tropeçar contra o anteparo da lousa quando entrou.

– Meu Deus, Eleanor, pare. Está me cegando. É por isso que mantém esse sorriso trancado, porque é poderoso demais para os mortais?

Ela olhou para baixo, envergonhada, e o sorriso esmoreceu.

– Psiu – disse Cal. Kim sentou-se entre os dois. Cal juntou uma palma na outra, implorando. Park suspirou e fez que sim com a cabeça.

eleanor

Ela esperava que o telefonema do pai fosse deixá-la azeda. (As conversas com seu pai eram como chicotadas; nem sempre doíam na hora.)

Mas isso não aconteceu. Nada poderia estragar seu dia. Nada poderia tirar as palavras de Park de sua cabeça.

"Tava com saudade", dissera ele naquela manhã. Vai saber do que tinha saudade... Da gordura. Da esquisitice. Do fato de que ela não conseguia falar com ele como uma pessoa normal. Enfim, qualquer que fosse a perversão que o fazia gostar dela, o problema era dele. Mas Park gostava dela, disso Eleanor tinha certeza.

Pelo menos, por ora.

Naquele dia.

Ele gostava dela. Sentia saudade.

As palavras repetiram-se na cabeça dela o dia inteiro.

Jogaram basquete na aula de Educação Física, e Eleanor estava tão distraída que chegou a se esquecer de não tentar. Ela roubou a bola, colidindo com uma das amigas de Tina, uma menina troncuda e espevitada chamada Annette.

– Está tentando alguma coisa? – inquiriu Annette, empurrando a bola contra o peito de Eleanor. – É isso? Então, venha, ande. Chegue aí. – Eleanor deu alguns passos para trás, saindo da quadra, e esperou que a Sra. Burt apitasse.

Annette ficou irritada durante o restante da partida, mas Eleanor não se deixou afetar.

A sensação que a invadia quando estava sentada ao lado de Park no ônibus – aquela sensação de segurança, de que estava a salvo naquele momento –, podia conjurá-la sempre que quisesse. Como um campo de força. Como se fosse a Mulher Invisível.

Isso faria dele o Sr. Fantástico.

18

eleanor

Sua mãe não queria deixá-la cuidar do bebê.

– Ele tem quatro filhos – disse ela. Estava desenrolando massa para fazer *tortillas*. – Ele se esqueceu disso?

Eleanor fizera a burrice de contar para a mãe a conversa que tivera com o pai, bem na frente dos irmãos, e ficaram todos muito animados. E depois ela teria que lhes contar que eles não foram convidados, que ela iria só para dar uma de babá, na verdade, e que o papai nem estaria lá.

Mouse começou a chorar, e Maisie ficou brava e saiu soltando fogo pelas ventas. Ben pediu a Eleanor que ela ligasse para o pai e perguntasse se ele poderia ir também, para ajudar.

– Diga que eu cuido das crianças o tempo todo – disse o menino.

– O pai de vocês só dá trabalho – retrucou a mãe. – Toda vez ele parte o coração de vocês. E, toda vez, espera que eu vá lá recolher os pedacinhos.

Recolher, varrer para o canto... dava na mesma, na cabeça da mãe. Eleanor não discordou nem discutiu.

– Me deixa ir, por favor – disse.

– Por que você quer ir? – perguntou a mãe. – Por que se importa com ele? Ele nunca ligou pra vocês.

Puxa. Mesmo que fosse verdade, doía ouvir isso.

– Não me importa – disse Eleanor. – Eu só preciso sair um pouco daqui. Não vou a lugar algum além da escola já faz dois meses. Além disso, ele disse que vai me pagar.

– Se ele tem dinheiro sobrando, devia pagar a pensão.

– Mãe, são só dez dólares. Por favor.

A mãe suspirou.

– Tá bom. Vou falar com o Richie.

– Não. *Caramba*. Não fale com o Richie. Ele vai dizer não. E, de qualquer maneira, ele não pode me impedir de ir ver meu pai.

– Richie é o chefe desta família. É ele quem coloca comida na nossa mesa.

Que comida?, Eleanor quis perguntar. E, a propósito, que mesa? Eles comiam sentados no sofá ou no chão, ou nos degraus da entrada da casa, segurando pratinhos de papel. Além disso, Richie diria "não" apenas pelo prazer de dizer "não", sentindo-se como se ele fosse o rei da Espanha. E devia ser exatamente por isso que a mãe queria dar essa chance a ele.

– Mãe – Eleanor enterrou o rosto nas mãos, e inclinou-se contra a geladeira. – *Por favor*.

– Ai, *tá bom* – disse a mãe, amargamente. – Mas, se ele te der dinheiro, você vai dividir com seus irmãos. É o mínimo que pode fazer.

Eles que ficassem com tudo. Eleanor só queria a chance de falar com Park ao telefone. Poder falar com ele sem todas as criaturas infernais das Colinas escutando.

***

Na manhã seguinte, no ônibus, enquanto Park passava o dedo dentro do bracelete dela, Eleanor pediu o número do telefone dele.

Ele começou a rir.

– Qual é a graça?

– É que... – ele disse, baixinho. Diziam tudo baixinho, mesmo estando o ônibus na maior algazarra, mesmo que fosse preciso gritar num megafone para se fazer ouvir por cima de todos os palavrões e babaquices. – Parece que você tá dando em cima de mim.

– Talvez eu não devesse pedir seu telefone. Você nunca pediu o meu.

Ele olhou para ela por entre os fios de cabelo da franja.

– Pensei que você não pudesse usar o telefone... depois daquele dia, com o seu padrasto.

– Provavelmente, eu não poderia. Se tivesse telefone. – Geralmente, ela tentava não comentar coisas assim com Park. Tipo, sobre todas as coisas que ela não tinha. Ela esperou que ele reagisse, mas ele não fez nada. Apenas passou o dedão pelas veias do pulso dela.

– Então, por que quer meu telefone?

Nossa, pensou ela, *deixa pra lá*.

– Não precisa me dar se não quiser.

Ele entortou os olhos e tirou uma caneta da mochila, depois pegou um dos livros dela.

– Não – ela sussurrou –, aí não. Não quero que a minha mãe veja.

Ele fez uma careta para o livro.

– Acho que seria mais preocupante se ela visse *isso*.

Eleanor olhou para baixo. Droga. A pessoa que escreveu aquela nojeira no livro de geografia fez o mesmo no de história.

Estava escrito "me chupa" em letras azuis feias.

Ela tomou a caneta de Park e começou a rabiscar os dizeres.

– Por que escreveu isso? – ele perguntou. – É letra de música?

– Não fui eu – ela disse. Dava para sentir porções de rubor escalando seu pescoço.

– Quem foi, então?

Ela o olhou com a cara mais zangada que conseguiu fazer. (Era difícil olhar para ele com uma expressão que não fosse meiga.)

– Eu não sei.

– Por que *alguém* escreveria isso?

– Eu não *sei*. – Ela puxou os livros contra o peito e os abraçou.

– Ei – ele disse.

Eleanor ignorou-o e ficou olhando pela janela. Não acreditava que tinha deixado que ele visse aquilo no livro. Uma coisa era permitir-lhe conhecer sua vida maluca aos poucos... *Então tá, eu tenho um padrasto medonho, não tenho telefone e, às vezes, quando acaba o sabão de lavar louça, eu lavo o cabelo com xampu antipulgas...*

Mas era outra coisa lembrá-lo de que ela era *aquele tipo* de garota. Só faltava convidá-lo para a aula de Educação Física. Podia aproveitar e dar-lhe uma lista em ordem alfabética de todas as palavras com que a xingavam.

A – Aranha gorda

B – Baranga ruiva

Provavelmente, ele tentaria perguntar *por que* ela era aquele tipo de garota.

– Ei – ele chamou.

Ela meneou a cabeça.

Não adiantaria dizer-lhe que ela não era *aquele tipo* de garota na escola anterior. Sim, já haviam tirado sarro dela. Sempre havia meninos sacanas – e sempre, sempre havia meninas maldosas –, mas ela tinha amigos na escola anterior. Tinha gente com quem ela almoçava e para quem mandava recadinhos. Gente que a escolhia para entrar no time na aula de Educação Física simplesmente porque a achavam legal e divertida.

– Eleanor...

Mas não havia ninguém como Park na escola anterior.

Não havia ninguém como Park em lugar nenhum.

– O quê? – ela disse, olhando para a janela.

– Como você vai me ligar se não tiver meu telefone?

– Quem disse que eu ia te ligar? – Ela abraçou mais os livros.

Ele se inclinou sobre ela, pressionando-lhe o ombro.

– Não fique brava comigo – disse, suspirando. – Isso me deixa louco.

– Nunca fico brava com você – ela falou.

– Tá.

– Não fico.

– Pelo visto, você fica *não brava* comigo o tempo todo.

Ela encostou no ombro dele e não conteve um sorriso.

– Vou tomar conta do Matt na casa do meu pai, na sexta à noite, e ele disse que eu podia usar o telefone.

Park virou o rosto avidamente. Estava muito perto do dela. Dava para beijá-lo, ou dar-lhe uma cabeçada, antes mesmo que ele tivesse chance de se afastar.

– É mesmo? – ele perguntou.

– Sim.

– *Sim* – ele disse, sorrindo. – Mas você não vai me deixar escrever meu número?

– Me fale – ela respondeu. – Eu decoro.

– Deixa eu escrever.

– Vou decorar colocando numa melodia, assim não esqueço.

Ele começou a cantar o número seguindo a melodia de "867-5309", e ela caiu na gargalhada.

park

Park tentou se lembrar da primeira vez que a vira.

Porque se lembrava de, naquele dia, ter visto o mesmo que todo mundo. Lembrava-se de pensar que ela estava pedindo para ser maltratada...

Que já era ruim o bastante ter cabelo ruivo cacheado. Que já era ruim o bastante ter um rosto em formato de caixa de bombons.

Não, não foi exatamente isso o que ele pensou. Ele pensou...

Que já era ruim o bastante ter milhões de sardas e bochechas gorduchas de bebê.

Nossa, ela tinha bochechas lindas. Com covinhas, além das sardas, o que não devia nem ser permitido, e redondas feito flor de maçã. Era meio incrível que ninguém mais tentasse apertá-las. A avó dele, com certeza, iria querer apertá-las quando elas se conhecessem.

Mas Park não pensara nisso na primeira vez em que a vira no ônibus. Lembrava-se de ter pensado que já era ruim o bastante ter aquela aparência dela...

Por que ela tinha que se vestir daquele jeito? E agir daquele jeito? Tinha tanto que se forçar a ser diferente?

Lembrava-se de ficar com vergonha por ela.

E, no entanto...

Passara a sentir a raiva subindo-lhe pela garganta sempre que imaginava alguém tirando sarro dela.

Quando pensava em alguém escrevendo algo como aquela grosseria no livro dela... sentia-se como Bill Bixby um segundo antes de se transformar no Hulk.

Vinha sendo tão difícil, no ônibus, fingir que nada o incomodava. Não queria tornar as coisas piores para ela... Colocou as mãos dentro dos bolsos e as fechou em punho, ficando desse jeito durante a manhã toda.

E, durante toda a manhã, ele quis socar alguma coisa. Ou chutar alguma coisa. Park tinha Educação Física logo após o almoço, e correu tão rápido no aquecimento que começou a querer pôr para fora o sanduíche de peixe que acabara de comer.

O Sr. Koenig, o professor, mandou-o sair mais cedo da aula e tomar banho.

– Pro chuveiro, Sheridan. Agora. Isto aqui não é nenhum *Carruagens de fogo*.

Park gostaria de estar sentindo *somente* uma raiva honrada. Gostaria de sentir somente vontade de defender e proteger Eleanor sem sentir... tudo mais.

Sem sentir como se estivessem tirando sarro dele também.

Havia momentos, e não somente naquele dia, mas desde quando se conheceram, em que Eleanor o deixava desconfortável, quando ele via pessoas falando e tinha certeza de que estavam falando deles. Momentos chatos no ônibus, nos quais ele tinha certeza de que todos estavam rindo deles.

E, nesses momentos, Park pensava em se afastar dela.

Não terminar com ela. Essa ideia nem entrava em cogitação. Só... afastar-se um pouco. Retomar os quinze centímetros de espaço entre eles.

Essa ideia ficava rolando pela cabeça dele até quando voltava a vê-la.

Na aula, na carteira dela. No ônibus, esperando por ele. Lendo sozinha na cantina.

Sempre que via Eleanor, ele não conseguia mais pensar em se afastar. Não conseguia pensar em mais nada.

A não ser tocá-la.

A não ser fazer qualquer coisa que pudesse ou tivesse de fazer para vê-la feliz.

***

– Como assim você não vai? – perguntou Cal.

– Aconteceu uma coisa – disse Park. Era hora do almoço, e Park tentava manter sua voz baixa.

– Uma coisa? – indagou Cal, metendo a colher no doce de banana. – Tipo você virar um completo idiota, foi isso que aconteceu? Porque isso tem acontecido bastante ultimamente.

– Não. Uma coisa. Tipo, uma coisa com uma menina.

Cal se aproximou.

– Você tem alguma coisa com alguma menina?

Park notou que ficara vermelho.

– Mais ou menos. É. Não quero falar sobre.

– Mas a gente tinha combinado – insistiu Cal.

– Você tinha combinado. E o combinado era péssimo – Park rebateu. – Pior amigo do mundo.

eleanor

Ela estava tão nervosa que mal tocou em seu almoço. Deu seu sanduíche de peru para DeNice e o suco de frutas para Beebi.

Park a fez repetir o número do telefone dele durante todo o trajeto até em casa.

E depois acabou escrevendo-o no livro dela mesmo assim. Escondeu-o por entre títulos de canções.

– *Forever Young*.

– Isso é um 4[1] – disse ele. – Você vai lembrar?

– Não vou precisar – ela disse. – Já sei seu número de cor.

– E aqui vai um 5, porque não consigo pensar em nenhuma música pra representar o 5... e esta aqui, *Summer of 69*, com essa, você vai se lembrar do 6, mas esquecer o 9.

– Odeio essa música.

– Tá, eu sei... Xi, não consigo pensar em nenhuma música pro 2.

1 Four, em inglês. (N.T.)

– *Two of us* – ela disse.

– *Two of us*?

– Dos Beatles.

– Ah... por isso que não conheço. – Ele anotou.

– Já sei seu número de cor.

– É que tô com medo de você esquecer – ele disse baixinho. E afastou os cabelos dela, de cima dos olhos, com a caneta.

– Não vou esquecer – ela retrucou. Nunca. Poderia gritar o número dele em seu leito de morte. Ou tatuá-lo no coração quando ele finalmente se enchesse dela. – Sou boa com números.

– Se você não me ligar na sexta à noite – ele disse –, porque não consegue se lembrar do número...

– Que tal isto: posso te dar o número do meu pai *e*, se eu não tiver te ligado até as nove, você pode me ligar.

– É uma ótima ideia. Falando sério.

– Mas você não pode ligar em nenhuma outra hora.

– Parece que... – Ele começou a rir e desviou o rosto.

– O quê? – ela perguntou, cutucando-o com o cotovelo.

– Parece que marcamos um encontro. Muita bobeira?

– Não.

– Ainda que a gente fique junto todo dia... – ele disse.

– A gente nunca fica junto de verdade – ela completou.

– É como se a gente tivesse cinquenta damas de companhia.

– Damas de companhia hostis – Eleanor sussurrou.

– É.

Ele guardou a caneta no bolso, depois pegou a mão dela e a segurou contra o peito por um minuto.

Foi a coisa mais gentil que ela poderia ter imaginado. Teve vontade de dar filhos para ele, além dos próprios rins.

– Um encontro – disse ele.

– Praticamente – ela completou.

19

eleanor

Quando acordou naquela manhã, Eleanor sentiu-se como se fosse seu aniversário... Como costumava se sentir em seu aniversário, na época em que acontecia uma hiper-rodada de sorvete.

Talvez houvesse um pouco de sorvete na casa do pai. Se tivesse, ele provavelmente jogaria fora antes que ela chegasse. Vivia cutucando-a por causa do peso. Bom, era o que ele costumava fazer. Talvez, quando ele deixasse de se preocupar de todo com ela, pararia de ligar para isso também.

Eleanor vestiu uma camisa masculina velha, listrada, e pediu à mãe que amarrasse uma das suas gravatas – tipo dar um nó mesmo – em torno de seu pescoço.

A mãe chegou a dar-lhe um beijo de despedida à porta e disse um "divirta-se", e que ligasse para os vizinhos caso as coisas ficassem estranhas com o pai.

Certo, pensou Eleanor, *com certeza, vou ligar para você caso a noiva do papai me chame de vadia e me faça usar um banheiro sem porta*. Ora, que coincidência!

Estava um pouco nervosa. Fazia pelo menos um ano que não via o pai, e passara certo tempo sem vê-lo antes disso. Ele nunca ligava na época em que ela morou com os Hickmans. Talvez nem soubesse que ela estava lá. Ela não lhe contou.

Ele não aguentava ficar nem um fim de semana com os filhos. Buscava-os na casa da mãe deles, depois os deixava na casa da avó, e saía para fazer sei lá o que ele costumava fazer nos fins de semana. (Presumivelmente, algo envolvendo muita, muita maconha.)

Park caiu no riso quando viu a gravata de Eleanor. Isso era melhor ainda do que fazê-lo sorrir.

– Não sabia que era pra usar roupa social – ele disse quando ela se sentou ao lado dele.

– Estou esperando que você me leve a algum lugar legal – Eleanor falou baixinho.

– Eu vou... – Ele pegou a gravata com ambas as mãos e a esticou. – Algum dia.

Era muito mais provável que ele dissesse coisas desse tipo no caminho para a escola do que no caminho para casa. Às vezes, ela se perguntava se ele estava totalmente acordado.

Park virou-se praticamente de lado no banco.

– Então, você vai logo após a escola?

– Isso.

– E vai me ligar assim que chegar lá...

– Não, vou ligar assim que o bebê ficar quietinho. Eu tenho mesmo que tomar conta dele.

– Vou te fazer várias perguntas pessoais – ele disse, inclinando-se para a frente. – Tenho uma lista.

– Não tenho medo da sua lista.

– É extremamente longa – ele afirmou – e extremamente pessoal.

– Reservo-me o direito de não responder.

Ele se ajeitou no banco e olhou para ela.

– Queria que você fosse logo – sussurrou –, assim poderíamos conversar, finalmente.

***

Eleanor esperou nos degraus da entrada da escola, depois da aula. Queria ter encontrado Park antes que ele entrasse no ônibus, mas devia ter chegado depois dele.

Não sabia exatamente qual carro procurar; o pai ganhava a vida, ou quase isso, consertando carros importados, então estava sempre com um diferente.

Eleanor começava já a suspeitar que ele não viria mais – poderia ter ido ao colégio errado ou mudado de ideia – quando ele buzinou.

E chegou num antigo Karmann Ghia conversível. Parecia o carro no qual James Dean sofrera o acidente que o matara. O braço do pai vinha pendurado sobre a porta, cigarro na mão.

– Eleanor! – gritou ele.

Ela caminhou até o carro e entrou. Não havia cinto de segurança.

– Só trouxe isso? – ele perguntou, olhando para a mochila dela.

– É só uma noite – ela deu de ombros.

– Tá certo – disse ele, saindo do estacionamento um pouco rápido demais. Ela se esquecera do péssimo motorista que ele era. Fazia tudo muito rápido, e com uma mão só.

Eleanor apoiou-se no porta-luvas. Estava frio lá fora, e, visto que se movimentavam, foi esfriando ainda mais.

– Posso fechar a capota?

– Ainda não consertei – ele disse, e riu.

Ele ainda morava no mesmo apartamento duplex de quando se separou da mãe de Eleanor. Era um sólido edifício de tijolos à vista, e ficava a cerca de dez minutos da escola.

Quando entraram, ele a fitou com mais atenção.

– É assim que a garotada descolada tem se vestido ultimamente? – perguntou. Eleanor olhou para a camisa branca gigante, a gravata de lã e a jaqueta de cotelê roxa.

– Isso – disse ela, numa boa. – Basicamente, é o nosso uniforme.

A namorada do pai – a noiva –, Donna, não sairia do trabalho antes das cinco, e depois disso teria de buscar seu filho na creche. Nesse meio-tempo, Eleanor e o pai ficaram no sofá, assistindo à ESPN.

Ele fumou cigarro atrás de cigarro, e bebericou uísque num copo baixo. De vez em quando, o telefone tocava, e ele mantinha uma longa e risonha conversa com alguém sobre um carro ou um negócio ou uma aposta. Dava a impressão de que toda pessoa que ligava era a melhor amiga dele no mundo. Os cabelos do pai eram de um loiro-claro, quase de bebê, e o rosto, redondo e infantil. Quando ele sorria, o que fazia muito, o rosto se iluminava todo, feito um letreiro. Quanto mais prestava atenção nele, mais Eleanor o odiava.

O apartamento mudara desde a última vez em que ela pisara ali, e não somente graças à caixa de brinquedos da Fisher Price na sala de estar e à maquiagem no banheiro.

Quando começaram a visitá-lo lá, depois do divórcio, mas antes de Richie, o apartamento era um cafofo pelado de solteirão. Não havia nem tigelas suficientes para que todos pudessem tomar sopa. Ele chegou a servir sopa de mariscos para Eleanor num copo de coquetel. E tinha somente duas toalhas. "Uma molhada", dizia ele, "uma seca".

Porém, Eleanor reparou, então, nos pequenos mimos espalhados pela casa. Maços de cigarro, jornais, revistas... Caixas de cereal e papel higiênico. A geladeira lotada de coisas que se jogam no carrinho sem pensar, simplesmente por parecerem gostosas. Iogurte cremoso. Suco de *grapefruit*. Queijinhos redondos individuais embrulhados em plástico vermelho.

Ela mal podia esperar que o pai saísse para que pudesse começar a comer *tudo*. Havia estoques de latas de Coca-Cola na despensa. Ela ia tomar o refrigerante como se fosse água a noite toda, talvez até o usasse para lavar o rosto. *E* ia pedir pizza. A não ser que a pizza tivesse que ser paga com o dinheiro que receberia pelo serviço. (Isso seria típico do pai. Do tipo que confere o recibo para saber quanto foi gasto.) Eleanor não se importava se comer tudo o deixaria irritado ou levaria Donna à loucura. Talvez nunca mais visse nenhum dos dois novamente.

Ocorreu-lhe que *devia* ter trazido uma bolsa maior. Poderia surrupiar algumas latas de Chef Boyardee e sopa de galinha Campbell para os irmãos. Seu retorno seria como uma visita do Papai Noel.

Não quis mais pensar nos irmãos. Nem no Natal.

Tentou sintonizar na MTV, mas o pai fez careta. Estava no telefone de novo.

– Posso ouvir música? – ela sussurrou.

Ele fez que sim.

Trouxera uma antiga fita com canções variadas no bolso, e pretendia gravar por cima uma coletânea para Park. Mas havia um pacote cheio de fitas Maxell virgens em cima do aparelho de som do apartamento. Eleanor mostrou uma delas ao pai, que fez que sim, batendo o cigarro num cinzeiro com formato de africana nua.

Eleanor sentou-se perante as caixas cheias de discos.

Era lá que ficavam os discos do pai e da mãe, não só os dele. Talvez a mãe não quisera levar nenhum consigo. Ou talvez o pai os tomara.

A mãe adorava um da Bonnie Raitt. Eleanor perguntou-se se ele chegara a ouvi-lo.

Sentia-se de volta aos sete anos, fuçando entre os discos. Antes de lhe permitirem tirar os discos do plástico, Eleanor gostava de arrumá-los no chão e observar as capas. Quando ficou maior, o pai a ensinou a limpá-los com uma escova de veludo e cabo de madeira.

Lembrava-se da mãe acendendo incensos e colocando os discos favoritos – Judee Still, Judy Collins e Crosby, Stills & Nash – para ouvir limpando a casa. Lembrava-se dos que o pai colocava – Jimi Hendrix, Deep Purple e Jethro Tull – quando os amigos vinham e ficavam até tarde da noite.

Eleanor lembrava-se de deitar-se de bruços sobre um tapete persa antigo, bebendo suco de uva num copo de geleia, tomando cuidado extra para não fazer barulho, para não acordar o irmãozinho que dormia no quarto ao lado, e estudando cada disco, um por um. Repetia os títulos sem parar. *Cream. Vanilla Fudge. Canned Heat.*

Os discos mantinham exatamente o mesmo cheiro que sempre tiveram. O mesmo do quarto do pai. E do casaco de Richie. Maconha, Eleanor compreendeu. *Dã.* Dessa vez, pesquisava os discos com um pouco mais de atenção; tinha uma missão: procurava o *Rubber Soul* e o *Revolver*.

Às vezes, parecia que ela jamais poderia fazer por Park algo similar ao que ele fazia por ela. Era como se ele despejasse todo um tesouro sobre ela a cada manhã sem nem refletir sobre seu ato, sem notar quanto tudo aquilo valia.

Não havia meio de retribuir. Mal dava para agradecer apropriadamente. Como é que se agradece a alguém que lhe apresenta o The Cure? Ou os X-Men? Ocorria-lhe, às vezes, que ela viveria para sempre em dívida.

Até que ela se lembrou de que ele não conhecia nada dos Beatles.

park

Park foi ao parque jogar basquete depois da aula. Só para passar o tempo. Mas não conseguiu concentrar-se no jogo ficou o tempo todo de olho nos fundos da casa de Eleanor.

Quando chegou em casa, chamou a mãe.

– Mãe! Cheguei!

– Park – ela respondeu. – Tô aqui! Na garagem.

Ele pegou um picolé de cereja no freezer e foi até lá. Sentiu o cheiro de preparado para permanente assim que abriu a porta.

O pai de Park transformara a garagem da casa num salão de beleza quando Josh entrou para o jardim de infância e a mãe entrou para a escola de estética. Havia até um pequeno letreiro pendurado na porta lateral. "Salão da Mindy."

Na carteira de motorista dela, o nome era Min-Dae.

Todos no bairro que podiam pagar por um corte de cabelo vinham ver a mãe de Park. Nos fins de semana de bailes e formaturas, ela passava o dia inteiro na garagem. Os olhos dele arderam devido ao cheiro.

– Oi, mãe. Oi, Tina.

– Oi, filho – cumprimentou a mãe. Tinha dificuldade de pronunciar o "lh".

Tina abriu um grande sorriso para ele.

– Fecha olho, Tina – disse a mãe. – Fica parada.

– E aí, Sra. Sheridan – começou Tina, segurando um paninho branco sobre os olhos –, já conheceu a namorada do Park?

Mindy não tirou os olhos do cabelo de Tina.

– Nããão – respondeu ela, fazendo pouco caso. – Namorada nada. O Park, não.

– U-hum – disse Tina. – Conte pra ela, Park. Ela se chama Eleanor, e entrou na escola este ano. Não tem como separá-los no ônibus.

Park encarou Tina, chocado por ela tê-lo delatado daquele jeito. Admirado por sua percepção colorida da rotina no ônibus. Surpreso por ela ter prestado atenção nele, e em Eleanor. A mãe de Park olhou o filho, mas por pouco tempo; estava num estágio crítico com o cabelo de Tina.

– Não tô sabendo nada de namorada – disse ela.

– Aposto que já viu a menina aqui no bairro – Tina falou, confiante. – Ela tem um cabelo ruivo superbonito. Cacheado natural.

– É mesmo? – perguntou a mãe.

– Não – disse Park, com raiva e tudo mais girando no estômago.

– Mas como você é bobo, Park – Tina afirmou, por trás do paninho. – É claro que é natural.

– Não – ele disse –, não é minha namorada. Não tenho namorada – ele falou à mãe.

– Tá bom, tá bom – disse ela. – Muito papo de mulher. Muito papo de mulher, Tina. Vai ver o jantar agora – pediu a Park.

Ele saiu da garagem, ainda querendo discutir, sentindo ainda mais negação coçando na garganta. Bateu a porta, depois entrou na cozinha e socou tudo quanto pôde lá dentro. O forno. Os armários. A lata de lixo.

– Mas que diabos você tem? – perguntou o pai, entrando na cozinha.

Park congelou. Não podia se meter em confusão naquela noite.

– Nada – respondeu. – Foi mal. Desculpa.

– Poxa, Park, desconte no saco de boxe... – Havia um saco de pancada antigo na garagem, pendurado do lado oposto. – Mindy! – o pai gritou.

– Aqui fora!

***

Eleanor não ligou durante o jantar, o que foi bom. O pai dele tinha ficado bravo com a bateção na cozinha.

Mas também não ligou depois do jantar. Park ficou zanzando pela casa, pegando coisas aleatoriamente, depois as devolvendo ao lugar. Ainda que não fizesse sentido, sentiu-se preocupado, pensando que Eleanor não ligava porque ele a havia traído. Que, de alguma forma, ela ficara sabendo, que teria percebido uma perturbação na força.

O telefone tocou às 7h15, e a mãe atendeu. Deu para saber de imediato que era a avó.

Park ficou tamborilando os dedos sobre uma estante de livros. Por que os pais não instalaram o serviço de chamada simultânea? Todo mundo tinha esse serviço. Os *avós* dele tinham esse serviço. E por que a avó não podia vir pessoalmente se queria conversar? Era quase vizinha.

– Não, acho que não – disse a mãe dele. – *Sixty Minutes* passa sempre de domingo... Talvez você tá confundindo com o *Twenty-twenty*? Não? John Stossel? Não? Geraldo Rivera? Não? Dianne Sawyer?

Park bateu, de leve, a própria cabeça na parede da sala.

– Que coisa, Park – o pai surtou. – Qual é o seu problema?

Ele e Josh estavam tentando assistir a *The A-Team*.

– Nada – Park respondeu –, nada. Desculpa. É que eu tô esperando uma ligação.

– Sua namorada vai ligar? – Josh perguntou. – O Park tá namorando a Ruivona.

– Ela não é... – Park surpreendeu-se gritando, com os punhos cerrados. – Se eu te ouvir chamando ela disso de novo, vou te matar. Vou te matar de verdade. Vou pra cadeia pro resto da vida, e partirei o coração da mamãe, mas te mato. Mato. Você.

O pai de Park ficou fitando o filho, o que sempre fazia, como se procurasse entender qual parafuso ele tinha a menos.

– Park está namorando? – ele perguntou para Josh. – Por que o apelido é Ruivona?

– Acho que é porque ela tem cabelo ruivo e peitos gigantes.

– Nada disso, boca suja – disse a mãe. Tampava o telefone com uma das mãos. – Você – apontou para Josh –, no seu quarto. Agora.

– Mas, mãe, tá passando *A-Team*.

– Você ouviu a sua mãe – disse o pai. – Ninguém usa esse linguajar nesta casa.

– Você usa – disse Josh, arrastando-se para fora do sofá.

– Tenho 39 anos de idade – retrucou o pai – e sou um veterano condecorado. Eu falo o que eu quiser.

A mãe de Park mostrou o dedo indicador para o pai deles e tampou novamente o telefone.

– Vou mandar você para o quarto também.

– Querida, estou contando com isso – disse o pai, jogando uma almofada nela.

– Hugh Downs? – perguntou a mãe de Park ao telefone. A almofada caiu no chão, e ela a pegou. – Não? Tá, vou continuar pensando. Tá bom. Te amo. Tá, tchau-tchau.

Assim que ela desligou, o telefone tocou. Park deu um pulo à frente. O pai abriu um sorriso maldoso para ele. A mãe atendeu.

– Alô? Sim, um momento, por favor. – Ela olhou para Park. – Telefone.

– Posso atender no meu quarto?

A mãe fez que sim. O pai falou, sem emitir som:

– Ruivona.

Park correu para o quarto, depois parou para recuperar o fôlego antes de atender. Não aguentou esperar. Atendeu mesmo assim.

– Já atendi, mãe, obrigado.

Esperou o clique na extensão.

– Alô?

– Oi – disse Eleanor. Park sentiu toda a tensão abandonar seu corpo. Sem ela, mal conseguiu manter-se em pé.

– Oi – ele sussurrou. – Ela riu. – O quê? – disse ele.

– Sei lá – retrucou ela. – Oi.

– Pensei que você não fosse ligar.

– Não são nem 7h30.

– É, bom... Seu irmão já dormiu?

– Ele não é meu irmão – disse ela. – Quero dizer, ainda não. Acho que meu pai está noivo da mãe dele. Mas, não, ele não dormiu. Estamos assistindo a *Fraggle Rock*, a Rocha encantada.

Park pegou com cuidado o telefone e levou-o até a cama. Sentou-se devagar. Não queria que ela escutasse nada. Não queria que ela soubesse que ele tinha uma cama de casal com colchão de água e um telefone em forma de Ferrari.

– Que horas seu pai chega em casa? – ele perguntou.

– Tarde, espero. Eles disseram que quase nunca arranjam alguém pra cuidar do bebê.

– Legal. – Ela riu de novo. – O *quê*? – ele perguntou.

– Sei lá – ela disse –, é como se você estivesse sussurrando no meu ouvido.

– Estou sempre sussurrando no seu ouvido – afirmou ele, recostando-se nos travesseiros.

– É, mas geralmente é sobre, tipo, o Magneto ou algo assim. – A voz dela era mais aguda ao telefone, e mais rica, como se ele a ouvisse por fones de ouvido.

– Não vou dizer nada hoje que eu poderia dizer no ônibus ou na aula de Inglês – disse ele.

– E eu não vou dizer nada que eu não possa dizer na frente de um menino de três anos.

– Legal.

– Brincadeira. Ele tá no outro quarto, e totalmente me ignorando.

– Então...

– Então... Coisas que não podemos falar no ônibus.

– Coisas que não podemos falar no ônibus... Comece.

– Odeio aquele povo.

Ele riu, depois pensou em Tina e ficou feliz por Eleanor não poder ver-lhe o rosto.

– Eu também, às vezes. Acho que me acostumei com eles. Conheço a maioria desde pequeno. Steve mora aqui do lado.

– Como isso foi acontecer?

– Como assim?

– Quero dizer, você não parece ser daqui...

– Porque sou coreano?

– Você é coreano?

– Mestiço.

– Acho que não sei bem o que isso significa.

– Nem eu.

– Mas como assim? Você é adotado?

– Não. Minha mãe é da Coreia. Ela só não fala muito de lá.

– Como ela veio parar nas Colinas?

– Meu pai. Ele serviu na Coreia, eles se apaixonaram, e ele a trouxe junto.

– Uau, sério?

– É.

– Que romântico!

Eleanor não sabia nem da metade. Os pais dele deviam estar no meio de um amasso naquele momento.

– É, um pouco – ele disse.

– Mas não foi isso que eu quis dizer. Quis dizer... que você é diferente das pessoas do bairro, sabe?

Claro que ele sabia. Disseram-lhe isso a vida toda. Quando a Tina gostava do Park, em vez do Steve, no Ensino Fundamental, Steve disse que achava que ela se sentia segura porque o Park era tipo metade menina. Park odiava futebol. Chorou quando o pai o levou para caçar faisões. Ninguém do bairro jamais entendia as fantasias que ele usava no Halloween. ("Sou o Tornado Vermelho." "Sou o Harpo Marx." "Sou o Count Floyd.") E ele andava querendo que a mãe fizesse umas luzes no seu cabelo. Park *sabia* que era diferente.

– Não – ele disse. – Sei lá.

– Você... – ela começou –, você é tão... interessante.

eleanor

– Interessante? – ele disse.

Gente. Não dava para acreditar que ela acabara de dizer isso. Que coisa mais desinteressante. Tipo o oposto de interessante. Tipo, se você procurasse "interessante" no dicionário, haveria a foto de uma pessoa interessante perguntando: "O que tem de errado com você, Eleanor?".

– Não sou interessante – ele disse. – Você é interessante.

– Ah – ela exclamou. – Queria estar tomando leite e que você estivesse aqui pra me ver soltando leite pelo nariz em resposta a isso.

– Tá zoando – ele disse. – Você é tipo o *Perseguidor implacável*.

– Eu persigo as pessoas?

– Não, o Clint Eastwood, sabe?

– Não.

– Você não liga para o que as pessoas pensam de você.

– Tá louco? – ela perguntou. – Eu ligo pro que *todo mundo* pensa de mim.

– Não dá pra perceber – ele disse. – Você parece tão segura, não importa o que aconteça ao redor. Minha avó diria que você é bem resolvida.

– Por que ela diria isso?

– Porque é assim que ela fala.

– Eu sou é bem *confundida* – ela disse. – E por que estamos falando de mim? A gente tava falando de você.

– Prefiro falar de você – ele falou. A voz dele ficou um pouco mais grave. Era gostoso ouvir só a voz dele e nada mais. (Nada além do *Fraggle Rock* que vinha do outro quarto.) A voz dele estava mais grave do que ela jamais ouvira, mas com um tom de suavidade. Lembrava um pouco a do Peter Gabriel. Não cantando, claro. E sem o sotaque britânico. – De onde você veio? – ele perguntou.

– Do futuro.

park

Eleanor tinha resposta para tudo, conseguindo escapar da maioria das perguntas de Park.

Não queria falar da família ou de sua casa. Não queria falar de nada do que acontecera antes de se mudar para a vizinhança ou do que acontecia depois que ela saía do ônibus.

Quando seu meio-que-meio-irmão adormeceu, por volta das nove, ela pediu ao Park que retornasse a ligação depois de quinze minutos, para que ela pudesse botar a criança na cama.

Park correu para usar o banheiro e torceu para não cruzar com nenhum dos pais. Até ali, estavam deixando-o em paz.

Voltou para o quarto. Checou as horas... Mais oito minutos. Colocou uma fita no aparelho de som. Vestiu as calças do pijama e uma camiseta.

Ligou de volta.

– Ainda falta muito para os quinze minutos.

– Não consegui esperar. Quer que eu ligue mais tarde?

– Não – a voz dela estava ainda mais macia.

– Ele pegou no sono?

– Sim.

– Onde você tá agora? – ele perguntou.

– Tipo, em que lugar da casa?

– É, onde?

– Por quê? – ela perguntou, num tom um pouco mais gentil do que desdenhoso.

– Porque estou imaginando você – ele respondeu, exasperado.

– E daí?

– Porque quero sentir que estou junto. Por que você dificulta tanto as coisas?

– Provavelmente porque eu sou assim tão interessante...

– Ah.

– Estou deitada no chão da sala de estar – ela disse, numa voz fraca. – Em frente ao som.

– No escuro? Parece que tá escuro.

– No escuro, sim.

Ele se deitou na cama e cobriu os olhos com o antebraço. Dava para vê-la. Na cabeça dele. Imaginou as luzes verdes do aparelho de som. As luzes da cidade vindo da janela. Imaginou o rosto dela brilhando, a luz mais interessante da sala.

– Tá ouvindo U2? – ele perguntou. Dava para ouvir *Bad* tocando ao fundo.

– É, acho que é minha música favorita atualmente. Fico rebobinando, ouvindo sem parar. Não é legal ter que se preocupar com pilhas.

– Qual é sua parte favorita?

– Da música?

– Isso.

– Ela toda – disse Eleanor –, principalmente o refrão. Ou melhor, acho que é o refrão.

– *I'm wide awake* – ele cantou um pedacinho.

– É... – ela confirmou, baixinho.

Ele continuou cantando. Porque não sabia exatamente o que dizer em seguida.

eleanor

– Eleanor? – Ela não respondeu. – Você tá aí?

Estava tão envolvida que somente fez que sim com a cabeça.

– Sim – ela disse, em voz alta, voltando à realidade.

– No que está pensando?

– Tô pensando... em... não tô pensando.

– Não tá pensando num bom sentido? Ou mau?

– Não sei – ela disse. Virou de bruços e enfiou o rosto no carpete. – Os dois.

Ele ficou quieto. Dava para ouvi-lo respirando. Ela quis lhe pedir que colocasse o telefone mais perto da boca.

– Tô com saudade – falou ela.

– Estou bem aqui.

– Queria que estivesse aqui. Ou que eu estivesse aí. Queria que houvesse uma chance pra gente conversar assim depois de hoje, ou pra gente se ver. Tipo, pra gente se ver *de verdade*. Ficar sozinhos.

– Por que não haveria chance?

Ela riu. Foi então que percebeu que estava chorando.

– Eleanor...

– Pare. Não fale o meu nome assim. Só piora tudo.

– Piora o quê?

– Tudo.

Ele ficou quieto.

Ela se sentou e limpou o nariz na manga da camisa.

– Você tem algum apelido em casa? – ele perguntou. Era uma das táticas dele: sempre que ela ficava triste ou irritada, ele mudava de assunto da forma mais doce possível.

– Tenho – ela disse. – Eleanor.

– Não é Nora? Ou Ella? Ou... Lena, dava para ser Lena. Ou Lenny ou Elle...

– Está tentando me pôr apelido?

– Não, adoro seu nome. Não quero subtrair nem uma sílaba sequer.

– Você é tão bobo. – Ela limpou os olhos.

– Eleanor... – ele disse – Por que não podemos nos ver?

– Gente – ela disse –, deixa quieto. Tô quase parando de chorar.

– Conte. Fale comigo.

– Porque sim – ela disse –, porque meu padrasto ia me matar.

– Por que ele se preocupa?

– Ele não se preocupa. Ele só quer me matar.

– Por quê?

– Pare de perguntar por quê – ela disse, nervosa. Não havia mais como conter as lágrimas. – Você sempre pergunta isso. *Por quê*. Como se existisse resposta pra tudo. Nem todo mundo tem a sua vida, sabe, ou a sua família. Na sua vida, as coisas acontecem por um motivo. As pessoas fazem sentido. Mas a *minha* vida não é assim. Ninguém na minha família faz sentido...

– Nem mesmo eu?

– Ah. Principalmente você.

– Por que diz isso? – ele pareceu magoado. Mas por que haveria de magoar-se?

– Por que, por que, por quê...

– É – ele disse –, por quê? Por que fica sempre tão brava comigo?

– Nunca fico brava com você – ela respondeu, soluçando. Ele era tão idiota.

– Fica sim – ele disse. – Está brava agora. Você sempre se vira contra mim, justo quando a gente tá começando a chegar a algum lugar.

– Que lugar?

– Algum lugar – ele disse. – Um com o outro. Tipo, alguns minutos atrás, você disse que tava com saudade. E, talvez pela primeira vez, não soou sarcástica ou defensiva ou como se me achasse um imbecil. E agora tá gritando comigo.

– Não tô gritando.

– Tá brava, sim – ele afirmou. – Por que fica tão brava?

Ela não queria que ele a ouvisse chorar. Prendeu a respiração. Mas só piorou.

– Eleanor...

Mais ainda.

– Pare de falar meu nome.

– Que mais eu posso dizer, então? Pode me perguntar por quê, sabe? Prometo que vou ter respostas.

Ele parecia frustrado com ela, mas não irritado. Ela só se lembrava dele falando bravo com ela uma única vez. No primeiro dia em que se viram no ônibus.

– Pode me perguntar por quê – ele repetiu.

– Mesmo? – ela disse, fungando o nariz.

– Sim.

– Tá bom. – Ela olhou para a mesa de centro, vendo seu reflexo no tampo de acrílico pintado. Parecia um fantasma de rosto gordo. Fechou os olhos. – Por que você gosta de mim?

park

Ele abriu os olhos.

Sentou-se, levantou-se, pôs-se a andar dentro de seu pequeno quarto. Foi acomodar-se perto da janela, a que dava para a casa dela, ainda que ficasse a uma quadra de distância e que Eleanor nem lá estivesse, segurando a base do telefone em forma de carro contra a barriga.

Ela lhe pedira que explicasse algo que ele mal podia explicar a si mesmo.

– Não gosto de você – ele disse. – Preciso de você.

Ele esperava que ela o cortasse. Que dissesse "Ah" ou "Gente" ou "Isso parece música do Bread".

Mas ela ficou calada.

Ele voltou para a cama, sem se importar caso ela ouvisse o barulho da água.

– Pode me perguntar por que preciso de você – ele sussurrou. Nem precisava sussurrar. No telefone, ali no escuro, bastava mover os lábios e soltar o ar. – Mas não sei. Só sei que preciso... Sinto sua falta, Eleanor. Quero ficar com você o tempo todo. Você é a garota mais inteligente que já conheci, a mais engraçada, e tudo que você faz me surpreende. E gostaria de poder dizer que esses são os motivos pelos quais gosto de você, porque isso me faria parecer um ser humano muito evoluído... Mas acho que tem mais a ver com seu cabelo ruivo e suas mãos macias... E com o fato de você ter cheirinho de bolo de aniversário.

Ele esperou que ela dissesse alguma coisa. Mas ela não disse.

Alguém bateu de leve à porta dele.

– Um minuto – ele sussurrou ao telefone. – Oi?

A mãe dele abriu a porta apenas o bastante para passar o rosto.

– Não fique até tarde – disse.

– Não fico – ele falou. Ela sorriu e fechou a porta. – Voltei. Você tá aí?

– Tô aqui.

– Fale alguma coisa.

– Não sei o que dizer.

– Fale alguma coisa, pra que eu não me sinta um idiota.

– Não se sinta um idiota, Park – disse ela.

– Legal.

Ficaram ambos calados.

– Pergunte por que eu gosto de você – ela disse, finalmente.

Park sorriu. Teve a sensação de que um líquido caloroso fora derramado sobre seu coração.

– Eleanor – começou, porque gostava de falar o nome –, por que você gosta de mim?

– Não gosto de você.

Ele esperou. E esperou...

Depois, começou a rir.

– Você é meio má.

Deu para perceber que ela também sorria. E dava para imaginá-la. Sorrindo.

– Não gosto de você, Park – ela repetiu. – Eu... – e parou. – Não consigo.

– Por que não?

– Tenho vergonha.

– Quem tá com vergonha agora sou eu.

– Tenho medo de falar demais.

– Nunca vai ser demais.

– Tenho medo de falar a verdade.

– Eleanor...

– Park.

– Você não gosta de mim – ele disse, conduzindo-a, apertando a base do telefone contra o abdômen.

– Não gosto de você, Park – ela confirmou, num tom que, por um segundo, pareceu indicar que era sério mesmo. – Eu... – a voz dela quase desapareceu. – Eu acho que vivo por você. – Ele fechou os olhos e meteu o rosto no travesseiro. – Acho que nem respiro quando não estamos juntos – ela sussurrou. – O que significa que, quando te vejo na segunda de manhã, foram umas sessenta horas sem respirar. Deve ser por isso que sou tão ranzinza e desconto em você. Só o que faço quando estamos separados é pensar em você, e só o que faço quando estamos juntos é entrar em pânico. Porque cada segundo parece ser tão importante. E porque sou tão maluca, não me controlo. Não sou mais minha, sou sua; e se você resolver que não quer mais me ver? Como pode me querer como eu quero você?

Ele ficou quieto. Queria que todas aquelas palavras fossem a última coisa que ouviria na vida. Queria adormecer com "eu quero você" nos ouvidos.

– Viu só? – ela disse. – Eu falei que não devia falar. Nem respondi direito à pergunta.

eleanor

Ela nem dissera nada legal sobre ele. Não dissera que ele era mais bonito que todos os meninos, e que a pele dele era como a luz do sol bronzeada.

E foi por isso mesmo que ela não disse. Porque todos os sentimentos dela, cálidos e belos em seu coração, transformavam-se em baboseira em sua boca.

Ela virou a fita e apertou o play, e esperou que Robert Smith começasse a cantar antes de subir no sofá de couro marrom do pai.

– Por que não posso encontrar você? – Park perguntou, numa voz fresca e pura. Como algo que acabara de nascer.

– Porque meu padrasto é doente.

– Ele tem que ficar sabendo?

– Minha mãe vai contar.

– Ela tem que ficar sabendo?

Eleanor passou os dedos pela beirada da mesa de centro.

– Como assim? – perguntou.

– Não sei. Só sei que preciso te ver. Assim.

– Nem posso conversar com meninos.

– Até quando?

– Não sei, até sempre. Isso é uma das coisas que não fazem sentido. Minha mãe não quer fazer nada que possa irritar meu padrasto. E meu padrasto curte ser mau. Principalmente comigo. Ele me odeia.

– Por quê?

– Porque eu odeio ele.

– Por quê?

Ela queria demais mudar de assunto, mas não o fez.

– Porque ele é uma má pessoa. Acredite em mim. Ele é aquele tipo de mau que tenta matar tudo que é bom. Se ele soubesse de você, faria tudo o que pudesse para tirá-lo de mim.

– Não tem como me tirar de você – Park falou.

Tem sim, pensou ela.

– Ele pode *me* tirar de *você* – ela disse. – Na última vez em que ficou bravo comigo, ele me expulsou e não me deixou voltar pra casa durante um ano.

– Caramba.

– É.

– Que pena.

– Não tenha pena – disse ela. – Só não o provoque.

– Podemos nos encontrar no parquinho.

– Meus irmãos vão me dedurar.

– Pode ser em outro lugar.

– Onde?

– Aqui – ele disse. – Você podia vir aqui.

– O que seus pais diriam?

– Prazer em conhecê-la, Eleanor, gostaria de ficar para o jantar?

Ela riu. Quis dizer que talvez não fosse dar certo, mas talvez fosse. Talvez.

– Tem certeza de que quer que eles me conheçam?

– Sim. Quero que todos a conheçam. Você é a minha pessoa favorita.

Ele ficava fazendo com que ela se sentisse segura para sorrir.

– Não quero te envergonhar... – ela disse.

– Não tem como.

Luzes invadiram a sala de estar.

– Droga – ela disse. – Acho que meu pai chegou. – Ela se levantou e olhou pela janela. O pai e Donna saíam do Karmann Ghia. O cabelo da moça estava uma baderna. – Droga, droga, droga – ela esbravejou. – Não deu tempo de falar por que gosto de você, e agora tenho que ir.

– Tudo bem – ele disse.

– É porque você é bom – ela falou. – E porque entende as minhas piadas...

– Tá bom – ele riu.

– E é mais inteligente do que eu.

– Não sou, não.

– E parece um protagonista – ela falava tão rápido quanto lhe vinham as ideias. – Parece o cara que vence no final. É tão lindo, e tão gentil. E tem olhos mágicos – ela sussurrou. – E me faz sentir como se eu fosse uma canibal.

– Você é louca.

– Tenho que ir – ela se inclinou, aproximando o aparelho da base.

– Eleanor, espere – Park falou. Ela podia ouvir o pai na cozinha e seu coração pulando pelas paredes. – Eleanor, espere. *Eu te amo*. Eleanor?

O pai estava parado à porta. Chegara sem fazer barulho, pensando que ela já pegara no sono. E Eleanor desligou o telefone e fingiu que dormia.

20

eleanor

O dia seguinte passou voando.

O pai reclamou que ela tomara todo o iogurte.

– Não tomei; dei pro Matt.

Ele tinha somente sete dólares na carteira, então foi isso que deu à filha. Quando estava pronto para levá-la para casa, ela disse que precisava ir ao banheiro. Subiu e foi até o armário do corredor, encontrou três escovas de dente novinhas e meteu-as dentro da calça, na parte da frente, junto com um sabonete Dove. Donna devia ter visto (ela estava bem ali no quarto), mas não disse nada.

Eleanor sentiu pena de Donna. O pai dela jamais ria das piadas de ninguém, a não ser das dele.

***

Quando chegaram à casa de Eleanor, todas as crianças correram para ver o pai. Ele deu umas voltas com elas pela vizinhança no carro novo.

Eleanor quis ter telefone para ligar para a polícia.

– Tem um cara dirigindo pelas Colinas com um monte de crianças penduradas num conversível. Tenho certeza de que nenhuma delas está usando cinto de segurança e que ele bebeu uísque a manhã toda. Ah, e já que vocês vêm pra cá, tem um cara fumando haxixe no quintal. *Numa área escolar*.

Quando o pai finalmente foi embora, Mouse não parava de falar dele. Depois de algumas horas, Richie mandou todos vestirem os casacos.

– Vamos ao cinema. Todo mundo – disse, olhando bem para Eleanor.

Ela e os irmãos subiram na caçamba da caminhonete e se amontoaram sobre a cabine, fazendo caretas para o bebê, que foi lá dentro. Richie passou pela rua de Park no trajeto para fora do bairro, mas ele não estava lá, felizmente. Claro, Tina e o namorado neanderthal estavam. Eleanor nem tentou se esconder. Não tinha por quê. Steve assoviou para ela.

Estava nevando quando voltaram do cinema. (O filme: *Curto-circuito*.) Richie dirigiu devagar, e, portanto, ainda mais neve caiu em cima deles, mas pelo menos ninguém saiu voando da caminhonete.

Hum, pensou Eleanor. *Não estou fantasiando sobre ser arremessada de um veículo em movimento. Que estranho*.

Quando passaram novamente pela casa de Park, no escuro, ela se perguntou qual seria a janela dele.

park

Arrependera-se do que dissera. Não por não ser verdade. Ele a amava. Claro que sim. Não havia mais palavras para explicar... tudo o que Park sentia.

Mas ele não pretendia dizer-lhe daquele jeito. E pelo telefone. Principalmente sabendo o que ela pensava sobre *Romeu e Julieta*.

Park estava esperando o irmão trocar de roupa. Todo domingo, vestiam roupas legais, calças bonitas e blusas, para jantar com os avós. Mas Josh estava jogando Super Mario e não desligava nunca. (E quase conseguia ativar tartarugas infinitas pela primeira vez.)

– Vou indo – Park gritou para os pais. – Vejo vocês lá.

Passou correndo pelo jardim porque não estava a fim de colocar casaco.

A casa dos avós cheirava a frango frito. Sua avó tinha somente quatro receitas em seu repertório de jantar de domingo: frango frito, filé de frango frito, ensopado e carne-seca, mas eram todos gostosos.

O avô estava assistindo à TV na sala. Park parou ali para dar-lhe um meio abraço, depois foi à cozinha e abraçou a avó. Era tão pequena que até Park era bem mais alto. Todas as mulheres da família eram baixas, e todos os homens, altos. Somente o DNA de Park perdera esse memorando de altura. Talvez os genes coreanos tivessem misturado tudo lá dentro.

Isso não explicava a altura de Josh, no entanto. No caso dele, parecia que os genes coreanos entraram em recesso todos juntos. Os olhos eram castanhos e muito pouco amendoados, apenas um toque amendoado. E o cabelo escuro, mas nem chegava perto do preto. Josh parecia um garotão alemão ou polonês cujos olhos meio que esticavam quando ele sorria.

A avó tinha clara descendência irlandesa. Ou talvez Park só achasse isso porque todo mundo na família do pai dava tanta importância para ser irlandês. Park sempre ganhava uma camiseta, no Natal, que dizia "Beije-me; sou irlandês".

Começou a arrumar a mesa sem que lhe pedissem, porque isso sempre ficava por conta dele. Quando a mãe chegou, ele permaneceu na cozinha com ela e a avó, escutando-as fofocar sobre os vizinhos.

– Ouvi do Jamie que o Park está firme com uma das meninas que moram na casa do Richie Trout – disse a avó.

Não deveria ser surpresa para Park que o pai já tivesse contado à avó. Ele não conseguia guardar segredo de nada.

– Todo mundo fala sobre namorada do Park – disse a mãe –, menos ele.

– Ouvi dizer que é ruivinha – afirmou a avó.

Park fingiu estar lendo o jornal.

– Não devia dar ouvidos à fofoca, vó.

– Bom, não seria preciso – disse ela –, se você a apresentasse pra gente.

Ele entortou os olhos. O que o fez lembrar-se de Eleanor. O que quase lhe deu vontade de contar sobre ela, só para ter motivo de dizer seu nome.

– Bem, tenho muito carinho por todas as crianças que moram naquela casa – disse a avó. – Esse menino, o Trout, nunca foi coisa boa. Quebrou a nossa caixa de correio quando seu pai estava servindo. Sei que foi ele porque era o único no bairro que tinha um El Camiño. Ele cresceu naquela casinha, sabe? Até que os pais se mudaram para um lugar ainda mais pro interior que aqui. Wyoming, acho que foi. Devem ter se mudado pra fugir dele.

– Psssiu – disse a mãe. Às vezes, a avó ficava um pouco atrevida demais para o gosto dela.

– Achávamos que ele tinha se mudado junto – continuou a avó –, mas agora ele voltou com uma mulher mais velha, que parece estrela de cinema, e uma casa cheia de enteados ruivos. Gil disse ao seu avô que tem um cachorro grande também. Só que eu nunca... – Park teve vontade de defender Eleanor. Mas nem sabia por quê. – Não me surpreende que você goste de ruivas – disse ela. – Seu avô foi apaixonado por uma ruiva. Pra minha sorte, ela não tinha nada a ver com ele.

O que a avó de Park diria se ele a apresentasse a Eleanor? O que diria aos vizinhos?

E o que diria sua mãe?

Olhou-a amassando batatas com um utensílio quase do tamanho do seu braço. Vestia jeans desgastados e uma blusa rosa, com gola V, e botas de couro com franjas. Tinha um pingente dourado em forma de anjo no pescoço e cruzes de ouro nas orelhas. Seria a garota mais popular no ônibus. Não dava para imaginá-la morando em lugar algum que não fosse ali.

eleanor

Jamais mentira para sua mãe. Pelo menos, nunca sobre algo importante. Mas na noite de domingo, quando Richie estava no bar, Eleanor disse que talvez fosse para a casa de uma amiga depois da escola no dia seguinte.

– Que amiga? – perguntou a mãe.

– Tina – respondeu Eleanor. Foi o primeiro nome que lhe ocorreu. – Ela mora aqui perto.

A mãe estava distraída pela demora de Richie, e sua carne secava no forno. Se ela tirasse, ele ficaria irritado por ter ficado fria. Se a deixasse lá dentro, ele ficaria irritado por ter ficado seca.

– Tá bom – disse ela. – Fico feliz por você finalmente ter amigos.

21

eleanor

O olhar dele mudaria?

Agora que ela sabia que ele a amava? (Ou que a amara, pelo menos por um ou dois minutos na sexta à noite. Pelo menos o bastante para dizê-lo.)

Alguma coisa nele mudaria?

Evitaria o olhar dela?

Ele estava diferente, mesmo. Mais bonito do que nunca. Quando ela entrou no ônibus, Park sentava-se com as costas bem retas no banco, para que ela pudesse vê-lo. (Ou talvez para que ele pudesse vê-la.) E depois de deixá-la passar para o lugar dela, ele se sentou mais próximo, e os dois escorregaram mais para baixo.

– Foi o fim de semana mais longo da minha vida – ele disse. – Ela riu, encostando-se nele. – Já cansou de mim? – perguntou ele. Ela gostaria de poder dizer coisas assim. Que pudesse perguntar assim, mesmo de brincadeira.

– Já – ela respondeu. – Esqueci de vez.

– Ah, é?

– Sim. Não.

Ela levou a mão ao peito dele e deslizou a fita dos Beatles para dentro do bolso da camiseta. Ele lhe pegou a mão e a segurou perto do coração.

– Que isso? – ele pegou a fita com a outra mão.

– As melhores músicas já escritas. Não tem de quê.

Ele acariciou a mão dela junto ao peito. Bem de leve. O bastante para deixá-la com vergonha.

– Obrigado.

Eleanor esperou que chegassem ao armário dela para lhe dizer outra coisa. Não queria que ninguém ouvisse. Ele estava em pé ao lado dela, batendo-lhe com a mochila de propósito.

– Falei pra minha mãe que talvez eu fosse à casa de uma amiga depois da escola.

– Sério?

– Sim, mas não tem que ser hoje. Acho que ela não vai mudar de ideia.

– Não, hoje. Venha hoje.

– Você não tem que pedir pra sua mãe?

Ele balançou a cabeça.

– Ela não liga. Posso até levar meninas pro quarto, se ficar de porta aberta.

– *MeninaSSS*? Já teve tanta menina assim visitando o seu quarto que precisou de regulamento?

– Ah, claro – disse ele. – Sabe como eu sou.

Não sei, pensou ela, *não sei bem*.

park

Pela primeira vez em semanas, Park não teve aquela sensação angustiante na barriga a caminho de casa, como se tivesse que sorver o suficiente de Eleanor para sustentar-se até o dia seguinte.

Teve uma angústia diferente. Já que ia apresentar Eleanor para sua mãe, não teria como não ver a garota pelo ponto de vista que em breve a mãe teria.

A mãe era uma esteticista vendedora da Avon. Jamais saía de casa sem retocar a maquiagem. Quando viu Patti Smith no *Saturday Night Live*, ficou chateada: "Por que ela quer parecer homem? Que triste".

Naquele dia, Eleanor estava usando a jaqueta de couro de tubarão e uma camisa velha de xadrez estilo caubói. Tinha mais a ver com o avô do que com a mãe dele.

E não eram só as roupas. Era ela.

Eleanor não era... meiga.

Era boa. Era honrada. Era honesta. Sem dúvida, ajudaria uma velhinha a atravessar a rua. Mas ninguém, nem mesmo a velhinha, diria: "Já viram aquela menina, Eleanor Douglas? Que menina meiga!".

A mãe de Park gostava de gente meiga. Gostava de sorrisos e bate-papo e contato visual... Eleanor era péssima em tudo isso.

E mais, a mãe dele não entendia sarcasmos. E ele tinha quase certeza de que não se tratava de uma dificuldade linguística. Ela simplesmente não sacava. Dizia que o David Letterman era "um maldoso, maltratando o Johnny".

Park notou que suas mãos começavam a suar, e largou a de Eleanor. Colocou a mão no joelho dela, então, e a sensação foi tão boa, tão nova, que ele deixou de pensar na mãe por alguns minutos.

Quando o ônibus parou, ele ficou em pé no corredor, esperando por Eleanor. Mas ela balançou a cabeça.

– Te encontro lá – disse.

Ele ficou aliviado. Depois, sentiu-se culpado. Assim que o ônibus estacionou, ele correu até sua casa. O irmão ainda não estaria lá. Ótimo.

– Mãe!

– Aqui! – ela gritou da cozinha. Estava pintando as unhas com um rosa perolado.

– Mãe – ele disse. – Oi. É... Eleanor vai vir daqui a pouco. Minha, hum, minha Eleanor. Agora. Tudo bem?

– Agora? – ela agitou o vidro de esmalte. *Tic, tic, tic.*

– É, não faça muita cena, tá? Fique... numa boa.

– Tá bom – ela disse. – Tô numa boa.

Park assentiu, depois olhou ao redor da cozinha e da sala para certificar-se de que não havia nada esquisito solto por ali. Checou seu quarto também. A mãe fizera a cama.

Ele abriu a porta antes de Eleanor bater.

– Oi – disse ela. Parecia nervosa. Bom, parecia brava, na verdade, mas ele tinha quase certeza de que era porque estava nervosa.

– Oi – ele disse. Naquela manhã, a pensar unicamente em como poderia ter mais porções de Eleanor em seu dia, e então lá estava ela... Gostaria de ter pensado mais nisso. – Entre – disse. – E sorria – sussurrou no segundo seguinte –, tá bem?

– O quê?

– *Sorria*.

– Por quê?

– Nada não.

A mãe dele estava em pé, na porta da cozinha.

– Mãe, esta é a Eleanor – disse ele.

A mãe abriu um sorriso enorme.

Eleanor sorriu de volta, mas toda sem jeito. Parecia ofuscada por um jorro de luz muito forte ou preparada para contar más notícias a alguém.

Ele pensou ter visto as pupilas da mãe dilatarem, mas talvez tivesse só imaginado.

Eleanor foi apertar a mão da mãe dele, mas esta agitou as mãos no ar, como se dissesse "Desculpe, unhas frescas", gesto que Eleanor pareceu não compreender.

– Prazer em conhecê-la, Eleanor. – Ell-a-no.

– Prazer em conhecê-la – Eleanor respondeu, ainda com o sorriso esquisito.

– Você mora perto? Dá pra vir a pé? – Eleanor fez que sim. – Vocês querem uma pipoquinha? Uns salgadinhos?

– Não – disse Park, interrompendo a mãe. – Quer dizer...

Eleanor fez que não.

– A gente vai só assistir à TV – disse ele –, tá?

– Claro – respondeu a mãe. – Sabe onde estou, se precisarem.

Ela voltou à cozinha, e Park foi até o sofá. Gostaria de morar numa casa com dois andares ou que tivesse porão. Sempre que ele ia à casa de Cal, a mãe do amigo os mandava para o porão e os deixava a sós.

Park sentou-se no sofá. Eleanor sentou-se na outra ponta. Ficou olhando para o chão, mordiscando a pele em torno das unhas.

Ele colocou na MTV e deu um suspiro longo.

Depois de alguns minutos, passou para o centro do sofá.

– Oi – disse. Eleanor ficou olhando para a mesa de centro. Havia um cacho de uvas de vidro vermelhas sobre a mesa. A mãe dele adorava uvas. – *Oi* – ele repetiu.

Chegou mais perto.

– Por que me mandou sorrir? – ela sussurrou.

– Sei lá, porque fiquei nervoso.

– Por que você tá nervoso? É a sua casa.

– Eu sei, mas nunca trouxe ninguém como você pra cá.

Ela olhou para a TV. Estava passando um videoclipe do Wang Chung.

Eleanor levantou-se num pulo.

– Te vejo amanhã.

– Não – ele protestou. Levantou-se em seguida. – O quê? Por quê?

Ela fitou-o condoída.

– Ninguém como eu?

– Não foi isso que eu quis dizer. Quis dizer ninguém de quem gostava.

Ela respirou fundo e meneou a cabeça. Tinha lágrimas sobre as bochechas.

– Não importa. Eu não devia ter vindo aqui. Vou te envergonhar. Vou embora.

– Não – ele a puxou para perto. – Fique calma.

– E se sua mãe perceber que chorei?

– Isso... não seria ótimo, mas não quero que você vá. – Receava que, se ela fosse embora, não voltasse nunca mais. – Venha, sente-se aqui comigo.

Park se sentou e puxou Eleanor para perto, de forma que ficou entre ela e a cozinha.

– Odeio conhecer gente nova – ela sussurrou.

– Por quê?

– Porque ninguém jamais gosta de mim.

– Eu gostei.

– Não, não gostou; tive que te conquistar.

– Agora eu gosto de você. – Park colocou o braço em torno dela.

– Não faça isso. E se sua mãe entrar?

– Não vai ligar.

– Eu ligo – Eleanor disse, empurrando-o. – É muita coisa. Você tá me deixando nervosa.

– Tá bom – disse ele, dando-lhe espaço. – Só não vá embora.

Ela fez que sim, e olhou para a TV.

Depois de certo tempo, talvez vinte minutos, levantou-se de novo.

– Fique mais um pouco – ele disse. – Não quer conhecer o meu pai?

– Eu super não quero conhecer seu pai.

– Você volta amanhã?

– Não sei.

– Posso te levar pra casa?

– Pode me levar até a porta. – E foi o que ele fez.

– Diga pra sua mãe que eu falei tchau? Não quero que pense que sou sem educação.

– Tá bom.

Eleanor saiu para a varanda.

– Olha – disse ele; soando brusco e frustrado. – Eu te disse pra sorrir porque fica bonita quando sorri.

Ela desceu os degraus, depois o fitou.

– Seria melhor se pensasse que sou bonita o resto do tempo.

– Não foi isso que quis dizer – se explicou, mas ela já ia andando.

Quando Park entrou, a mãe saiu da cozinha e sorriu para ele.

– A Eleanor parece ser legal.

Ele fez que sim e foi para o quarto. *Não*, pensou ele, jogando-se na cama. *Não é, não.*

eleanor

Certeza de que ele iria terminar com ela no dia seguinte. Não importava. Pelo menos, ela não teria de conhecer o pai dele. Gente, como deve ser o pai dele? Era parecidíssimo com o Tom Selleck; ela vira um retrato no móvel da TV. E o Park no Ensino Fundamental, então? Extremamente gatinho. Fofo como o Webster. A família toda era bonita. Até o irmão, que não era mestiço.

A mãe era quase uma boneca. Em *O Mágico de Oz* – o livro, não o filme –, a Dorothy chega num lugar chamado Cidade de Porcelana Chinesa, onde todas as pessoas eram pequenas e perfeitas. Quando Eleanor era criança, e a mãe lia a história para ela, imaginava que os habitantes daquele local eram chineses. Mas eram, na verdade, de porcelana, ou se *transformavam* em porcelana, caso você tentasse levar um deles para o Kansas.

Eleanor imaginou o pai de Park, Tom Selleck, enfiando um habitante de Dainty China na jaqueta, surrupiando-o para fora da Coreia.

A mãe de Park fez Eleanor se sentir como um gigante. Eleanor não devia ser muito mais alta que ela, talvez uns cinco centímetros. Mas era *tão* maior. Se você fosse um alienígena vindo para a Terra para estudar as formas de vida do planeta, jamais pensaria que as duas eram da mesma espécie.

Quando Eleanor ficava perto de gente assim – como a mãe de Park, como Tina, como a maioria das meninas do bairro –, imaginava onde elas guardavam seus órgãos. Tipo, como elas podiam ter estômago e intestinos e rins, e ainda usar jeans tão apertado? Eleanor sabia que era gorda, mas não se sentia *tão* gorda assim. Dava para sentir os ossos e os músculos por baixo da fofura, mas eles eram grandes também. A mãe de Park conseguiria usar a caixa torácica de Eleanor como um colete folgado.

Certeza de que Park iria terminar com ela no dia seguinte, e nem mesmo porque ela era grande. Iria terminar com porque ela era uma grande bagunça.

Porque não conseguia nem ficar perto de gente normal sem ter um treco.

Foi demais para ela. Conhecer a mãe linda e perfeita. Conhecer a casa normal e perfeita. Eleanor não sabia que havia casas como aquela num bairro tão fantasmagórico, casas com carpete de parede a parede e cestinhos de *potpourri* em todo lugar. Não sabia que havia *famílias* como aquela. A única coisa boa de morar naquele bairro zoado era que todo mundo também era zoado. As outras crianças podiam odiar Eleanor por ser grande e esquisita, mas não a odiariam por ter uma família bagunçada e uma casa bagunçada. Isso era meio que a regra de todos por ali.

A família de Park era como os Cleavers, da série *Leave It to Beaver*. E ele dissera que os avós moravam na casa da frente, onde havia caixotes com flores, por Deus do céu. A família dele era praticamente os Waltons.

Já a família de Eleanor se desajustara antes mesmo de chegar ao inferno.

Ela jamais poderia ser aceita na sala de estar de Park. Nunca se sentira aceita em lugar algum, exceto quando se deitava em sua cama e fingia ser outra pessoa.

22

eleanor

Quando Eleanor chegou ao banco deles no ônibus, na manhã seguinte, Park não se levantou para dar-lhe passagem. Ele só passou para o outro lado. Parecia que ele não queria olhar para ela; apenas lhe entregou uns gibis e virou o rosto.

Steve falava alto e pelos cotovelos. Talvez ele sempre fosse assim. Quando ela ficava de mãos dadas com Park, mal podia ouvir seus próprios pensamentos.

Todo mundo no fundo do ônibus estava cantando o grito de guerra de Nebraska. Haveria um jogo importante no fim de semana seguinte, contra Oklahoma ou Oregon ou algo assim. O Sr. Stessman deu créditos a mais para todo mundo que usou vermelho naquela semana. Não era de se esperar que o Sr. Stessman fizesse o tipo torcedor, mas pelo visto ninguém estava imune.

A não ser Park.

Ele usava uma camiseta do U2, com uma foto de um garotinho no peito. Eleanor passara a noite em claro pensando que ele devia estar farto dela, então o que mais queria era acabar com o sofrimento.

Ela puxou a ponta da manga da camiseta dele.

– Oi – disse ele, baixinho.

– Já cansou de mim? – ela perguntou. Não saiu em tom de brincadeira. Porque não era. Ele balançou a cabeça, mas manteve os olhos grudados na janela. – Está bravo comigo? – ela insistiu.

Os dedos dele estavam entrelaçados, soltos sobre as pernas, como se ele estivesse pronto para rezar.

– Mais ou menos – ele respondeu.

– Desculpe.

– Você nem sabe por que eu tô bravo.

– Mesmo assim, desculpe.

Ele olhou para ela e sorriu um pouco.

– Quer saber por quê?

– Não.

– Por que não?

– Porque deve ser alguma coisa que eu não consigo evitar.

– Tipo o quê?

– Tipo ser esquisita – ela disse. – Ou... ficar hiperventilando na sua sala de estar.

– Acho que foi um pouco culpa minha.

– Desculpe.

– Eleanor, pare, *escute*, estou bravo porque senti que você já queria ir embora lá de casa assim que entrou, talvez até antes disso.

– Eu achei que lá não era lugar pra mim – ela disse, num tom que não dava para ser ouvido pelos dementes do fundão. (Sério. A cantoria deles era pior do que a gritaria.) – Senti que você não me queria ali – continuou, um pouco mais alto.

O jeito que Park a olhou em seguida, mordendo o lábio inferior, a fez pensar que ela estava pelo menos um pouco certa.

Queria estar totalmente errada.

Queria que Park dissesse que ele a queria na casa dele, que ela voltasse e tentasse de novo.

Park disse algo, mas ela não conseguiu ouvir, porque a molecada voltara a cantar. Steve estava em pé, no fim do corredor, agitando os braços de gorila como se fosse maestro.

Vai. Lá. Rui-va.

Vai. Lá. Rui-va.

Vai. Lá. Rui-va.

Ela olhou ao redor. Todos cantavam a mesma coisa.

Vai. Lá. Rui-va.

Vai. Lá. Rui-va.

Eleanor ficou com os dedos gelados. Olhou ao redor de novo, e notou que todos a encaravam.

Olhou para Park. Ele sabia também. Olhava fixo para a frente. Fechara as mãos em punhos ao lado dos quadris. Parecia alguém que ela jamais vira na vida.

Vai. Lá. Rui-va.

– Não tem problema – ela disse.

Ele fechou os olhos e balançou a cabeça.

O ônibus estava parando em frente à escola, e Eleanor mal podia esperar para sair. Ela se forçou a permanecer sentada até que o ônibus parasse, caminhando então lentamente à frente. A cantoria virou riso. Park veio logo atrás dela, mas parou assim que saiu do ônibus. Jogou a mochila no chão e tirou o casaco.

– Ei – ela disse, parando a seu lado –, espere, *não*. O que você tá fazendo?

– Vou dar um jeito nisso.

– Não. Deixe pra lá. Não vale a pena.

– Você vale a pena – ele disse, ferozmente, olhando-a. – *Você* vale a pena.

– Não é por minha causa – ela falou. Queria contê-lo, mas julgou que ele não lhe pertencia, para que o contivesse. – Não quero que faça nada.

– Cansei de ver você passar vergonha.

Steve estava saindo do ônibus, e Park cerrou os punhos mais uma vez.

– Eu passar vergonha? Ou você passar vergonha?

Ele a fitou, sentido. E mais uma vez ela soube que tinha razão. Saco. Por que ele ficava confirmando tudo o que ela pensava de chato sobre ele?

– Se for fazer isso por mim – ela disse, o mais feroz que pôde –, então me escute. Não *quero* que faça.

Ele a olhou nos olhos. Os dele eram tão verdes que pareciam amarelados. A respiração, ofegante, o rosto avermelhado de rubor sob a pele dourada.

– É por minha causa? – ela perguntou. – Ele fez que sim. Perfurou-a com os olhos. Parecia implorar por algo. – Não tem problema – ela disse. – *Por favor*. Vamos pra aula.

Ele fechou os olhos e, finalmente, assentiu. Ela se curvou para pegar o casaco, e ouviu Steve dizer:

– Isso aí, ruiva. Mostre quem manda.

Aí Park perdeu a cabeça.

Quando ela se virou para ver, ele já tinha jogado Steve contra o ônibus. Os dois pareciam Davi e Golias, se Davi tivesse chegado perto o bastante para apanhar de Golias.

A garotada já estava gritando "briga", vindo de todo canto. Eleanor correu para eles também.

Ouviu Park dizer:

– Não aguento essa sua boca.

E ouviu Steve retrucar:

– Tem certeza disso?

Ele empurrou Park com força, mas o garoto não caiu. Deu alguns passos para trás, depois agitou o ombro para a frente, girou no ar e chutou Steve bem na boca. A multidão toda congelou.

Tina gritou.

Steve se jogou para a frente assim que Park pousou, brandiu os punhos gigantes e atacou Park na cabeça.

Eleanor pensou que presenciaria a morte dele.

Correu e entrou no meio da briga, mas Tina já estava lá. E logo chegou um dos motoristas. E um assistente do diretor. Todos tentando separá-los.

Park ofegava, com a cabeça pendendo.

Steve mantinha a mão na boca. Uma cascata de sangue jorrava sobre o queixo dele.

– Caramba, Park, que foi isso? Acho que você quebrou meu dente.

Park ergueu a cabeça. O rosto todo ensanguentado. Ele cambaleou para a frente, e o assistente do diretor o amparou.

– *Deixe... a minha namorada... em paz.*

– Eu nem sabia que ela era sua namorada mesmo – Steve gritou. Mais um monte de sangue jorrou da boca dele.

– Poxa, Steve. Isso não devia fazer diferença.

– Faz diferença – Steve retrucou. – Você é meu amigo. Eu não sabia que ela era sua namorada.

Park colocou as mãos nos joelhos e balançou a cabeça, espirrando sangue na calçada.

– Então, ela é.

– Tá bom – disse Steve. – Calma.

Havia adultos o bastante para acompanhar os meninos até a escola. Eleanor levou o casaco e a mochila de Park para o armário dela. Não sabia o que fazer com eles.

Não sabia também o que fazer consigo mesma. Não sabia o que sentir.

Devia sentir-se feliz por Park ter dito que ela era namorada dele? Não que ele tivesse perguntado o que ela achava dessa história de namoro. E não que ele tivesse dito com felicidade. Disse com a cabeça baixa, com o rosto pingando sangue.

Ela deveria se preocupar com ele? Será que tinha ficado com alguma sequela no cérebro, mesmo falando normalmente? Será que teria um acesso e entraria em coma? Sempre que alguém na família dela brigava, a mãe começava a gritar: "Na cabeça não, na cabeça não!".

Além disso, era errado sentir-se preocupada com o rosto dele?

Steve tinha um tipo de rosto que podia ficar sem um ou dois dentes. Algumas lacunas no sorriso dele apenas incrementariam o estilo monstrengo brutamontes que ele almejava.

Mas o rosto de Park era uma peça de arte. Não aquele tipo esquisito, feio de arte. Park tinha o estilo de rosto que alguém pinta por não querer que a história o esqueça.

E será que Eleanor deveria continuar brava com ele? Deveria ficar indignada? Deveria gritar com ele quando o visse na aula de Inglês, dizendo: "Foi por minha causa? Ou por você mesmo?".

Ela pendurou o casaco dele no armário, e inclinou-se lá dentro para respirar fundo. O cheiro era de Irish Spring com um toque de *potpourri,* mais um cheiro que ela não conseguia descrever com uma palavra que não fosse *garoto*.

***

Park não foi à aula de Inglês, nem à de História, e não entrou no ônibus depois da aula. Steve também não. Tina passou pelo lugar em que Eleanor se sentava com o queixo para o alto; Eleanor desviou o olhar. Todo mundo no ônibus conversava sobre a briga.

– *Kung Fu*, mano, David Carradine.

– Que David Carradine? Chuck Norris, velho.

Eleanor desceu no ponto em que Park descia.

park

Levou dois dias de suspensão.

Steve levou duas semanas, visto que fora sua terceira briga no ano. Park ficou se sentindo um pouco mal por isso, já que começara a briga, mas depois pensou em todas as coisas ridículas que Steve fazia e pelas quais nunca era punido.

A mãe do Park ficou tão brava que nem foi buscá-lo. Ligou para o trabalho do pai. Quando este apareceu, o diretor pensou que era o pai do Steve.

– Na verdade – começou ele, apontando para Park –, esse é o meu filho.

A enfermeira da escola disse que o Park não teve que ir ao hospital, mas a aparência dele era péssima. Estava com um olho roxo e, provavelmente, quebrara o nariz.

Steve, por sua vez, *teve* de ir ao hospital. O dente estava solto, e a enfermeira tinha quase certeza de que ele quebrara um dedo.

Park esperou na sala do diretor com gelo no rosto, enquanto ambos conversavam. A secretária trouxe-lhe um refrigerante que pegou na sala do diretor.

O pai não disse nada enquanto não entraram no carro.

– Taekwondo é uma arte de autodefesa – disse ele, sério.

Park não respondeu. Seu rosto inteiro latejava; a enfermeira não tinha autorização para lhe administrar analgésico.

– Você chutou ele na cara mesmo? – perguntou o pai. Park fez que sim. – Teve que dar um chute no ar.

– Pulo com gancho reverso – Park grunhiu.

– Tá brincando.

Park tentou olhar feio para o pai, mas qualquer expressão o fazia sentir que lhe atiravam pedras na cara.

– Sorte dele que você usa esse tênis pequeno – disse o pai – até em pleno inverno... Falando sério, pulo com gancho reverso? – Park fez que sim.

– Sua mãe vai voar pelo teto quando te encontrar. Estava na casa da sua avó, chorando, ao me ligar.

O pai tinha razão. Quando Park entrou, a mãe estava praticamente incoerente.

Ela o pegou pelos ombros e o encarou, meneando a cabeça.

– Brigando! – disse ela, metendo o dedo indicador no peito dele. – Brigando feito um menino mal-educado...

Ele a vira brava assim com o Josh, ocasião em que chegou a jogar um vaso de flores na cabeça do irmão, mas nunca com ele.

– Que feio – disse ela –, muito feio! Não acredito que você fez isso!

O pai tentou colocar a mão no ombro da esposa, mas ela o repeliu.

– Pega um bife pro menino, Harold – disse a avó, sentando Park à mesa da cozinha e inspecionando o rosto dele.

– Não vou desperdiçar bife com isso – respondeu o avô.

O pai abriu um armário para pegar analgésico e um copo de água para o filho.

– Consegue respirar? – perguntou a avó.

– Pela boca – respondeu o garoto.

– Seu pai quebrou o nariz tantas vezes que só consegue respirar por uma narina. Por isso que ele ronca feito um trem de carga.

– Chega de taekwondo – disse a mãe. – Chega de luta.

– Mindy... – argumentou o pai. – Foi só uma briga. Ele estava defendendo uma menina com quem todo mundo mexe.

– Não é uma menina – Park grunhiu, e sua voz fez todos os ossos de seu rosto vibrarem de dor. – É minha namorada.

Pelo menos ele achava que era.

– É a ruivinha? – perguntou a avó.

– Eleanor – disse ele. – O *nome* dela... é *Eleanor*.

– Nada de namorada, nada – falou a mãe, cruzando os braços. – Castigo.

eleanor

Quando Eleanor tocou a campainha, o cara do Magnum P. I. atendeu à porta.

– Oi – disse ela, tentando sorrir. – Eu estudo com o Park. Estou com os livros e as coisas dele.

O pai de Park mediu a garota de alto a baixo, mas não como se a estivesse admirando, felizmente. Estava mais analisando mesmo. (O que foi igualmente desconfortável.)

– Você é a Helen? – perguntou ele.

– Eleanor.

– Eleanor, isso... Só um minuto.

Antes que ela pudesse dizer que só queria deixar as coisas de Park, o homem saiu andando. Deixou a porta aberta, por isso Eleanor conseguiu ouvi-lo falando com alguém, provavelmente na cozinha, devia ser a mãe do Park. "Ah, vai, Mindy...", depois: "Só alguns minutos...", e um pouco antes de ele voltar à porta: "Com esse apelido de Ruivona, pensava que ela era muito maior".

– Eu só vim trazer isto – disse Eleanor, quando ele abriu a tela da porta.

– Obrigado – ele respondeu –; entre. – Eleanor abraçou a mochila de Park. – É sério, filha – disse ele. – Entre e entregue pra ele você mesma. Tenho certeza de que ele quer te ver.

Não tenha, pensou ela.

Contudo, Eleanor o acompanhou pela sala, cruzando o corredor até o quarto de Park. O pai dele bateu de leve à porta e olhou lá dentro.

– Ei, Maguila. Tem visita pra você. Quer passar pó no nariz primeiro?

Ele abriu a porta para Eleanor, depois saiu andando.

O quarto de Park era pequeno, e atolado de coisas. Pilhas de livros e fitas e gibis. Miniaturas de avião. Miniaturas de carro. Jogos de tabuleiro. Havia um sistema solar que rodava pendurado por cima da cama dele como uma daquelas coisas que se penduram sobre um berço.

Park estava na cama, tentando erguer-se pelos cotovelos, quando ela entrou.

Ela se assustou quando viu o rosto dele, muito pior do que antes.

Um dos olhos estava fechado, de tão inchado, e o nariz, grande e roxo. Deu vontade de chorar. E de beijá-lo. (Porque, pelo visto, qualquer coisa dava vontade de beijá-lo. Park podia dizer que ele tinha piolho e lepra e vermes parasitas vivendo em sua boca, e mesmo assim ela usaria *gloss* de menta. Nossa.)

– Você tá bem? – ela perguntou. Park fez que sim e sentou-se, recostando-se na cabeceira. Ela largou os livros e o casaco dele e foi até a cama. Ele abriu espaço para ela, e ela se sentou. – Uau – ela disse, e caiu de costas, batendo em Park. Ele gemeu e segurou o braço dela. – Desculpa. Ai, meu Deus, você tá bem? Não sabia que era *cama de água*. – Só de falar isso, deu vontade de rir. Park riu um pouco também. Pareceu mais um ronco.

– Minha mãe comprou – disse ele. – Ela acha que faz bem para as costas.

Ele mantinha os olhos fechados quase por completo, até mesmo o que não estava machucado, e não abria a boca ao falar.

– Tá doendo muito? – ela perguntou.

Ele fez que sim. Não soltou o braço dela, mesmo depois que ela recobrou o equilíbrio. Na verdade, estava segurando-o com mais força ainda.

Ela ergueu a outra mão e tocou de leve o cabelo dele. Afastou-o da testa. Era uma sensação de maciez e vigor ao mesmo tempo, como se ela pudesse sentir cada fio com seus dedos.

– Desculpa – ele disse.

Ela não perguntou por quê.

Havia lágrimas brotando da fresta aberta do olho esquerdo dele, e outra escorrendo pela bochecha direita. Ela pensou em limpá-las, mas não quis tocar-lhe o rosto.

– Tudo bem... – disse somente. E apoiou a mão no colo.

Ficou imaginando se ele ainda estava tentando terminar com ela. Se sim, ela não criaria caso.

– Estraguei tudo? – ele perguntou.

– Tudo o quê? – ela sussurrou, com receio de que até suas palavras fossem doloridas.

– Tudo da gente.

Ela fez que não, ainda que provavelmente não a estivesse vendo.

– Não. Impossível – ela respondeu. Ele percorreu o braço de Eleanor com a mão e apertou a dela. Ela pôde ver os músculos contraindo-se no antebraço dele e por baixo da manga da camiseta. – Acho que estragou seu rosto – continuou ela. Ele gemeu. – O que não tem problema – ela disse –, porque você era bonito demais pra mim, afinal.

– Você me acha bonito? – ele perguntou, sério, puxando a mão dela.

Ela ficou feliz por ele não poder ver sua expressão.

– Eu acho...

Lindo. De tirar o fôlego. Como a pessoa, num mito grego, que faz um dos deuses não se importar mais em ser um deus.

De algum modo, os hematomas e o inchaço deixavam Park ainda mais lindo. Seu rosto parecia pronto para romper o casulo e libertar-se.

– Eles vão continuar tirando sarro de mim – ela soltou. – A briga não muda nada. Você não pode sair batendo nas pessoas toda vez que alguém me achar estranha ou feia... Promete que não vai acontecer de novo? Promete que vai tentar não se importar?

Ele puxou a mão dela de novo, e balançou a cabeça devagar.

– Porque não importa pra mim, Park. Se você gostar de mim – ela disse –, eu juro por Deus, nada mais importa.

Ele se encostou na cabeceira e puxou-a para seu peito.

– Eleanor, quantas vezes tenho que te dizer – ele falou por entre os dentes – que não gosto de você?

***

Park estava de castigo, e não voltaria à escola até a sexta-feira.

Mas ninguém incomodou Eleanor no dia seguinte, no ônibus. Nem no restante do dia.

Depois da aula de Educação Física, ela deparou com mais bobagens escritas em seu livro de química: "vai, dá logo", num roxo brilhante. Em vez de apagar, Eleanor rasgou a capa e jogou-a fora. Podia não ter grana e ser uma pateta, mas se virava muito bem com um saco de papel pardo.

Quando Eleanor chegou em casa, depois da escola, a mãe a acompanhou até o quarto dos irmãos. Havia dois pares novos de jeans da Goodwill sobre a cama dela.

– Achei um dinheirinho quando estava lavando roupa – disse a mãe. O que significava que Richie deixara acidentalmente a quantia nas calças. Se ele chegasse bêbado em casa, jamais perguntaria sobre o dinheiro; julgaria somente que o gastara no bar.

Sempre que a mãe de Eleanor encontrava algum dinheiro, tentava gastar com coisas que Richie jamais notaria. Roupas para Eleanor. Cuecas novas para o Ben. Latas de atum e pacotes de farinha. Coisas que ficariam escondidas em gavetas e armários. Sua mãe tinha se tornado uma espécie de agente duplo genial desde que começou a se relacionar com Richie. Era como se ela mantivesse todos ali vivos *apesar* dele.

Eleanor provou as calças antes que chegasse alguém em casa. Estavam um pouco largas, mas eram muito melhores do que tudo mais que ela tinha. Todas as outras calças tinham algum defeito – zíper quebrado ou rasgo no cavalo –, algum probleminha que ela tinha de esconder o tempo todo, puxando a camisa para baixo. Seria legal usar calças que não tinham nada mais de errado além do tamanho exagerado.

O presente para Maisie foi uma sacola de Barbies com pouca roupa. Quando a garota chegou em casa, deitou as bonecas na cama de baixo do beliche e ficou tentando reunir peças para completar um ou dois conjuntinhos.

Eleanor sentou-se na cama com ela e ajudou-a a pentear e a prender os cabelos frisados das bonecas.

– Queria um Ken também – disse Maisie.

***

Na sexta, pela manhã, quando Eleanor chegou ao ponto de ônibus, Park já estava lá, esperando por ela.

23

park

O olho dele passara de roxo para azul para verde para amarelo.

– Quanto tempo de castigo? – perguntou ele à mãe.

– Tempo suficiente pra você se arrepender da briga.

– Eu *já* me arrependi – ele retrucou.

Mas não era verdade. A briga transformara alguma coisa no ônibus. Park passara a sentir-se menos ansioso, mais relaxado. Talvez por ter enfrentado Steve. Talvez por não ter mais nada a esconder...

Além disso, ninguém da galera do ônibus tinha visto alguém chutar daquele jeito antes.

– Foi fantástico – disse Eleanor no caminho para a escola, alguns dias depois da briga. – Onde aprendeu a fazer aquilo?

– Meu pai me faz aprender taekwondo desde que eu entrei no jardim de infância... Foi meio que um chute babaca, convencido. Se Steve tivesse usado a cabeça, podia ter agarrado a minha perna ou me puxado.

– Se Steve usasse a *cabeça*... – ela disse.

– Pensei que você tivesse achado ruim.

– Achei.

– Ruim e fantástico?

– São seus nomes do meio...

– Quero tentar de novo.

– Tentar o que de novo? Esse golpe de Karate Kid? Acho que isso seria menos fantástico. Você tem que aprender quando é hora de deixar quieto...

– Não, quero que vá lá em casa de novo. Quer ir?

– Não tem por quê. Você tá de castigo.

– É...

eleanor

Todos na escola sabiam que Eleanor era o motivo pelo qual Park Sheridan tinha chutado Steve Dixon na boca.

Havia todo um novo murmurar quando ela passava pelos corredores.

Um aluno na aula de Geografia perguntou-lhe se era verdade que os dois a estavam *disputando*.

– *Não* – ela disse –, pelo amor de Deus.

Mais tarde, desejou ter dito "Sim!", porque, se a história chegasse até a Tina, ela ficaria furiosa.

No dia da briga, DeNice e Beebi queriam que Eleanor contasse cada detalhe sangrento. (Principalmente os detalhes sangrentos.) Acompanharam Eleanor na hora do almoço e se sentaram com ela. DeNice comprou um sorvete para Eleanor, para comemorar.

– Qualquer um que acabe com o Dixon é meu amigo – disse DeNice.

– Eu nem cheguei perto do Steve – Eleanor explicou.

– Mas você foi a causa do acabamento – disse DeNice. – Ouvi dizer que seu *boy* chutou o Steve com tanta força que ele chorou sangue.

– Não é verdade – Eleanor retrucou.

– Gata, você tem que aprender uma lição sobre usar seu próprio brilho – disse DeNice. – Se meu Jonesy acabasse com o Steve, eu andaria por este lugar cantando aquela música do *Rocky*. *Nã-nã-nããã, nã-nã-nããã...*

Isso fez Beebi dar uma risadinha. Tudo que DeNice dizia fazia Beebi dar uma risadinha. Eram melhores amigas desde o Ensino Fundamental, e quanto mais Eleanor as conhecia, mais se sentia honrada por permitirem que ela entrasse para a turma.

Apesar de tratar-se de uma turma esquisita.

DeNice estava usando um de seus macacões, uma camiseta rosa por baixo, faixas amarelas e cor-de-rosa nos cabelos e uma bandana rosa amarrada ao redor da perna. Quando estavam na fila para o sorvete, um garoto passou e disse que ela parecia uma Punky, "a levada da breca", negra.

DeNice nem lhe deu atenção.

– Não me preocupo com essa gentalha – disse ela a Eleanor. – Já tenho namorado.

Jonesy e DeNice estavam noivos. Ele já se formara e trabalhava como assistente da gerência na ShopKo. Pretendiam se casar assim que DeNice atingisse a maioridade.

– E seu namorado é uma graça – disse Beebi, dando uma risadinha.

Quando Beebi ria, Eleanor ria junto. O riso dela era tão contagiante. E ela vivia com uma expressão maníaca de surpresa, aquela expressão de quem não consegue ficar sério jamais.

– Eleanor não deve concordar – DeNice provocou. – Ela só se interessa por assassinos de sangue-frio.

park

– Quanto tempo de castigo? – Park perguntou ao pai.

– Não sou eu que mando; é sua mãe.

O pai estava sentado no sofá, lendo a revista *Soldier of Fortune*.

– Ela disse que é pra sempre – Park falou.

– Então, acho que é pra sempre.

Já estavam chegando as férias de Natal. Se Park continuasse de castigo durante o Natal, teria que passar três semanas sem ver Eleanor.

– Pai...

– Tenho uma ideia – disse o pai, pondo a revista de lado. – Você pode sair do castigo assim que aprender a dirigir o carro manual. Então vai poder dirigir por aí com a namorada...

– Que namorada? – perguntou a mãe. Ela veio da porta de entrada da casa, trazendo compras. Park levantou-se para ajudá-la. O pai levantou-se para recebê-la com um beijo de língua.

– Eu disse ao Park que vou tirá-lo do castigo se ele aprender a dirigir carro manual.

– Eu sei dirigir – Park gritou da cozinha.

– Aprender a dirigir em carro automático é como aprender a fazer flexão de menina – o pai retrucou.

– Nada de menina – disse a mãe. – Tá de castigo.

– Mas até quando? – Park perguntou, voltando à sala. Os pais estavam sentados no sofá. – Não podem me deixar de castigo pra sempre.

– Podemos sim – disse o pai.

– Por quê? – perguntou o garoto.

A mãe parecia nervosa.

– Vai ficar de castigo até parar de pensar nessa menina problema.

Park e o pai interromperam sua discussão para fitar a mãe.

– Que menina problema? – Park perguntou.

– A Ruivona? – o pai perguntou em seguida.

– Não gosto dela – disse a mãe, dura feito aço. – Ela vem à minha casa e chora, muito esquisita a menina, e de uma hora pra outra você chuta amigo e a escola liga, rosto quebrado... E todo mundo, todo mundo me diz que a família é problema. Só problema. Não quero.

Park respirou fundo e se conteve. Seu interior estava todo quente demais para que ele dissesse algo.

– Mindy... – disse o pai, erguendo o dedo para o filho, como quem diz "Espere um minuto".

– Não – disse ela – e *não*. Nada de menina branca esquisita em casa.

– Não sei se você reparou, mas meninas brancas esquisitas são minha única opção – disse Park o mais alto que pôde. Mesmo irritado como estava, não conseguia gritar com a mãe.

– Tem outras meninas – disse ela. – Boas meninas.

– Ela *é* uma boa menina – Park argumentou. – Você nem a conhece.

O pai estava em pé, empurrando Park para a porta.

– Vá – disse ele, gentilmente. – Vá jogar basquete ou outra coisa.

– Boas meninas não se vestem que nem meninos – retrucou a mãe.

– Vá – disse o pai.

Park não estava com vontade de jogar basquete, e fazia frio demais lá fora para ficar sem casaco. Ele ficou parado em frente a casa por alguns minutos, depois disparou em direção à dos avós. Bateu à porta, em seguida a abriu; eles nunca trancavam a casa.

Os dois estavam na cozinha, assistindo a *Family Feud*. A avó fazia linguiça polonesa.

– Park! – exclamou ela. – Parece até que eu sabia que você viria. Fiz um monte de batata frita.

– Pensei que estivesse de castigo – disse o avô.

– Xiu, Harold, não tem essa de castigo com os avós... Tudo bem com você, filho? Tá todo vermelho.

– Só tô com frio – respondeu Park.

– Vai ficar pro jantar?

– Vou.

Depois do jantar, ficaram assistindo a *Matlock*. A avó fazia crochê. Trabalhava num cobertor para um chá de bebê. Park fitava a TV, mas não absorvia nada.

A avó enchera a parede detrás da TV com fotografias de oito por dez. Havia fotos do pai dele e do irmão mais velho deste, que morrera no Vietnã, e fotos de Park e Josh de cada ano escolar. Havia uma foto menor dos pais dele, no dia do casamento. O pai usava o uniforme, e a mãe, uma minissaia rosa. Alguém escrevera "Seul, 1970" no canto. O pai tinha 23 anos. A mãe, somente 18, apenas dois anos a mais que Park.

Todos pensaram que ela devia estar grávida, segundo o pai dele. Mas não estava.

– Praticamente grávida – disse o pai –, mas é diferente... Só estávamos apaixonados.

Park não esperava que sua mãe gostasse de Eleanor, não logo de cara, mas não esperava que a rejeitasse. Ela era tão legal com todo mundo. "Sua mãe é um anjo", dizia sempre a avó. Era o que todos diziam.

Os avós o mandaram de volta para casa depois de *Hill Street Blues*.

A mãe já havia ido para a cama, mas o pai estava sentado no sofá, esperando por ele. Park tentou passar direto.

– Sente-se aí. – Park se sentou. – Não está mais de castigo – disse o pai.

– Por que não?

– Não importa por quê. Não está de castigo, e sua mãe pediu desculpas, viu? Pelo que ela disse.

– Tá falando da boca pra fora.

O pai suspirou.

– Bom, talvez sim. Mas também não importa. Sua mãe quer o melhor pra você, certo? Não foi sempre assim?

– Acho que sim...

– Então, ela só está preocupada com você. Acha que pode ajudá-lo a escolher uma namorada do mesmo jeito que ajuda a escolher suas aulas e suas roupas...

– Ela não escolhe as minhas roupas.

– Nossa, Park, dá pra ficar quieto e escutar? – Park ficou calado, sentado na poltrona azul. – Isso é novidade pra gente, sabe? Sua mãe pediu desculpas. Por ter magoado você, e quer que você convide sua namorada pra jantar.

– Pra fazê-la se sentir mal e esquisita?

– Bom, ela é meio esquisita, né? – Park não tinha mais energia para se irritar. Suspirou e deixou a cabeça pender na poltrona. O pai continuou a falar: – Mas não é por isso que você gostou dela?

***

Park sabia que ainda devia estar bravo.

Sabia que boa parte da situação permanecia totalmente errada e fora do lugar.

Mas não estava mais de castigo; poderia passar mais tempo com Eleanor... Talvez até conseguissem ficar sozinhos. Park mal podia esperar para contar isso a ela. Não podia esperar até a manhã seguinte.

24

eleanor

Era algo terrível de se admitir. Mas, às vezes, Eleanor conseguia dormir em meio à gritaria.

Principalmente passados alguns meses depois que voltara a morar com eles. Se fosse acordar toda vez que Richie ficava bravo... Se ficasse com medo toda vez que ouvisse gritos no quarto ao lado...

Às vezes, Maisie a acordava, subindo na cama de cima. A menina não deixava que Eleanor a visse chorando durante o dia, mas tremia feito um bebê e chupava o dedo à noite. Todos os cinco aprenderam a chorar sem fazer barulho.

– Tudo bem – dizia Eleanor, abraçando-a. – Tudo bem.

Naquela noite, quando Eleanor acordou, percebeu algo diferente.

Ouviu a porta dos fundos abrindo com tudo. E notou que, antes de estar completamente desperta, ouvira vozes de homens lá fora. Homens xingando.

Ouviu mais trancos na cozinha. Depois, tiros. Eleanor sabia que eram tiros de revólver, ainda que nunca tivesse ouvido um.

Uma gangue, pensou ela. Traficantes. Estupradores. Uma gangue de traficantes estupradores. Dava para imaginar milhares de pessoas abomináveis que queriam arrancar um pedaço do crânio de Richie; até os amigos dele eram de dar medo.

Eleanor pôs-se a caminho da porta assim que ouviu o tiroteio. Foi até a cama de baixo, engatinhando por cima de Maisie.

– Fique aqui – ela sussurrou, sem ter certeza se a menina estava acordada.

Eleanor abriu a janela apenas o bastante para poder passar. Não havia tela antimosquito. Então saltou e correu suavemente para fora da varanda. Parou na porta do vizinho, um velhinho chamado Gil, que usava suspensórios e camisetas e olhava esquisito para eles quando saía para varrer a calçada.

Gil levou séculos para atender, e, quando o fez, Eleanor percebeu que usara toda a adrenalina que tinha para bater à porta.

– Oi – ela disse, sem forças. O cara parecia malvado e maluco feito o diabo. Do tipo que se insinua até para uma criança, querendo maltratá-la.

– Posso usar seu telefone? – ela perguntou. – Preciso ligar pra polícia.

– O quê? – Gil grunhiu. O cabelo dele estava todo ensebado, e o cara usava suspensório até com pijama.

– Preciso ligar pro 911 – ela disse. As palavras soaram como se estivesse pedindo uma xícara de açúcar. – Ou talvez você poderia ligar por mim? Tem gente na minha casa... Gente armada. Por favor.

Gil não pareceu impressionado, mas deixou-a entrar. A casa era bem legal por dentro. Eleanor imaginou se ele tinha esposa ou se era ele mesmo que gostava de babados. O telefone ficava na cozinha.

– Acho que tem gente na minha casa – disse Eleanor ao atendente do 911. – Ouvi tiros.

Gil não a mandou sair, então ela esperou pela polícia na cozinha. Tinha uma panela cheia de *brownies* sobre o balcão, mas ele não lhe ofereceu nada. A geladeira era coberta de ímãs em forma de estados, e havia um relógio em formato de galinha. Ele se sentou à mesa e acendeu um cigarro. Também não lhe ofereceu um.

Quando a polícia chegou, Eleanor saiu da casa, sentindo-se, de repente, tola por estar descalça. Gil fechou a porta assim que ela passou.

Os tiras não saíram do carro.

– Você ligou pro 911? – um deles perguntou.

– Acho que tem alguém na minha casa – ela disse, trêmula. – Ouvi pessoas gritando e tiros.

– Tá bem – afirmou ele. – Espere um minuto, e vamos com você.

Comigo?, pensou Eleanor. Não pretendia voltar para a casa de jeito nenhum. O que diria para quem quer que encontrasse na sala de estar?

Os policiais, dois caras grandes que usavam longas botas pretas, estacionaram e acompanharam a garota até a varanda.

– Vá em frente – disse um –; abra a porta.

– Não dá. Tá trancada.

– Como você saiu?

– Pela janela.

– Então volte pela janela.

Na próxima vez que ligasse para o 911, ela pediria que enviassem tiras que não a mandassem entrar num recinto invadido. Será que os bombeiros agiam da mesma forma? *Ei, garota, entre primeiro e destranque a porta.*

Ela pulou a janela, passou por cima de Maisie (que ainda dormia), correu pela sala, abriu a porta, depois correu de volta para o quarto e sentou-se na cama de baixo do beliche.

– Aqui é a polícia – ela ouviu.

Em seguida, escutou Richie reclamando:

– Que brincadeira é essa?

E a mãe:

– O que tá acontecendo?

– *Aqui é a polícia.*

Os irmãos foram acordando e amontoando-se, frenéticos. Alguém pisou no bebê, que começou a chorar.

Eleanor ouviu os policiais pisando firme ao redor da casa. Ouviu Richie gritando. A porta do quarto foi escancarada, e a mãe entrou feito a esposa do Sr. Rochester, usando uma camisola branca comprida e rasgada.

– Foi você que chamou? – ela perguntou a Eleanor.

Eleanor fez que sim.

– Ouvi tiros – falou.

– Xiiiu – disse a mãe, correndo até a cama e abafando a voz da garota com força, pondo-lhe a mão sobre a boca. – Não diga mais nada – sibilou. – Se perguntarem, diga que foi engano. Foi tudo um mal-entendido.

A porta se abriu, e a mãe a soltou. Dois feixes de lanterna invadiram o quarto. Os irmãos estavam todos acordados, chorando. Seus olhos refletiam a luz feito os de um gato.

– Só estão com medo – afirmou a mãe. – Não sabem o que está acontecendo.

– Não tem ninguém aqui – o tira disse a Eleanor, apontando a lanterna para ela. – Checamos o quintal e o porão.

Foi mais para acusar do que para tranquilizar.

– Desculpe – ela murmurou. – Pensei ter ouvido algo...

As luzes se apagaram, e Eleanor escutou os três homens conversando na sala de estar. Ouviu os policiais na varanda, com as botas pesadas, e ouviu quando se foram. A janela continuava aberta.

Richie entrou no quarto em seguida, e ele nunca fazia isso. Eleanor sentiu novo jorro de adrenalina.

– Onde estava com a cabeça? – perguntou ele, suavemente.

Ela não respondeu. A mãe segurava-lhe a mão, e Eleanor não abria a boca.

– Richie, ela não sabia – disse a mãe. – Só ouviu o tiro.

– Que saco! – exclamou ele, esmurrando a porta. Rachou a fórmica.

– Pensou que estava protegendo a gente; foi só um engano.

– Você tá tentando se livrar de mim? – ele gritou. – Tá pensando que pode se livrar de mim?

Eleanor escondeu o rosto no ombro da mãe. Não para se proteger. Era como tentar se proteger escondendo-se atrás da coisa mais provável de apanhar naquele quarto.

– Foi um engano – a mãe falou gentilmente. – Estava tentando ajudar.

– Nunca mais ligue pra eles – disse ele a Eleanor, quase sem voz, olhos em fervor. – Nunca mais. – E depois, gritando: – Posso me livrar de vocês todos.

E saiu, batendo a porta.

– Voltem pra cama – disse a mãe. – Todo mundo.

– Mas mãe... – Eleanor sussurrou.

– Pra cama – repetiu a mãe, ajudando Eleanor a subir a escada para a cama de cima. Depois, a mãe inclinou-se sobre ela, quase tocando seu ouvido com a boca. – Foi o Richie – ela sussurrou. – Tinha uns meninos jogando bola no parquinho, fazendo barulho... Ele quis assustá-los. Mas não tem permissão pra ter arma, e tem mais coisas aqui em casa... Ele podia ter sido preso. Chega por hoje. Nem um pio.

Ela se ajoelhou junto aos meninos e ficou ali por um minuto, acalmando-os, depois flutuou para fora do quarto.

Eleanor podia jurar que dava para ouvir cinco corações acelerados. Todos procuravam conter o soluço. Choravam por dentro. Ela desceu para a cama de Maisie.

– Tudo bem – sussurrou para os demais. – Agora tá tudo bem.

25

park

Eleanor parecia fora do ar naquela manhã. Não disse nada enquanto esperaram pelo ônibus. Quando subiram, ela despencou no banco e encostou-se na janela.

Park deu uma puxadinha na manga da blusa dela, mas Eleanor continuou séria.

– Tudo bem? – ele perguntou.

Ela olhou para ele.

– Agora sim.

Ele não acreditou. Deu outra puxadinha.

Ela deitou o rosto e o escondeu no ombro dele.

Park encostou o rosto nos cabelos dela e fechou os olhos.

– Tudo bem? – perguntou de novo.

– Quase.

Eleanor pulou do ônibus assim que ele parou. Ela não deixou Park pegar na mão dela nenhuma vez durante o trajeto. Nem o tocou nos corredores.

– As pessoas vão ver – era o que ela dizia.

Ele ainda não acreditava que isso importava para ela. Garotas que não querem chamar atenção não amarram borla de cortina no cabelo. Não usam sapatos masculinos de golfe sem tirar os cravos da sola.

Então, nesse dia, ele só ficou ao lado do armário dela, pensando em tocá-la. Queria contar-lhe a boa notícia, mas ela parecia tão distante que ele não tinha certeza se o escutaria.

eleanor

Onde iria parar dessa vez?

De volta à casa dos Hickman?

– Oi, lembram-se daquela vez em que a minha mãe perguntou se eu podia ficar com vocês por alguns dias, e acabou não aparecendo mais durante um ano? Sou muito grata por vocês não terem me entregado para o Conselho Tutelar. Foi muito cristão da sua parte. Vocês ainda têm aquele sofá-cama?

Merda.

Antes de Richie ter vindo morar com eles, Eleanor só via essa palavra em livros e pichações de banheiros. *Merda de mulher. Merda de filhos. Você é uma merda, sua vadia. Quem mexeu na merda do meu som?*

Eleanor não estava esperando pelo que estava para acontecer naquela vez. Quando Richie a expulsou.

Não tinha como esperar, porque jamais imaginara que aquilo poderia acontecer. Jamais pensara que ele tentaria, e jamais, mesmo, pensara que a mãe concordaria. (Richie devia ter compreendido antes de Eleanor que as prioridades da mãe haviam mudado.)

Era embaraçoso lembrar-se do dia em que aconteceu. Embaraçoso, acima de tudo, porque, realmente, foi culpa de Eleanor. Ela pediu para acontecer.

Estava em seu quarto, digitando letras de música numa antiga máquina de escrever que a mãe trouxera de um bazar de doações. O equipamento precisava de uma fita nova (Eleanor tinha uma caixa de cartuchos que não serviam), mas ainda funcionava. A garota amava tudo naquela máquina de escrever, a sensação das teclas nos dedos, o barulho crocante que faziam. Gostava até do cheiro de metal e graxa de sapato.

Sentia-se entediada nesse dia, no dia em que aconteceu.

Estava quente demais para fazer qualquer coisa além de ficar deitada ou assistir à TV. Richie estava na sala de estar. Não saiu da cama enquanto não deram duas ou três da tarde, e todo mundo já havia compreendido que ele acordara mal-humorado. A mãe rodeava a casa, muito nervosa, oferecendo-lhe limonada e sanduíches e aspirina. Eleanor odiava quando a mãe agia assim. Submissão incansável. Era humilhante ficar no mesmo cômodo que ela.

Então, lá estava Eleanor, no andar de cima, digitando uma letra de música. *Scarborough Fair.*

Ela ouviu Richie reclamando:

– Que droga de barulho é esse? Droga, Sabrina, não dá pra fazer ela parar?

A mãe subiu as escadas nas pontas dos pés e meteu a cabeça no quarto da filha.

– Richie não está se sentindo bem – disse ela. – Pode parar de escrever? – Estava pálida e parecia nervosa. Eleanor odiava essa aparência.

Esperou que a mãe voltasse ao andar de baixo. Então, sem pensar muito bem no porquê, deliberadamente, Eleanor apertou uma tecla.

A

Tic.

Seus dedos tremiam sobre o teclado.

RE

Tic-tic.

Não aconteceu nada. Ninguém se incomodou. A casa estava quente e abafada e quieta feito uma biblioteca no inferno. Eleanor fechou os olhos e ergueu o queixo.

YOU GOING TO SCARBOROUGH FAIR PARSLEY SAAGE ROSEMAYRY AND THYME

Richie subiu as escadas tão rápido que Eleanor pensou que ele viera voando. Na cabeça dela, foi como se ele tivesse aberto a porta atirando uma bola de fogo em sua direção.

Antes que ela pudesse se proteger, ele já estava em cima dela. Tomou-lhe a máquina das mãos e a jogou na parede com tamanha força que o equipamento atravessou o gesso, ficando pendurado por um segundo numa das ripas, antes de cair.

Eleanor ficou chocada demais para entender o que ele gritava. *GORDA e MERDA e VADIA*.

Ele jamais chegara tão perto dela. O medo a amassou feito um rolo compressor. Ela não queria enxergar, por isso meteu a cabeça no travesseiro.

GORDA e MERDA e VADIA. E EU TE AVISEI, SABRINA.

– Odeio você – Eleanor sussurrou contra o travesseiro. Ouvia objetos sendo arremessados. Ouviu a mãe na porta, falando baixo, como se tentasse colocar um bebê para voltar a dormir.

GORDA e MERDA e VADIA e ELA PEDIU, ELA FICA PEDINDO, MERDA.

– Odeio você – Eleanor disse em voz alta. – Odeio você, odeio você, odeio você.

QUE MERDA.

– Odeio você.

VÃO PRO INFERNO VOCÊS TODOS.

– Vai você.

VADIAS BURRAS.

– Vai você, vai você, vai você!

QUE FOI QUE ELA DISSE?

Na cabeça de Eleanor, a casa chacoalhou.

Era a mãe, puxando-a, tentando tirá-la da cama. Eleanor tentou acompanhá-la, mas estava apavorada demais para se levantar. Queria se esticar no chão e sair deslizando. Queria fingir que o quarto estava cheio de fumaça.

Richie rugia. A mãe empurrou Eleanor até o topo das escadas, depois para baixo. Richie vinha logo atrás.

Eleanor caiu contra a parede e praticamente correu engatinhando até a porta da frente. Quando saiu da casa, continuou correndo até fim da calçada. Ben estava sentado na varanda, brincando com seus carrinhos de corrida Hot Wheels. Ele parou e observou a irmã correndo.

Eleanor perguntou-se se devia continuar correndo, mas para onde iria? Mesmo quando era menor, jamais fantasiara sobre fugir de casa. Mal podia imaginar-se indo além dos limites do quintal. Para onde iria? Quem a aceitaria?

Quando a porta de entrada abriu-se novamente, Eleanor deu alguns passos para a rua.

Era só sua mãe. Ela pegou Eleanor pelo braço e começou a andar com pressa em direção à casa do vizinho.

Se Eleanor soubesse o que estava para acontecer então, teria corrido de volta para despedir-se de Ben. Teria procurado Maisie e Mouse e lhes dado um beijo apertado na bochecha. Talvez tivesse pedido para entrar a fim de ver o bebê.

E, se Richie estivesse lá dentro, esperando-a, talvez ela tivesse caído de joelhos e implorado para que a deixasse ficar. Talvez tivesse dito qualquer coisa que ele mandasse.

***

Se ele quisesse o mesmo dessa vez, se quisesse que ela implorasse por perdão, por piedade, se esse era o preço a pagar para ficar, ela o faria.

Torcia para que ele não percebesse isso.

Torcia para que ninguém percebesse o que restara dela.

park

Ela ignorou o Sr. Stessman na aula de Inglês.

Na de História, ficou olhando para fora, pela janela.

No caminho de casa, não estava irritada; não estava *nada de nada*.

– Tudo bem? – ele perguntou.

Ela fez que sim, com a cabeça enfiada no peito dele.

Quando ela saiu do ônibus, na parada de sempre, Park ainda não lhe contara. Então,ele saltou e a seguiu, mesmo sabendo que ela não queria que o fizesse.

– Park... – ela disse, fitando nervosa da rua para sua casa.

– Eu sei – ele afirmou –, mas eu queria te dizer... que não tô mais de castigo.

– Não está?

– Não.

– Que legal.

– É...

Ela olhou para a casa.

– Quer dizer que você pode vir de novo – ele falou.

– Tá bom.

– Assim, se você quiser. – A conversa não acontecia como ele esperava. Ainda que Eleanor o fitasse, não o via.

– Ah – ela disse.

– Eleanor? Tá tudo bem? – Ela fez que sim. – Você ainda... – ele apoiou as mãos nas alças que prendiam sua mochila aos ombros. – Quer dizer, você ainda quer? Ainda tem saudade de mim?

Ela fez que sim. Parecia prestes a chorar. Park torceu para que ela não chorasse na casa dele de novo... Se algum dia ela voltasse lá. Sentiu como se ela estivesse se esvaindo.

– Só tô muito cansada.

26

eleanor

Se ela tinha saudade?

Queria perder-se dentro dele. Amarrar os braços dele em torno dela feito um torniquete.

Se lhe mostrasse o quanto precisava dele, ele sairia correndo.

27

eleanor

Eleanor sentiu-se melhor na manhã seguinte. As manhãs costumavam despertar o que tinha de melhor.

Naquela manhã, acordou com aquele gato idiota enrolado em cima dela, como se ele não soubesse que ela jamais gostou dele, nem de gatos em geral.

E depois a mãe deu-lhe um pão com ovo que Richie não quisera e prendeu uma flor de vidro antiga, meio lascada, na jaqueta da garota.

– Encontrei no brechó – disse a mãe. – Maisie queria, mas guardei pra você. – Em seguida, pingou gotinhas de baunilha atrás das orelhas de Eleanor.

– Talvez eu vá à casa da Tina depois da escola – Eleanor comentou.

– Tá bom. Divirta-se.

Eleanor esperava que Park estivesse esperando-a no ponto de ônibus, mas não reclamaria se ele não estivesse.

Ele estava. Em pé na rua mal iluminada; vestia um casaco cinza e tênis pretos de cano alto, e ficou observando-a chegar.

Ela passou correndo pelas últimas casas que a separavam dele.

– Bom dia – disse, empurrando-o com as duas mãos.

Ele riu e deu um passinho para trás.

– Quem você pensa que é?

– Sou sua namorada. Pode perguntar por aí.

– Não... Minha namorada é uma menina triste que me faz passar a noite toda preocupado.

– Saco. Acho que tá na hora de arranjar outra namorada.

Ele sorriu e balançou a cabeça.

Estava frio e meio escuro, e Eleanor enxergou o vapor expirado por Park. Teve de resistir à vontade de inspirá-lo.

– Eu disse à minha mãe que vou à casa de uma amiga depois da aula... – disse ela.

– É mesmo?

Park era a única pessoa que ela já vira usando a mochila de fato presa aos ombros, e não pendurada em um dos lados. E ele ficava sempre apoiando as mãos nas alças, como se tivesse acabado de saltar de um avião ou algo assim. Era extremamente fofo. Sobretudo quando ele ficava tímido, pendendo a cabeça um pouco para a frente.

Ela lhe afastou a franja da testa.

– É.

– Legal – ele disse, sorrindo, todo bochechas luminosas e lábios carnudos.

Não morda o rosto dele, Eleanor disse a si mesma. *Incomoda, é coisa de gente grudenta, e nunca acontece em seriados ou filmes que terminam com aqueles beijos cinematográficos*.

– Desculpe por ontem – ela disse.

Ele se apoiou nas alças e deu de ombros.

– Acontece.

Gente, parecia que ele estava querendo que ela mordesse o rosto dele todo.

park

Ele quase lhe contou tudo o que a mãe dissera sobre ela.

Parecia errado guardar segredos de Eleanor.

Mas talvez fosse ainda mais errado dividir esse tipo de segredo. Só a deixaria mais nervosa. Ela poderia até não querer mais ir à casa dele...

E ela estava tão feliz naquele dia. Era outra pessoa. Ficava pegando na mão dele. Chegou até a lhe dar uma mordidinha no ombro quando subiram no ônibus.

Além disso, se ele contasse, no mínimo ela teria vontade de passar em casa para trocar de roupa. Estava usando uma blusa cor de argila alaranjada grande demais, com a gravata verde de seda e calças jeans bem folgadas.

Park nem sabia se Eleanor tinha alguma roupa de menina mesmo, e não ligava. Até gostava um pouco disso. Talvez fosse outro detalhe gay dele, mas ele achou que não, porque Eleanor não ficaria parecida com um garoto nem se cortasse o cabelo e criasse um bigode. Todas as roupas masculinas que vestia apenas chamavam mais atenção para quão feminina ela era.

Não pretendia contar sobre a mãe. E não pretendia mandá-la sorrir. Mas, se ela o mordesse de novo, ele não sabia se conseguiria se controlar.

– Quem você pensa que é? – ele perguntou novamente, quando ela estava sorrindo durante a aula de inglês.

– Pode perguntar por aí.

eleanor

Na aula de Espanhol, tiveram de escrever uma carta em espanhol para um amigo. A Señora Bouzon passou um episódio de *Qué pasa, USA?* enquanto eles trabalhavam.

Eleanor tentou escrever uma carta para Park. Não conseguiu muita coisa.

Estimado Señor Sheridan.

Mi gusta comer su cara.

Besos,

Leonor

Durante o restante do dia, sempre que Eleanor ficava nervosa ou sentia medo, dizia a si mesma que se alegrasse. (Não servia para fazê-la sentir-se melhor, mas impedia que piorasse...)

Repetia para si mesma que a família de Park devia ser gente boa, afinal eles criaram uma pessoa como ele. Não que esse princípio valesse para a família dela. E não era como se ela tivesse de encarar a família dele sozinha. Park estaria junto. A ideia era essa. Havia no mundo lugar tão horrível aonde ela não iria para ficar com ele?

Depois da sétima aula, ela o viu num local em que jamais o vira, carregando um microscópio ao longo do corredor do terceiro andar. Era quase duas vezes mais legal do que vê-lo num lugar onde ela já esperava que ele aparecesse.

28

park

Na hora do almoço, Park ligou para a mãe a fim de contar que Eleanor iria passar lá. A orientadora deixou-o usar o telefone dela. (A Srta. Dunne adorava a oportunidade de ser bondosa em meio a uma crise, portanto, bastou Park insinuar que se tratava de emergência.)

– Só queria dizer que a Eleanor vai em casa depois da aula – disse ele à mãe. – O pai disse que tudo bem.

– Tá – afirmou a mãe, sem nem fingir que para ela estava tudo bem, também. – Ela vai ficar pra jantar?

– Não sei. Provavelmente não.

A mãe suspirou.

– Você precisa ser legal com ela, viu?

– Sou legal com todo mundo – disse ela. – Você sabe disso.

***

Dava para ver que Eleanor estava nervosa no ônibus. Mantinha-se quieta, e ficava mordendo o lábio inferior, até ficar esbranquiçado, o que mostrava que nos lábios ela também tinha sardas.

Park tentou puxar papo falando sobre *Watchmen*; haviam acabado de ler o quarto capítulo.

– O que você achou da história do pirata? – ele perguntou.

– Que história do pirata?

– Sabe, tem aquele personagem que vive lendo um gibi sobre piratas, a história dentro da história, a história de *pirata*.

– Eu sempre pulo essa parte.

– Você pula?

– É chata. Blá, blá, blá... Piratas! ... blá, blá, blá.

– Nada que Alan Moore escreve pode ser blá-blá-bláado – Park disse, solene. Eleanor deu de ombros e mordeu o lábio. – Estou começando a achar que não deveria ter começado a ler gibis com uma revista que desconstrói completamente os últimos cinquenta anos desse gênero – ele afirmou.

– Só ouvi blá, blá, blá, gênero.

O ônibus parou perto da casa de Eleanor. Ela olhou para ele.

– Acho melhor a gente descer na minha parada mesmo – disse Park –, certo?

Eleanor deu de ombros de novo.

Desceram na parada dele, junto com Steve e Tina e a maioria das pessoas que se sentavam no fundo do ônibus. Toda a galerinha do fundão passava a tarde na garagem da casa do Steve quando ele não estava trabalhando, até mesmo no inverno.

Park e Eleanor seguiram-nos.

– Desculpe se eu pareço uma idiota completa hoje.

– Você está como sempre – ele disse. A mochila de Eleanor estava pendurada quase no cotovelo dela. Ele tentou pegá-la, mas ela a puxou.

– Eu sempre pareço idiota?

– Não foi isso que eu quis dizer...

– Foi o que disse – ela murmurou. Ele teve vontade de pedir-lhe que não ficasse brava justo naquela hora. Tipo, podia ser em qualquer outra hora. Ela poderia ficar brava com ele sem motivo durante o dia seguinte inteiro, se quisesse. – Você sabe mesmo como fazer uma menina se sentir especial – Eleanor completou.

– Nunca fingi saber nada sobre meninas – ele respondeu.

– Não foi bem isso que ouvi dizer. Me contaram que você podia receber *meninaSSS* no seu quarto...

– Elas vinham – ele disse –, mas eu não aprendia nada. – Os dois pararam na varanda da casa dele. Park pegou a mochila dela e tentou não demonstrar nervosismo. Eleanor olhava para baixo, como se fosse amarelar. – Eu quis dizer que você não tá nada diferente de como está todos os dias – ele sussurrou, para o caso de a mãe estar logo atrás da porta. – E você tá sempre bem.

– Eu nunca tô bem – ela disse. Como se ele fosse um idiota.

– Eu gosto do que vejo – ele falou, o que soou mais como um argumento do que um elogio.

– Isso não quer dizer que é bom – ela também sussurrava.

– Tá bom, você parece um mendigo.

– Um mendigo? – ela ergueu os olhos.

– Isso, um mendigo cigano. Parece que acabou de entrar pro elenco de *Godspell*.

– Eu nem sei o que é isso.

– É terrível.

Ela se aproximou dele.

– Eu pareço um mendigo?

– Pior – ele disse. – Parece um palhaço mendigo triste.

– E você gosta?

– Adoro.

Assim que ele disse isso, ela abriu um sorriso. E, quando Eleanor sorriu, alguma coisa se partiu dentro dele. Isso sempre acontecia.

eleanor

A mãe do Park abriu a porta, e acabou sendo melhor assim, porque Eleanor estava querendo beijá-lo, e essa ideia não era nada boa. Eleanor não tinha a menor noção de como se beijava.

É claro que assistira a milhões de beijos na TV (obrigada, Fonzie), mas a TV nunca mostrou a mecânica da coisa. Se Eleanor tentasse beijar Park, seria como a versão real de um beijo entre Barbie e Ken manipulados por alguma garotinha. Ou seja, dois bonecos batendo a cara um no outro.

Além disso, se a mãe de Park tivesse aberto a porta e pegado os dois no meio de um superbeijo esquisito, odiaria Eleanor mais ainda.

A mãe dele a *odiava* mesmo, dava para sacar. Ou talvez só odiasse a ideia do que Eleanor representava: uma garota seduzindo seu filho mais velho logo ali na sala de estar.

Eleanor seguiu Park até a sala e se sentou. Tentou parecer mais do que educada. Quando a mãe dele lhe ofereceu algo para comer, ela disse: "Eu adoraria, obrigada". A Sra. Sheridan continuou fitando Eleanor como se ela fosse algo que alguém derramara no sofá azul-bebê. Ela trouxe biscoitinhos, depois os deixou a sós.

Park não parava de sorrir para Eleanor. Ela tentou se concentrar em quão legal era ficar com ele, mas demandava concentração demais não entrar em pânico.

Eram os detalhezinhos da casa de Park que a deixavam maluca. Tipo todas as uvas de vidro penduradas em todo canto. E o papel toalha cor de pêssego. E as cortinas que combinavam com o sofá que combinava com os tapetinhos de crochê sob os abajures.

Era de se supor que uma pessoa interessante jamais sairia de um lar tão correto e entediante quanto aquele, mas Park era o garoto mais esperto e engraçado que ela já conhecera, e aquela era sua terra natal.

Eleanor tinha vontade de sentir-se superior à mãe de Park e sua casa estilo vendedora da Avon. Mas, ao contrário, ficava imaginando como devia ser legal morar numa casa como aquela. Ter o próprio quarto. E os próprios pais. E seis tipos diferentes de biscoito no armário.

park

Eleanor tinha razão. Não tinha boa aparência. Era como uma obra de arte, e arte não deve ter boa aparência, mas sim fazer a gente sentir alguma coisa.

Sentada ao lado dele no sofá, ela fazia Park sentir como se algo tivesse aberto uma janela bem no meio da sala. Como se alguém tivesse renovado todo o ar da sala com uma nova e melhorada atmosfera (com o dobro de frescor).

Eleanor o fazia sentir como se houvesse algo acontecendo. Até mesmo quando estavam somente sentados no sofá.

Ela não o deixava pegar na sua mão, não na casa dele, e não quis ficar para o jantar. Mas disse que voltaria no dia seguinte, se os pais dele dissessem que tudo bem, e eles disseram.

A mãe dele for perfeitamente legal até ali. Não apertara o botão da simpatia, como fazia com os clientes ou com os vizinhos, mas também não fora rude. E, se quisesse se esconder na cozinha toda vez que Eleanor fosse lá, pensou Park, ela tinha todo o direito.

Eleanor veio na tarde da quinta-feira e na sexta. No sábado, enquanto jogavam Nintendo com Josh, o pai deles convidou-a para jantar.

Park nem acreditou quando ela aceitou. O pai arrumou mais um prato na mesa, e Eleanor sentou-se bem ao lado de Park. Estava nervosa, dava para perceber. Ela mal tocou em seu sanduíche de carne e, depois de um tempo, seu sorriso começou a parecer meio forçado nos cantos da boca.

Após, todos foram assistir a *De volta para o futuro* na HBO, e a mãe dele fez pipoca. Eleanor sentou-se com Park no chão, encostada no sofá, e, quando ele pegou na mão dela, não o repeliu. Ele acariciou-lhe a palma da mão, sabendo que ela gostava disso. Ficou com as pálpebras caídas, como se estivesse para pegar no sono.

Quando o filme acabou, o pai de Park insistiu que ele a acompanhasse até em casa.

– Obrigada por tudo, Sr. Sheridan – ela disse. – E obrigada pelo jantar, Sra. Sheridan. Estava delicioso; me diverti muito – e a fala nem transpareceu sarcasmo.

Quando cruzaram a porta, ela voltou-se e disse:

– Boa noite!

Park fechou a porta quando passaram. Quase dava para ver o esforço para ser meiga drenando as energias de Eleanor. Ele quis abraçá-la; ajudar a emanar a meiguice.

– É melhor não me levar em casa – ela disse, no tom crispado de costume. – Você sabe, né?

– Sei. Mas posso te levar até certo ponto.

– Sei não...

– Vamos – ele disse –, tá escuro. Ninguém vai ver.

– Tá bem – ela concordou, mas colocou as mãos nos bolsos. Foram andando devagar. – Sua família é muito legal – ela elogiou, depois de um minuto. – Muito.

Ele a pegou pelo braço.

– Quero te mostrar uma coisa. – Ele a levou para dentro de uma garagem, entre uma árvore e um carro.

– Park, a gente não pode ir entrando assim.

– Não tem problema. São meus avós que moram aqui.

– O que quer me mostrar?

– Nada, na verdade, só quero ficar sozinho com você um pouco.

Ele a puxou até o fundo da garagem, onde ficaram quase completamente escondidos por uma fileira de árvores, o carro e a parede.

– Jura? – ela perguntou. – Que coisa mais boba.

– Eu sei – disse ele, virando-se para ela. – Da próxima vez, vou dizer somente: "Eleanor, acompanhe-me para dentro desse beco escuro, porque eu quero te dar um beijo".

Ela não entortou os olhos. Respirou fundo, depois fechou a boca. Park começava a aprender a desmontá-la da guarda.

Eleanor enterrou as mãos mais fundo nos bolsos, então ele a tocou nos cotovelos.

– Da próxima vez – ele disse –, vou dizer somente: "Eleanor, venha aqui atrás das árvores comigo; vou perder a cabeça se não te beijar". – Ela nem se mexia, então ele achou que seria tudo bem tocar-lhe o rosto. A pele dela estava tão macia quanto aparentava, branca e lisa feito porcelana de sardas. – Vou dizer somente: "Eleanor, entre comigo na toca do coelho...".

Park pousou o dedo nos lábios dela para ver se ela se afastaria. Mas ela não o fez. Ele chegou mais perto. Queria fechar os olhos, mas não tinha certeza se ela não o deixaria ali sozinho.

Quando os lábios dele estavam quase tocando os dela, Eleanor balançou a cabeça. Seu nariz raspou contra o dele.

– Nunca fiz isso – ela disse.

– Tudo bem.

– Não, vai ser horrível.

Ele balançou a cabeça.

– Não vai não.

Ela balançou a cabeça um pouco mais. Só um pouco.

– Você vai se arrepender – ela disse.

Ele riu, então ele teve de esperar um pouco antes de beijá-la.

Não foi horrível. Os lábios de Eleanor eram suaves e mornos, e dava para sentir a pulsação dela na bochecha. Foi bom ela estar nervosa, porque isso o forçava a não ficar também. Sentir que ela tremia o tornava mais firme.

Ele se afastou antes do que queria. Não beijara o bastante para saber quando respirar.

Quando se afastou, os olhos dela estavam quase totalmente fechados. Os avós tinham deixado a luz acesa na porta de entrada, e o rosto de Eleanor recebia cada fagulha de luminosidade. Devia ser a esposa do deus da lua.

Ela abaixou o rosto depois de um segundo, e ele deixou a mão pousar no ombro dela.

– Tudo bem? – ele sussurrou. Ela fez que sim. Ele a puxou para perto e beijou-lhe a testa. Tentou encontrar o ouvido dela entre todo aquele cabelo. – Venha aqui – disse ele –, quero te mostrar uma coisa.

Ela riu. Ele ergueu o rosto dela com os dedos.

O segundo beijo foi ainda menos horrível.

eleanor

Foram juntos da garagem dos avós dele até a rua, depois Park esperou, dentro da escuridão, enquanto ela caminhou até sua casa.

Ela disse a si mesma para não olhar para trás.

***

Richie estava em casa, e todos, exceto a mãe dela, estavam assistindo à TV. Não era *tão* tarde; Eleanor tentou agir como se não houvesse nada de estranho em chegar em casa só à noite.

– Onde você tava? – perguntou-lhe Richie.

– Na casa de uma amiga.

– Que amiga?

– Eu disse, amor – interveio a mãe, entrando na sala, secando uma panela. – Eleanor fez uma amiguinha aqui no bairro. A Lisa.

– Tina – Eleanor corrigiu.

– Amiga, é? – perguntou Richie. – Já desistiu de homem? – Ele achou que teve muita graça.

Eleanor entrou no quarto e fechou a porta. Não acendeu a luz. Subiu na cama sem trocar de roupa, abriu as cortinas e limpou o embaçado da janela. Não dava para ver a rua nem nada se movendo lá fora.

A janela ficou embaçada de novo. Eleanor fechou os olhos e encostou a testa no vidro.

29

eleanor

Quando ela viu Park no ponto de ônibus, na manhã da segunda, caiu no riso. Verdade; riu feito personagem de desenho animado... quando ficam com as bochechas vermelhas, e coraçõezinhos começam a pipocar de dentro dos ouvidos...

Foi ridículo.

park

Quando viu Eleanor vindo até ele na segunda de manhã, Park quis correr até ela e tomá-la nos braços. Como um daqueles caras das novelas a que a mãe dele assistia. Ele apoiou as mãos nas alças da mochila para se conter...

Foi meio que maravilhoso.

eleanor

Park era quase da altura dela, mas parecia um pouco mais alto.

park

Os cílios de Eleanor eram da mesma cor que as sardas.

eleanor

Conversaram sobre o *White Album* no caminho para a escola, mas só como desculpa para fitarem as bocas um do outro. Quem olhasse de fora pensaria que estavam fazendo leitura labial.

Talvez fosse por isso que Park ficava rindo, mesmo quando passaram a falar sobre *Helter Skelter*, que não era a música mais engraçada dos Beatles, mesmo antes de Charles Manson entrar na história.

30

park

– Ei – disse Cal, dando uma mordida no sanduíche. – Você podia vir pra ver o jogo de basquete na quinta. E nem adianta tentar dizer que não gosta de basquete, seu esquisito.

– Sei lá...

– A Kim também vai.

Park resmungou.

– Cal...

– E vai se sentar comigo – disse ele. – Porque a gente tá saindo de verdade.

– Espera, é sério? – Park cobriu a mão para conter um naco de sanduíche que lhe escapou da boca. – A gente tá falando da mesma pessoa?

– É tão difícil de acreditar? – Cal abriu a caixa de leite até o fim e bebeu como se fosse uma xícara. – Ela nem tava a fim de você, sabe? Tava só entediada, e achou você misterioso e calado... tipo, "come-quieto". Eu disse que você é quieto porque nunca tem algo legal pra dizer.

– Valeu.

– Mas ela tá totalmente a fim de mim agora, então você pode sair com a gente o quanto quiser. Os jogos de basquete andam incríveis. Vendem nachos e tudo mais.

– Vou pensar na ideia – Park disse.

Ele não pretendia pensar na ideia. Não iria a lugar algum sem Eleanor. E ela não parecia ser do tipo que curtia assistir a jogos de basquete.

eleanor

– Ei, gata – DeNice disse, depois da Educação Física. Estavam no vestiário, trocando de roupa. – Você tem que ir com a gente à Sprite Nite esta semana. O Jonesy consertou o carro dele, e tá de folga na quinta. A gente vai se joga-a-ar a noite toda-a.

– Você sabe que eu não posso sair – Eleanor comentou.

– Sei que você também não pode ir pra casa do seu namorado.

– Essa eu ouvi – disse Beebi.

Eleanor não devia ter lhes contado sua ida à casa de Park, mas ela queria contar para alguém. (Era assim que as pessoas iam parar na prisão depois de cometerem o crime perfeito.)

– Fale baixo – ela disse. – Que coisa.

– Você tem que ir – insistiu Beebi. Seu rosto era redondinho, com covinhas tão profundas que, quando ela sorria, ele parecia dobrar feito uma almofada. – A gente se diverte tanto. Aposto que você nunca saiu pra dançar.

– Não sei... – Eleanor disse.

– É por causa do seu gato? – DeNice perguntou. – Porque ele pode vir também. Ele não ocupa muito espaço.

Beebi riu, então Eleanor riu também. Não dava para imaginar Park dançando. Ele até se sairia muito bem, se a música não estourasse os ouvidos dele. Park era bom em tudo.

Ainda assim... Não dava para imaginar os dois saindo com DeNice e Beebi. Ou qualquer um. Pensar em ir a um local público com Park era como imaginar-se tirando o capacete em pleno espaço.

park

A mãe de Park disse que, se eles pretendiam ficar juntos toda noite depois da aula, o que sem dúvida eles fariam, tinham de começar a fazer a lição de casa.

– Ela provavelmente tem razão – disse Eleanor, no ônibus. – Venho engabelando Inglês a semana toda.

– Você tava engabelando hoje? Jura? Não parecia.

– Tivemos Shakespeare ano passado, na outra escola... Mas não consigo engabelar Matemática. Nem consigo... Qual seria o oposto de engabelar?

– Posso te ajudar em Matemática, viu? Já passei em álgebra.

– Caramba, Wally, isso seria um sonho!

– Ou não – ele disse. – Eu poderia *não* te ajudar em Matemática.

Até o sorriso maldoso dela o deixava louco.

***

Tentaram estudar na sala de estar, mas Josh quis assistir à TV, então eles levaram as coisas para a cozinha.

A mãe disse que tudo bem; logo em seguida, disse que tinha coisas a fazer na garagem. Problema dela.

Eleanor movia os lábios quando lia...

Park deu um chutinho nela de leve por baixo da mesa, e ficou jogando-lhe pedacinhos de papel amassados no cabelo.

Quase nunca ficavam sozinhos, e, já que praticamente estavam a sós naquele momento, ele inquietou-se querendo atenção.

Ele fechou o livro dela com a caneta.

– Fala sério. – Ela tentou abri-lo.

– Não – ele afirmou, puxando o livro para si.

– Pensei que a gente fosse estudar.

– Eu sei – ele disse. – Só... que a gente tá sozinho.

– Mais ou menos...

– Então a gente devia fazer coisas de quem tá sozinho.

– Você tá me assustando falando assim.

– Eu quis dizer conversar. – Ele não sabia ao certo o que queria dizer. Olhou para a mesa. O livro de álgebra estava coberto com a letra dela, a letra de uma música retorcida feito um embrulho sobre o título de outra. Viu o nome dele escrito numa pequena letra cursiva, escondido por entre o refrão de uma canção dos Smiths: o nome da gente sempre se destaca.

Ele percebeu que sorria.

– O quê? – Eleanor perguntou.

– Nada.

– *O quê?*

Ele voltou a fitar o livro. Pretendia pensar nisso depois que ela fosse embora. Pensar em Eleanor sentada na aula, pensando nele, escrevendo com cuidado o nome Park num lugar em que achava que só ele conseguiria ver.

E depois, ele notou outra coisa. Escrito em letra igualmente minúsculas, com o mesmo esmero: "eu sei que você é uma biscate, você tem cheiro de porra".

– *O quê*? – Eleanor insistiu, tentando puxar o livro. Park o segurou. Sentiu o sangue inundar-lhe o rosto, estilo Bruce Banner.

– Por que você não me contou que isso ainda tá acontecendo?

– O que ainda tá acontecendo?

Ele não quis dizer as palavras, não quis mencioná-las. Não queria que vissem aquilo juntos.

– Isto – ele disse, apontando as palavras com a mão. Ela olhou e, imediatamente, começou a riscar as palavras com a caneta. O rosto de Eleanor ficou branco feito leite, e o pescoço, vermelho e manchado.

– Por que não me disse? – ele perguntou.

– Achei que tinha apagado.

– Pensei que isso tivesse parado.

– Por que pensou assim?

Por que ele pensara assim? Ora, porque estavam juntos.

– É só que... Por que não me contou?

– Pra que te contar? – ela perguntou. – É nojento e vergonhoso.

Ela continuava rabiscando. Ele colocou a mão no pulso dela.

– Talvez eu possa ajudar.

– Ajudar como? – ela empurrou o livro para ele. – Quer dar um chute?

Park estava furioso. Ela pegou o livro de volta e guardou-o na mochila.

– Você sabe quem anda fazendo isso? – ele perguntou.

– Você vai dar um chute na pessoa?

– Talvez...

– Bom... – ela disse –, por exclusão, pensei em algumas pessoas que não gostam de mim...

– Não pode ser qualquer pessoa. Tem que ser alguém que tem acesso aos seus livros sem que ninguém perceba.

Dez segundos antes, Eleanor estava arisca feito gata. Naquele momento, parecia somente exausta.

– Não sei – ela balançou a cabeça. – A impressão que dá é que acontece sempre quando estou na Educação Física.

– Você deixa a mochila no vestiário?

Ela esfregou os olhos com as mãos.

– Parece que você tá fazendo perguntas idiotas de propósito. Pior detetive que eu já vi na vida.

– Quem não gosta de você da sua turma de Educação Física?

– Ah. – Ela ainda cobria os olhos. – Quem não gosta de mim na turma de Educação Física...

– Você tem que levar a sério.

– Não – disse ela com firmeza, fechando as mãos em punhos –, isso é exatamente o tipo de coisa que eu não deveria levar a sério. É exatamente o que Tina e as capangas dela querem que eu faça. Se souberem que me atingiram, não vão me deixar em paz nunca mais.

– Tina? O que ela tem a ver com isso?

– Tina é a rainha das pessoas que não gostam de mim na aula de Educação Física.

– Mas a Tina jamais faria uma coisa dessas.

Eleanor fuzilou Park com o olhar.

– Tá falando sério? A Tina é um monstro. Ela é o fruto do casamento do diabo com a bruxa má dos contos, mergulhado numa tigela de cobertura de maldade.

Park pensou na Tina que o entregara na garagem e que tirava sarro das pessoas no ônibus... Mas depois se lembrou de todas as vezes em que Steve começara a encher o saco dele e Tina o conteve.

– Conheço a Tina desde que a gente era criança – falou ele. – Ela não é tão má assim. A gente era amigo.

– Vocês não agem como se fossem amigos.

– Bom, agora ela é namorada do Steve.

– E isso faz diferença? – Park não sabia como responder. – E isso faz diferença? – Os olhos de Eleanor eram como dois buracos negros no rosto. Se ele mentisse com relação a esse assunto, ela jamais lhe perdoaria.

– Não importa mais – ele disse. – É bobagem. Eu namorei a Tina no sétimo ano. Não que a gente fosse de fato pra algum lugar ou fizesse alguma coisa...

– A Tina? Você namorava a Tina?

– Foi no sétimo ano. Nem foi nada.

– Mas eram tipo namorado e namorada? Davam as mãos um pro outro?

– Não lembro.

– Rolou beijo?

– Nada disso importa.

Mas importava. Porque estava fazendo Eleanor fitá-lo como se ele fosse um estranho. Estava fazendo com que ele mesmo se sentisse um estranho. Sabia que Tina possuía um lado maldoso, mas sabia também que ela não chegaria a esse ponto.

E o que sabia sobre Eleanor? Não muito. Era como se ela não quisesse que ele a conhecesse melhor.

Sentia muita coisa por Eleanor, mas tinha alguma *certeza*?

– Você sempre escreve em letra minúscula... – dizer isso pareceu a ele uma boa ideia somente enquanto as palavras ainda estavam na boca dele. – Foi você mesma quem escreveu?

Eleanor ficou pálida e depois quase cinza. Foi como se todo o sangue de seu corpo tivesse ido parar no coração de uma só vez. Os lábios sardentos escancararam-se.

Então, ela voltou à realidade. E começou a guardar os livros.

– Se eu fosse escrever um recado pra mim mesma, me chamando de biscate... – ela disse com muita certeza – ... Você tem razão, talvez eu não usasse letra maiúscula. Mas sem dúvida eu teria usado um apóstrofo... e provavelmente um ponto final. Sou superfã de pontuação.

– O que tá fazendo? – ele perguntou.

Ela balançou a cabeça e se levantou. Park não fazia ideia de como impedi-la.

– Não sei quem andou escrevendo nos meus livros – ela disse, tranquila. – Mas acho que acabamos de resolver o mistério de por que Tina me odeia tanto...

– Eleanor...

– Não – ela disse, com a voz falhando. – Não quero mais conversar.

Ela saiu da cozinha assim que a mãe de Park veio da garagem. E olhou para Park com uma expressão cujo significado ele estava começando a reconhecer. *O que você vê nessa branquela esquisita*?

***

Naquela noite, Park ficou deitado na cama pensando em Eleanor pensando nele, escrevendo o nome dele no livro.

Com certeza, devia estar rabiscando por cima logo depois de escrever.

Ele tentou pensar em por que defendeu Tina.

Por que se importava se Tina era boa ou má? Eleanor tinha razão, eles não eram amigos. Não eram nada parecido com amigos. Nem foram amigos no sétimo ano.

Tina chamou Park para sair e ele disse sim, porque todo mundo sabia que Tina era a menina mais popular da turma. Sair com ela fora uma moeda de troca social tão poderosa que Park ainda estava gastando.

Ter sido o primeiro namorado de Tina mantinha Park fora da casta inferior. Ainda que todos no bairro pensassem nele como o oriental esquisito, ainda que ele não se enturmasse, não podiam chamá-lo de aberração ou china ou bicha porque.. Bem, *primeiro*, porque o pai dele era um veterano de guerra gigante e morava no bairro. E, segundo, como isso afetaria a Tina?

E Tina jamais repelira Park nem fingira que nada acontecera. Na verdade... Bem. Em certas ocasiões, ele pensava que ela queria que algo acontecesse de novo entre eles.

Tipo, às vezes ela aparecia na casa do Park achando que tinha horário para cortar o cabelo, mas no dia errado, e acabava no quarto do Park tentando inventar assunto para conversarem.

No dia do baile, quando ela veio arrumar o cabelo, passou no quarto dele para pedir sua opinião sobre o tomara que caia azul que ela usava. E pediu que ele desprendesse o colar do cabelo dela, na nuca.

Park sempre deixava essas oportunidades passarem, como se não as notasse.

Steve o mataria se ele ficasse com a Tina.

Além disso, Park não queria ficar com ela. Não tinham nada em comum – tipo, *nada* –, e não era aquele tipo de nada que pode ser exótico e empolgante. Era somente entediante.

Ele nem achava que a Tina, no fundo, gostava de verdade dele. Era mais como se ela não quisesse que ele a esquecesse. E não muito lá no fundo, Park também não queria que Tina o esquecesse.

Era legal ter a menina mais popular do bairro oferecendo-se para ele de vez em quando.

Ele virou de bruços e enfiou o rosto no travesseiro. Pensara que não mais se importaria com o que as pessoas pensavam dele. Pensara que amar Eleanor era uma prova disso.

Mas continuava encontrando porções de futilidade dentro de si. Continuava encontrando novas formas de traí-la.

31

eleanor

Apenas um dia de aula os separavam das férias de Natal. Eleanor faltou. Disse à mãe que estava passando mal.

park

Quando chegou ao ponto de ônibus naquela manhã, Park estava pronto para pedir desculpas. Mas Eleanor não estava lá, o que o fez ficar com bem menos vontade de se desculpar...

– E agora? – ele disse, olhando na direção da casa de Eleanor. Será que eles iriam terminar por causa disso? Será que ela ficaria três semanas sem falar com ele?

Ele sabia que Eleanor não tinha culpa em não ter um telefone. Sabia também que a casa dela era uma espécie de Fortaleza da Solidão do Super-homem, mas... Jesus. Essas coisas tornavam muito fácil que ela se desligasse de tudo sempre que tivesse vontade.

– Me desculpe – ele disse para a casa dela, alto demais. Um cachorro começou a latir no quintal atrás dele. – Desculpe... – ele sussurrou para o cachorro.

O ônibus dobrou a esquina e se aproximava do ponto. Park viu Tina na janela, olhando para ele.

Me desculpe, ele pensou, sem olhar para trás.

eleanor

Com Richie fora de casa o dia todo, ela não teria de ficar no quarto, mas ficou mesmo assim. Era como um cãozinho que prefere permanecer dentro do canil.

***

As pilhas do walkman acabaram. Acabaram as coisas para ler.

Ela tinha ficado tanto tempo ali, deitada na cama, que chegou a se sentir zonza quando teve que se levantar para o jantar de domingo. (A mãe de Eleanor disse que ela teria que sair da cripta, se quisesse comer alguma coisa.) Eleanor sentou-se no chão da sala de estar, ao lado de Mouse.

– Por que você está chorando? – ele perguntou. Mouse estava segurando um burrito, e o molho de feijão pingava em sua camiseta e no chão.

– Não estou chorando – disse Eleanor.

Mouse levantou o burrito até acima de sua cabeça, abrindo a boca para pegar o que escorria.

– Tá sim. – Ele olhou para Eleanor, então novamente para a TV. – É porque você odeia o papai? – perguntou.

– Sim – respondeu Eleanor.

– Eleanor – sua mãe disse, saindo da cozinha.

– Não – Eleanor disse a Mouse, balançando a cabeça. – Eu já disse que não estou chorando.

Ela voltou para o quarto, subindo em sua cama e metendo a cara no travesseiro.

Ninguém a seguiu para ver o que poderia estar errado com ela.

Talvez sua mãe achasse que tinha perdido o direito de perguntar qualquer coisa, depois de ter mandado Eleanor para a casa de outras pessoas e deixado ela jogada lá por um ano.

Ou talvez ela nem ligasse, mesmo.

Eleanor deitou-se de costas e pegou o walkman sem pilhas. Tirou a fita e segurou-a contra a luz, girando um dos rolos com a ponta do dedo e olhando para a letra de Park na etiqueta.

Never mind the Sex Pistols... Músicas de que Eleanor deve gostar.

Park pensava que ela poderia ter escrito aquelas coisas terríveis nos livros. E ele tinha ficado do lado de Tina, ao invés do dela. De Tina.

Eleanor fechou os olhos novamente e lembrou da primeira vez em que se beijaram. De como ela tinha inclinado sua cabeça um pouco para trás, de como tinha deixado a boca aberta. De como acreditou em Park quando ele disse que ela era especial.

park

Passada uma semana das férias, o pai de Park perguntou-lhe se ele tinha terminado com Eleanor.

– Mais ou menos – ele respondeu.

– Que pena – disse o pai.

– É mesmo?

– Bom, deve ser. Você tá parecendo um menino de quatro anos perdido no supermercado... – Park suspirou.

– Não tem como conquistá-la de volta? – perguntou o pai.

– Não consigo nem falar com ela.

– É uma pena você não poder conversar com a sua mãe sobre isso. A única coisa que eu sei sobre conquistar uma menina é ficar bem de uniforme.

eleanor

Uma semana se passou, e a mãe de Eleanor a acordou antes mesmo do nascer do sol.

– Você quer ir ao mercado comigo, Eleanor?

– Não – ela respondeu.

– Vamos lá, vou precisar de ajuda com as sacolas.

A mãe de Eleanor caminhava rápido. Tinha pernas longas, e Eleanor tinha que dar uns passos a mais para acompanhar seu ritmo.

– Estou com frio – disse Eleanor.

– Eu disse que você deveria ter colocado um chapéu. – Sua mãe disse que ela deveria ter vestido meias, também, mas elas ficavam ridículas com os tênis Vans de Eleanor.

Caminharam por quarenta minutos.

Quando chegaram ao mercadinho, a mãe de Eleanor comprou um canudinho de creme dormido e um copinho de café, daqueles que custavam vinte centavos, para cada uma. Eleanor colocou um pouco de adoçante e de chocolate em pó em seu café, indo então com a mãe em direção à seção das ofertas. A mãe de Eleanor tinha uma certa quedinha por ser a primeira pessoa a checar todas as caixas de cereal e latas amassadas...

Depois das compras, as duas foram à loja de artigos usados Goodwill, e Eleanor encontrou uma pilha de revistas Analog antigas e sentou-se no sofá menos nojento da seção de móveis. Na hora de ir embora, a mãe veio por trás de Eleanor e enfiou um gorro incrivelmente feio em sua cabeça.

– Ótimo – disse Eleanor –, agora eu vou pegar piolho.

Ela já se sentia melhor no caminho de volta para casa (o que provavelmente era o objetivo de todo esse pequeno passeio). Ainda estava frio, mas o céu estava aberto e a mãe de Eleanor cantarolava baixinho aquela música de Joni Mitchel que falava de palhaços e circos.

Eleanor quase contou tudo a ela.

Quase contou sobre Park e Tina e o ônibus e a briga, sobre o que aconteceu entre o quintal dos avós de Park e o trailer.

Estava tudo ali, em sua garganta, prestes a explodir como uma bomba, ou a saltar como um tigre sentado sob sua língua. Mantê-lo dentro da boca fez seus olhos lacrimejarem.

As sacolas de plástico, pesadas, cortavam suas mãos. Eleanor balançou a cabeça e engoliu o que tinha a dizer.

park

Park passou de bicicleta pela casa dela repetidas vezes, certo dia, até que não viu mais a caminhonete do padrasto, e um dos irmãozinhos saiu para brincar na neve.

Era o menino mais velho, cujo nome Park não lembrava. O menino disparou a subir os degraus, muito nervoso, quando Park parou em frente à casa de Eleanor.

– Ei, espere – disse ele –, por favor, ei... A sua irmã tá em casa?

– Maisie?

– Não, Eleanor...

– Não vou contar – disse o menino, correndo porta adentro.

Park embicou a bicicleta para a frente e saiu pedalando.

32

eleanor

A caixa de abacaxi chegou na véspera de Natal. Parecia até que o Papai Noel aparecera em pessoa com um saco de brinquedos para cada um deles.

Maisie e Ben já começaram a brigar pela caixa. Maisie a queria para guardar Barbies. Ben não tinha nada para pôr lá dentro, mas Eleanor torceu para que ele ganhasse.

Ben acabara de completar doze anos, e Richie disse que ele estava crescido demais para dividir um quarto com meninas e bebês. Então trouxe um colchão e o colocou no porão, e Ben passara a dormir lá com o cachorro, em meio aos alteres de Richie.

Na casa antiga, Ben não descia ao porão nem ao menos para colocar roupas para lavar, e aquele era, pelo menos, seco e bem-acabado. Ben tinha medo de rato e morcego e aranha e de qualquer coisa que se mexia quando apagavam as luzes. Richie já gritara com ele duas vezes, por tentar dormir no topo da escada.

O abacaxi veio com uma carta do tio e esposa. A mãe a leu primeiro, e ficou toda chorosa.

– Ai, Eleanor – disse ela, animada. – Geoff quer que você vá lá passar as férias de verão. Disse que tem um programa na universidade dele, um acampamento pra alunos talentosos do Ensino Médio...

Antes que Eleanor pudesse cogitar o que a ideia significava – St. Paul, um acampamento em que ninguém a conhecia, em que ninguém era Park –, Richie começou a criticar:

– Não dá pra mandar ela sozinha pra Minnesota.

– Meu irmão vai estar lá.

– E o que ele entende sobre adolescente?

– Você sabe que eu morei com ele quando estava no Ensino Médio.

– É, e ele te deixou ficar grávida...

Ben estava deitado, imóvel, por cima da caixa de abacaxi, e Maisie lhe chutava as costas. Os dois gritavam muito.

– É só uma merda de caixa – Richie berrou. – Se eu soubesse que vocês queriam ganhar caixas de Natal, teria economizado uma grana. – Isso fez todos se calarem. Ninguém imaginava que Richie compraria presentes de Natal. – Eu devia fazer vocês esperarem até o Natal – disse ele –, mas não aguento mais essa cena.

Ele meteu um cigarro na boca e vestiu as botas. Ouviram a porta da caminhonete se abrir, e então Richie voltou com um saco grande da ShopKo. Começou a jogar caixas no chão.

– Mouse – disse. Era um caminhão de controle remoto.

– Ben. – Um grande autorama.

– Maisie... porque você gosta de cantar. – Richie tirou do saco um teclado, um teclado eletrônico de verdade. Devia ser falsificado, mas mesmo assim... Esse ele não largou no chão. Entregou-o para Maisie.

– E o Richiezinho... Cadê o Richiezinho?

– Tirando uma soneca – disse a mãe.

Richie deu de ombros e jogou um ursinho no chão. O saco ficou, enfim, vazio, e Eleanor sentiu um alívio gelado.

Então, Richie sacou a carteira e retirou uma nota.

– Aqui, Eleanor, venha pegar. Veja se compra umas roupas normais.

Ela olhou para a mãe, parada na porta da cozinha, branca feito papel, depois foi até ele aceitar o dinheiro. Cinquenta pratas.

– Obrigada – disse Eleanor o mais insensível que pôde. Foi, então, sentar-se no sofá. As crianças abriam seus presentes.

– Obrigado, pai – Mouse ficava dizendo. – Meu, obrigado, pai!

– É – disse Richie –, não tem de quê. Não tem de quê. Isto é que é Natal.

Richie passou o dia todo em casa para ver as crianças brincando com os brinquedos. Talvez o bar estivesse fechado por ser véspera de Natal. Eleanor foi para o quarto a fim de ficar longe dele. (E para ficar longe do teclado novo da Maisie.)

Estava cansada de chorar pelo Park. Só queria vê-lo. Mesmo que ele *realmente* pensasse que ela era uma psicopata pervertida que escrevia ameaças mal pontuadas para si mesma. Mesmo que ele *realmente* tivesse passado a infância beijando a Tina. Nada disso era ruim o bastante para fazer com que ela deixasse de querer ficar com ele. (Ela imaginava quão ruim teria que ser para tanto.)

Talvez ela devesse ir até a casa de Park e fingir que nada acontecera. Talvez até o fizesse, se não fosse véspera de Natal. Incrível como Jesus nunca ajudava.

***

Mais tarde, a mãe dela entrou dizendo que ia comprar ingredientes para a ceia de Natal.

– Vou sair e olhar as crianças – Eleanor disse.

– O Richie quer que todo mundo vá – falou a mãe, sorrindo –, em família.

– Mas, mãe...

– Nada disso, Eleanor; estamos tendo um bom dia.

– Mãe, fala sério... Ele não parou de beber até agora.

A mãe balançou a cabeça, como se apagasse o rosto de Eleanor de uma lousa.

– Richie está bem; ele nunca tem dificuldade em dirigir.

– Não acho que o fato de ele beber e dirigir ao mesmo tempo seja um bom argumento.

– Você não aguenta esta situação, né? – disse a mãe, baixinho, mas irritada, fechando a porta do quarto. – Olha, eu sei que você tem passado por... – Ela olhou para Eleanor, balançando a cabeça novamente. – Por alguma coisa. Mas todo mundo nesta casa está tendo um dia ótimo. Todo mundo nesta família merece ter um dia como esse. Nós somos uma família, Eleanor. Até o Richie. Desculpe se isso te faz tão infeliz, Eleanor... – Ela fechou os olhos, como se tentasse manter a calma. As pálpebras eram pálidas e azuladas. – Sei que as coisas não são perfeitas o tempo todo, mas esta é nossa vida agora. Você não pode viver tendo chiliques, não pode viver tentando enfraquecer esta família... Eu não vou *deixar*. Eu tenho que pensar em todos, você entende? Tenho que pensar em mim. Daqui a alguns anos, você vai ser dona do seu nariz, mas Richie é meu marido.

Ela quase soava sã, pensou Eleanor. Se não fosse óbvio que agia com a parte racional do lado maluco da cabeça.

– Levante-se – disse a mãe –; coloque o casaco.

Eleanor vestiu seu casaco e acompanhou os irmãos até a caçamba da Isuzu.

Quando chegaram ao mercado, Richie esperou na caminhonete enquanto todos entraram. E, assim que entraram, Eleanor entregou a nota de cinquenta para a mãe.

E ela nem agradeceu.

park

Fazer compras para a ceia de Natal estava levando séculos porque a mãe de Park sempre ficava nervosa quando cozinhava para a sogra.

– Que tipo de recheio sua avó gosta? – ela perguntou.

– O da Pepperidge Farm – disse Park, pendurado na traseira do carrinho, tentando dar uma empinada.

– Pepperidge Farm original? Ou Pepperidge Farm de milho?

– Sei lá, original.

– Se você não sabe, não fale... Olhe – ela disse, olhando atrás dele. – Lá está sua Eleanor.

El-la-no.

Park deu um giro e viu Eleanor em pé em frente ao setor de carnes com quatros dos irmãos ruivos. (Considerando que nenhum deles era de fato ruivo perto dela. Ninguém era.)

Uma mulher se aproximou do carrinho e pôs ali um peru.

Devia ser a mãe de Eleanor, pensou Park, pois era muito parecida com ela. Mas mais esbelta, e com mais sombreado. Igual a Eleanor, mas mais alta. Igual a Eleanor, mas cansada. Eleanor depois do outono.

A mãe de Park também ficou olhando para elas.

– Mãe, pare com isso – Park sussurrou.

– Você não vai falar oi?

Park balançou a cabeça. Achava que não era bem isso que Eleanor esperava, e, mesmo que esperasse, ele não queria causar-lhe problemas. E se o padrasto estivesse junto?

Eleanor parecia diferente, mais aborrecida do que de costume. Não havia nada pendurado no cabelo nem amarrado no pulso...

Mesmo assim, estava linda.

E foi quando Park reparou que ela era linda. Que os olhos dele nem percebiam, assim como o restante dele. Ele quis correr até ela e contar-lhe isso. Quis dizer que se arrependia muito e o quanto a desejava.

Mas ela não o viu.

– Mãe – ele sussurrou de novo –, ande logo.

***

Park pensou que a mãe faria mais algum comentário no carro, mas ela ficou quieta. Quando chegaram em casa, ela disse que estava cansada. Pediu ao filho que trouxesse as compras para dentro, depois passou o restante da tarde no quarto com a porta fechada.

O pai finalmente entrou lá na hora do jantar, e, uma hora depois, quando ambos saíram, o pai avisou que iam todos jantar na Pizza Hut.

– Na véspera de Natal? – disse Josh. Eles sempre comiam waffles e assistiam a filmes na véspera de Natal. Já tinham até alugado Billy Jack.

– Entra no carro – seu pai disse. Os olhos da mãe de Park estavam vermelhos, e ela nem se deu ao trabalho de retocar o rímel antes de sair.

Quando chegaram em casa, Park foi direto para o quarto. Só queria ficar sozinho para pensar em Eleanor, mas sua mãe o acompanhou até o quarto. Sentou-se na cama dele sem fazer o colchão oscilar nem um pouco.

Entregou-lhe um presente.

– Isso... é pra sua Eleanor – disse ela. – De mim.

Park fitou o embrulho. Pegou-o, mas pareceu contrariado.

– Não sei se vou ter oportunidade de entregar.

– Sua Eleanor – ela disse. – Ela vem de família grande. – Park deu uma chacoalhada leve no presente. – Eu venho de família grande – continuou a mãe. – Três irmãs mais novas. Três irmãos mais novos. – Ela pairou a mão no ar, como se afagasse os cabelos de seis cabecinhas.

Tomara um pouco de vinho durante o jantar, dava para notar o efeito. Ela nunca falava sobre a Coreia.

– Como se chamavam? – Park perguntou.

Ela pousou a mão gentilmente no colo.

– Em família grande – continuou – tudo... todo mundo fica fininho. Fino que nem papel, sabe? – Ela fez o gesto de quem corta alguma coisa. – Entende?

Talvez muito vinho.

– Acho que não – disse Park.

– Ninguém recebe o bastante – ela explicou. – Ninguém recebe o que precisa. Quando você sempre passa fome, você tem fome na cabeça. – Deu um tapinha na testa. – Entende? – Park não sabia bem o que dizer. – Você não entende – ela falou, balançando a cabeça. – Não quero que saiba... Me desculpe.

– Não precisa se desculpar – ele disse.

– Peço desculpa por como recebi sua Eleanor.

– Mãe, tudo bem. Não é culpa sua.

– Não acho que falei direito.

– Não tem problema, Mindy – disse o pai de Park gentilmente, parado à porta. – Venha se deitar, querida. – Ele foi até a cama e ajudou a esposa a se levantar, depois envolveu com o braço, amparando-a. – Sua mãe só quer ver você feliz – disse a Park. – Vê se não amarela por causa da gente.

A mãe fez uma careta, sem saber ao certo se amarelar era palavrão.

***

Park esperou até que a TV foi desligada no quarto dos pais. Depois esperou mais meia hora. Então, pegou o casaco e saiu pela porta dos fundos.

Correu até o fim da rua.

Eleanor morava tão perto.

A caminhonete do padrasto estava estacionada. Talvez fosse bom; Park não queria que ele chegasse e o pegasse ali parado em frente à casa. Estava tudo apagado, pelo que Park conseguia ver, e nem sinal da cachorra...

Ele subiu os degraus o mais quieto que pôde.

Sabia qual era o quarto de Eleanor. Ela lhe contara, certa vez, que costumava escapar pela janela, e ele sabia que ela dormia na cama de cima do beliche. Ele ficou ao lado da janela, para que sua sombra não entrasse no aposento. A ideia era bater bem de leve, e se alguém além de Eleanor o visse, sairia correndo a toda velocidade.

Park bateu na base da janela. Não aconteceu nada. A cortina, ou lençol, o que quer que fosse, nem se mexeu.

Ela devia estar dormindo. Ele bateu com um pouco mais de força e se preparou para fugir. O lençol foi aberto no canto, mas ele não enxergou lá dentro.

Devia correr? Devia se esconder?

Colocou-se perante a janela. O lençol foi puxado mais para o lado. Viu o rosto de Eleanor; estava morta de medo.

– Vá embora – ela disse, sem fazer ruído. Ele fez que não. – Vá embora – ela insistiu. Depois, apontou para longe. – A escola – disse. Pelo menos, foi o que Park entendeu. E saiu correndo.

eleanor

Eleanor só conseguiu pensar que, se alguém estivesse tentando invadir a casa por *aquela* janela, como é que ela conseguiria escapar e ligar para o 911?

Não que a polícia viesse, dado o último incidente. Mas ao menos ela poderia acordar aquele maldito do Gil e comer uns *brownies*.

Park era a última pessoa que ela esperava ver ali.

Seu coração deu um salto para fora antes que ela pudesse segurá-lo. Os dois acabariam mortos. Teve gente atirando para o alto por muito menos.

Assim que ele desapareceu da janela, ela deslizou para fora da cama feito aquele gato idiota e vestiu o sutiã e os sapatos, no escuro. Usava uma camiseta imensa e calças de pijama masculino de flanela. O casaco estava na sala, então ela vestiu só uma blusa.

Maisie adormecera assistindo à TV, então foi mais fácil pular a cama dela e sair pela janela.

Ele vai me expulsar de uma vez por todas agora, pensou Eleanor, cruzando a varanda nas pontas dos pés. *Seria o Natal perfeito para ele.*

Park estava sentado nos degraus da escola. Onde um dia se sentaram e leram *Watchmen*. Quando a viu, levantou-se e correu até ela. Tipo, *correu*, de verdade.

Correu até ela e tomou-lhe o rosto com as duas mãos. E, antes que ela pudesse dizer não, estava beijando-a. E ela o estava beijando também, ainda que tivesse prometido jamais beijar alguém na vida, muito menos ele, considerando a miséria em que isso a metera.

Ela chorava, e Park também. Quando Eleanor tocou o rosto dele, sentiu as lágrimas.

E calor. Ele era tão quentinho.

Ela pendeu a cabeça para trás e beijou-o como jamais fizera. Como se não tivesse mais medo de beijar mal.

Ele afastou o rosto para pedir desculpas, mas ela balançou a cabeça, porque, embora quisesse que ele pedisse desculpas, queria beijá-lo mais do que qualquer outra coisa.

– Me desculpe, Eleanor. – Ele segurou o rosto dela contra o dele. – Eu estava errado com relação a tudo. *Tudo*.

– Me desculpe também.

– Por quê?

– Por agir feito maluca o tempo todo.

– Tudo bem – ele disse. – Mas nem sempre; às vezes eu até gosto.

Ele balançou a cabeça.

– Nem sei por que faço isso – ela disse.

– Não tem problema.

– Só não me sinto mal por ficar brava por causa da Tina.

Ele apertou sua testa contra a dela até que doeu.

– Nem diga esse nome – pediu ele. – Ela não é nada e você... Você é tudo. Você é tudo, Eleanor.

Ele a beijou novamente, e ela abriu a boca.

***

Ficaram lá fora até que Park não conseguiu mais aquecer as mãos dela. Até que os lábios dela ficaram dormentes de tanto frio e tanto beijo.

Ele quis acompanhá-la de volta à casa dela, mas Eleanor disse que seria suicídio.

– Venha me ver amanhã – ele pediu.

– Não posso; é dia de Natal.

– Depois de amanhã, então.

– Depois de amanhã.

– E no dia seguinte.

Ela riu.

– Acho que sua mãe não ia gostar disso. Acho que ela não gosta de mim.

– Não acho isso – ele disse. – Venha. – Eleanor estava subindo os degraus quando o ouviu sussurrando o nome dela. Virou-se, mas não viu nada na escuridão. – Feliz Natal – ele disse.

Ela sorriu, mas não respondeu.

33

eleanor

Eleanor dormiu até o meio-dia. Até que a mãe finalmente entrou no quarto e a acordou.

– Você tá bem? – ela perguntou. – Seus olhos estão vermelhos.

– Tô com sono.

– Parece que está ficando resfriada.

– Quer dizer que posso voltar a dormir?

– Acho que sim. Olhe, Eleanor... – Ela se afastou da porta e disse, mais baixo: – Vou falar com o Richie sobre as férias de verão. Acho que posso fazê-lo mudar de ideia sobre o acampamento.

Eleanor abriu os olhos.

– Não. Eu não quero ir.

– Mas pensei que você fosse ficar tão feliz de poder ir embora daqui.

– Não – disse Eleanor, – não quero ir embora de novo. – Dizer isso a fez sentir-se completamente imbecil, mas ela diria qualquer coisa para passar as férias com Park. (E nem pretendia dizer a si mesma que, provavelmente, ele já estaria de saco cheio dela até lá.) – Quero ficar aqui em casa.

A mãe assentiu.

– Tá bem – disse –, então não vou nem comentar. Mas, se você mudar de ideia...

– Não vou.

Enquanto a mãe saía do quarto, Eleanor fingiu voltar a dormir.

park

Park dormiu até o meio-dia. Até que Josh entrou no quarto e borrifou água nele com uma garrafinha do salão da mãe.

– O pai disse que, se você não se levantar, vou ficar com todos os seus presentes.

Park bateu em Josh com o travesseiro.

Estavam todos esperando por ele, e a casa toda cheirava a peru. A avó queria que ele abrisse o presente que ela lhe dera primeiro: mais uma camiseta escrito "Beije-me; sou irlandês". Era maior do que a do ano anterior, ou seja, um número maior do que Park estava vestindo.

Os pais deram-lhe um vale de cinquenta dólares da Drastic Plastic, a loja de punk rock que ficava no centro. (Park ficou surpreso com a ideia. E surpreso com o fato de a loja vender vales-presentes. Isso não era nem um pouco punk.)

Ganhou também duas blusas pretas que davam, de fato, para usar, um perfume da Avon que vinha num vidro em forma de guitarra e um chaveiro sem chave, o que o pai fez questão que todos reparassem.

O aniversário de dezesseis anos de Park passara em branco, e ele nem se importava mais em tirar a carteira de motorista e ir de carro à escola. Não pretendia abrir mão do único momento garantido que tinha com Eleanor.

Ela já lhe dissera que, embora a noite anterior tivesse sido incrível, e ambos concordaram nesse ponto, ela não podia se arriscar e sair à noite de novo.

– Qualquer um dos meus irmãos poderia ter acordado – ela disse –, e isso pode acontecer, e com certeza eles vão me dedurar. Eles são bem confusos na hora de decidirem a quem devem se aliar.

– Mas, se você não fizer barulho...

Foi então que ela contou que, quase toda noite, ela dividia o quarto com todos os irmãos. *Todos*. Um quarto do mesmo tamanho do dele, ela disse, "tirando o espaço da cama".

Ficaram sentados contra os fundos da escola, embaixo de um pequeno toldo onde ninguém poderia vê-los a não ser que procurasse, e onde a neve não caía direto sobre a cabeça deles. Sentados bem perto, de rosto colado, e mãos dadas.

Não havia nada atrapalhando agora. Nada estúpido ou egoísta, apenas ocupando espaço.

– Então você tem dois irmãos e duas irmãs?

– Três irmãos, uma irmã.

– E como eles se chamam?

– Por quê?

– Curiosidade – ele disse. – É segredo?

Ela suspirou.

– Ben, Maisie...

– Maisie?

– É. Então Mouse... Jeremiah. Ele tem cinco anos. Então vem o bebê. Little Richie.

Park riu.

– Vocês o chamam de Little Richie?

– Bem, o pai dele é o Big Richie. Não que eles seja tão grande assim...

– Eu sei, mas "Little Richard"? Como em Tutti-Frutti?

– Meu Deus, nunca tinha pensado nisso. Por que é que nunca pensei nisso?

Park puxou as mãos de Eleanor na direção de seu peito.

Park ainda não tentara tocar Eleanor em lugar nenhum abaixo do queixo ou acima do cotovelo. Não achava que ela necessariamente o impediria se ele tentasse, mas e se isso acontecesse? Seria muito chato. Enfim, as mãos e o rosto dela já estavam de bom tamanho.

– E vocês se dão bem?

– Às vezes... Eles são meio doidos.

– Como uma criança de cinco anos pode ser doida?

– Nossa, o Mouse? Ele é o mais doido de todos. Está sempre com um martelo ou uma chave de fenda no bolso de trás e se recusa a colocar uma camiseta.

Park riu.

– E como Maise é doida?

– Bom, ela é um pouco malvada, pra começar. E ela briga como se fosse uma menina de rua. Tipo, briga de arrancar o brinco dos outros.

– Quantos anos ela tem?

– Oito. Não, nove.

– E quanto a Ben?

– Ben... – Eleanor desviou os olhos. – Você viu Ben. Ele é quase da idade de Josh. E precisa de um bom corte de cabelo.

– Richie odeia eles também?

Eleanor empurrou as mãos de Park para o lado.

– Por que é que você quer falar sobre isso?

Park empurrou as mãos de volta.

– Porque sim. É a sua vida. Porque isso me interessa. É como se você tivesse levantados todos esses muros esquisitos a seu redor, como se você quisesse que eu conhecesse só um pedacinho de você...

– Sim – ela disse, cruzando os braços. – Muros. Aquelas fitas de isolamento nas cenas de crime. Estou fazendo um favor a você.

– Não faça – ele disse. – Eu dou conta. – Park pressionou o dedão entre as sobrancelhas de Eleanor, tentando desfazer sua cara zangada. – Essa briga besta, só porque você fica guardando segredos...

– Guardando segredos sobre ex-namoradas demoníacas, né? Eu não tenho nada "ex demoníaco" pra guardar.

– Richie odeia seus irmãos também?

– Pare de falar o nome dele. – Ela estava sussurrando.

– Desculpe – sussurrou Park de volta.

– Ele odeia todo mundo, eu acho.

– Não a sua mãe.

– Especialmente ela.

– Ele maltrata sua mãe?

Eleanor revirou os olhos e passou a manga de seu pijama na bochecha.

– Ô, se maltrata.

Park tomou suas mãos mais uma vez.

– E por que ela não vai embora?

Eleanor balançou a cabeça.

– Eu não acho que ela possa... Eu não acho que tenha sobrado o suficiente dela.

– Ela tem medo dele? – Park perguntou.

– Sim...

– Você tem medo dele?

– Eu?

– Eu sei que você tem medo de ser expulsa de casa, mas você tem medo dele?

– Não – ela disse, levantando o queixo. – Não... Eu só tenho que ficar na minha, entende? Tipo, enquanto eu estiver fora do caminho dele, estarei bem. Eu só tenho que ser invisível.

Park sorriu.

– O quê é? – Eleanor perguntou.

– Você. Invisível.

Ela sorriu. Park soltou as mãos de Eleanor e segurou seu rosto. As bochechas de Eleanor estavam frias, e seus olhos se perdiam na escuridão.

Ela era tudo o que ele conseguia ver.

***

Depois de um tempo, ficou frio demais para continuar lá fora. Até o interior da boca deles estava congelando.

eleanor

Richie disse que Eleanor tinha de sair do quarto e participar da ceia de Natal. Sem problema. Ela estava mesmo resfriada, então pelo menos não se sentia como se tivesse passado o dia todo fingindo.

A ceia foi incrível. A mãe dela cozinhava muito bem quando havia comida de verdade com que trabalhar. (Algo além de legumes.)

Comeram peru recheado e purê de batata com molho de endro e manteiga. De sobremesa, arroz-doce e biscoitinhos de pimenta, que a mãe só fazia no Natal.

Pelo menos essa era a regra na época em que a mãe costumava assar vários tipos de biscoitos, o ano inteiro. Os irmãos menores não sabiam o que estavam perdendo. Quando Eleanor e Ben eram pequenos, a mãe deles vivia na cozinha. Sempre tinha biscoitinhos frescos quando Eleanor chegava em casa da escola. E café da manhã de verdade todo dia... Ovos com bacon, ou panquecas e salsicha, ou mingau de aveia com creme e açúcar mascavo.

Eleanor pensava ser tão gorda por isso. Mas, mesmo na época em questão, em que passava fome o tempo todo, continuava enorme.

A família toda atacou a ceia de Natal como se fosse o último jantar de sua vida, e foi, praticamente, pelo menos por um tempo. Ben comeu as duas coxas do peru, e Mouse comeu um prato cheio de purê de batata.

Richie passara o dia inteiro bebendo outra vez, então estava todo festivo na ceia, rindo muito e alto demais. Mas Eleanor não tinha como apreciar o fato de que ele estava bem-humorado, visto ser o tipo de bom humor sempre à beira de virar o oposto. Todos esperavam que ele virasse a casaca a qualquer momento...

O que aconteceu, assim que ele notou que não tinha torta de abóbora.

– Que porra é essa? – ele disse, metendo a colher em seu *riz à l'amande*.

– É arroz-doce – respondeu Ben, bobo de tanto peru.

– Sei que é doce – disse Richie. – Cadê a torta de abóbora, Sabrina? – ele gritou para a cozinha. – Eu falei pra você fazer uma ceia de Natal decente. Dei dinheiro pra você fazer uma ceia de Natal decente.

A mãe parou na entrada da cozinha. Ainda nem se sentara para comer.

– É... – *É uma sobremesa de Natal dinamarquesa típica*, pensou Eleanor. *Minha avó fazia, e a avó dela fazia, e é melhor que torta de abóbora. É especial.* – É... que eu me esqueci de comprar abóbora – disse a mãe.

– Como pode esquecer uma porcaria de abóbora no Natal? – perguntou Richie, arremessando o pote brilhante de arroz-doce. Ele bateu na parede, ao lado da mãe, e espalhou porções do doce em todo canto.

Todos, a não ser Richie, ficaram imóveis.

Ele se levantou da cadeira, inquieto.

– Vou comprar torta de abóbora... Assim esta família pode ter uma ceia de Natal decente.

E saiu pela porta dos fundos.

Assim que ouviram a caminhonete partir, a mãe de Eleanor pegou a tigela com o que restara de arroztdoce, depois raspou a pilha que havia no chão.

– Quem quer calda de cereja? – perguntou.

Todos fizeram que sim.

Eleanor limpou a sobremesa do chão, e Ben ligou a TV. Assistiram a *O Grinch* e *Frosty, The Snowman* e *Os fantasmas de Scrooge*.

A mãe chegou até a se sentar para assistir com eles.

Eleanor não pôde deixar de pensar que, caso o Fantasma do Natal aparecesse, ficaria enojado com aquela situação toda. Mas Eleanor estava satisfeita e contente quando adormeceu.

34

eleanor

A mãe de Park não pareceu surpresa ao ver Eleanor no dia seguinte. Ele devia ter avisado à família que ela viria.

– Eleanor – disse a mãe dele, mais do que gentilmente –, feliz Natal, entre.

Quando Eleanor entrou na sala, Park acabara de sair do chuveiro, o que o deixou envergonhado, sem saber por quê. O cabelo estava molhado, e a camiseta, meio grudada. Ficou muito feliz quando a viu. Isso foi óbvio. (E fofo.)

Ela não soube o que fazer com o presente que lhe comprara, então, quando ele chegou perto, ela apenas empurrou o embrulho contra ele.

Ele sorriu, surpreso.

– Pra mim?

– Não – ela disse –, é... – Não conseguiu pensar em nada engraçado para dizer. – É... pra você.

– Não precisava ter se incomodado.

– Não foi nada. De verdade.

– Posso abrir?

Ela ainda não conseguia pensar em nada engraçado, então fez que sim. Pelo menos, a família dele estava na cozinha, então ninguém os observava.

O embrulho fora todo decorado. Os motivos favoritos de Eleanor: pinturas em aquarela de fadas e flores.

Park abriu o papel com cuidado e olhou para o livro. Era *O apanhador no campo de centeio*. Uma edição bem antiga. Eleanor decidira manter a capa gasta porque o tornava bem bonito, mesmo tendo o preço rabiscado a lápis preto.

– Sei que é pretensioso – ela disse. – Eu ia te dar *Watership Down*, mas é sobre coelho, e nem todo mundo gosta de ler sobre coelho...

Park fitava o livro sorridente. Por um terrível momento, ela pensou que ele fosse virar a capa. E ela não queria que ele lesse o que ela escrevera. (Não enquanto estivesse na frente dele.)

– O livro era seu? – ele perguntou.

– Era, mas eu já li.

– Obrigado – ele disse, sorrindo. Quando ficava muito feliz, os olhos dele sumiam nas bochechas. – Obrigado.

– De nada – ela disse, olhando para baixo. – Só não vá ter um ataque.

– Venha aqui – ele disse, puxando-a pela frente da jaqueta.

Ela o acompanhou até o quarto dele, mas parou na porta, como se houvesse uma cerca invisível. Park colocou o livro na cama, depois pegou duas caixinhas da estante. Estavam ambas embrulhadas em papel natalino com laços vermelhos.

Ele parou em frente à porta, perto dela; Eleanor encostou no batente.

– Este é da minha mãe – ele disse, entregando uma das caixas. – É um perfume. Por favor, não use. – Ele fitou o chão por um instante, depois se voltou para ela. – Este é meu.

– Não precisava se preocupar.

– Não seja boba. – Porque ela não aceitava o presente, ele pegou a mão dela e colocou ali a caixa. – Tentei pensar em algo em que ninguém reparasse, a não ser você – ele disse, afastando a franja da testa. – Que você não tivesse que explicar pra sua mãe... Tipo, eu ia comprar uma caneta muito boa, mas aí...

Ele ficou olhando-a abrir a caixa, o que o deixou nervoso. Eleanor rasgou o papel do embrulho sem querer. Ele pegou o papel, e ela abriu uma caixinha cinza.

Havia um colar lá dentro. Uma corrente fina de prata com um pingente delicado, um amor-perfeito.

– Vou entender se você não puder aceitar.

Ela não deveria aceitar, mas o fez.

park

Errado. Ele devia ter comprado a caneta. Uma joia seria tão visível... e pessoal, mas foi por isso mesmo que ele comprara. Não conseguiria comprar uma caneta para Eleanor. Ou um marcador de livro. Não tinha sentimentos estilo marcador de livro por ela.

Park usara parte do dinheiro que vinha economizando para o rádio do carro para comprar o colar. Comprou-o na joalheria do shopping, na qual as pessoas ficam provando anéis de noivado.

– Guardei a nota fiscal – ele disse.

– Não – disse Eleanor, olhando-o. Parecia ansiosa, mas ele não sabia bem por quê. – Não. É lindo – ela continuou –; obrigada.

– Vai usar?

Ela fez que sim.

Ele passou a mão pelo cabelo e a pousou na nuca, como se tentasse se controlar.

– Agora?

Eleanor fitou-o por um segundo, depois fez que sim. Ele tirou o colar da caixinha e envolveu-o com delicadeza no pescoço dela. Exatamente como se imaginara fazendo quando o comprou. Talvez tivesse sido *por isso* que o tinha comprado, para ter um momento como esse, com as mãos na nuca dela, sob os cabelos. Ele passou os dedos ao longo da corrente e ajeitou o pingente na frente da garganta dela.

Ela estremeceu.

Park queria puxar a corrente, amarrá-la no próprio peito e ancorar Eleanor a si.

Ele afastou as mãos, preocupado, e recostou-se no batente da porta.

eleanor

Sentaram-se na cozinha para jogar baralho. Speed. Eleanor ensinou Park a jogar, e ganhou todas as primeiras rodadas. Depois disso, acabou ficando mais descuidada, perdendo algumas jogadas. (Maisie começava a ganhar depois de um certo tempo, também.)

Jogar cartas ali, mesmo com a mãe de Park com eles, era melhor do que ficar na sala, pensando nas coisas que fariam se pudessem ficar a sós.

A mãe dele perguntou como Eleanor passara o Natal, e esta respondeu que tudo correra bem.

– O que comeram na ceia? – perguntou a mãe. – Peru ou pernil?

– Peru – Eleanor respondeu –, acompanhando de batatas com funcho... Receita dinamarquesa da minha mãe.

Park parou de jogar para olhá-la. Ela virou para ele subitamente. "Ué, sou dinamarquesa, fica quieto", ela teria dito, não fosse a mãe dele estar por perto.

– Ah, então é de lá que vem esse seu cabelo ruivo bonito – disse a mãe, compreensiva.

Park sorriu para Eleanor. Ela entortou os olhos.

Quando a mãe saiu para levar alguma coisa para os avós dele, Park deu um chutinho em Eleanor por debaixo da mesa. Não estava de sapatos.

– Não sabia que você tinha descendência dinamarquesa – disse.

– É esse o tipo de diálogo cintilante que teremos agora que vou passar a te contar tudo?

– Isso. Sua mãe é dinamarquesa?

– Sim.

– E seu pai?

– É um babaca.

Ele fez uma careta.

– O quê? Você queria honestidade e intimidade. Isso é muito mais honesto do que dizer que ele é escocês.

– Escocês – disse Park, e sorriu.

Eleanor andara pensando sobre o acordo que haviam feito. Essa coisa de serem honestos e abertos um para com o outro. Ela não achava que podia começar a contar-lhe toda a verdade nua e crua da noite para o dia. Seria uma overdose.

Mas e se ele estivesse errado? E se não fosse capaz de aguentar?

E se Park percebesse que todas as coisas que ele achava tão misteriosas e intrigantes nela fossem apenas... tristes?

Quando ele perguntou sobre o Natal, Eleanor contou a ele sobre os biscoitos de sua mãe e sobre os filmes a que assistiram, e como Mouse achava que *O Grinch* na verdade fosse a história de uma vila de corujas.

Ela esperava que ele dissesse: "Tá bom, mas agora me conta sobre as partes horríveis...". Em vez disso, ele riu.

– Será que sua mãe me aceitaria numa boa – ele perguntou –, se não fosse pelo seu padrasto?

– Não sei... – respondeu Eleanor. Notou que segurava o pingente de prata com os dedos.

***

Eleanor passou o resto das férias de Natal indo à casa de Park. A mãe dele não parecia ligar muito, e o pai ficava sempre convidando-a para o jantar.

A mãe de Eleanor achava que ela ficava o tempo todo na casa da Tina. Certa vez, disse:

– Espero que não esteja abusando da hospitalidade deles, Eleanor.

E, em outra, disse:

– Tina podia vir aqui alguma vez também, sabe? – Mas ambas sabiam que jamais daria certo.

Ninguém trazia amigos para aquela casa. Nem os irmãos. Nem mesmo Richie. E a mãe já não tinha mais amigos.

Como um dia tivera.

Quando os pais de Eleanor ainda estavam juntos, sempre havia gente por perto. Sempre havia festas. Homens de cabelo comprido. Mulheres de vestido longo. Taças de vinho por todo canto.

E, mesmo depois que o pai foi embora, ainda vinham mulheres. Mães solteiras que traziam os filhos, além dos ingredientes para fazer daiquiri de banana. Ficavam até tarde na sala de estar, conversando baixinho sobre os ex-maridos, especulando sobre novos namorados, enquanto as crianças jogavam jogos de tabuleiro no cômodo ao lado.

Richie apareceu numa dessas situações. E foi assim: a mãe dela costumava ir bem cedo ao mercado, enquanto as crianças ainda dormiam. Não tinham carro, e ela não gostava de deixar Eleanor responsável pelas irmãos todos. Bem, Richie via a mãe dela caminhando, enquanto dirigia para o trabalho. Certo dia, ele parou e pediu o telefone dela. Disse que era a mulher mais bonita que ele já vira.

Quando Eleanor ouviu falar dele a primeira vez, estava largada no velho sofá da sala, lendo um exemplar da revista *Life,* tomando daiquiri de banana sem álcool. Não estava espionando de fato, já que todas as amigas da mãe gostavam que Eleanor participasse. Agradava-lhes ver que ela tomava conta dos filhos delas sem reclamar; diziam que era madura para sua idade. Se ela ficasse quieta, acabavam esquecendo que estava no local. E não se envergonhavam de beber um pouco além da conta.

– Nunca confie nos homens, Eleanor! – gritavam para ela, apontando para as outras. – Principalmente se ele odiar dançar!

Mas, quando a mãe lhes contou que Richie dissera que ela era bonita feito um dia de primavera, todas suspiraram e pediram-lhe que contasse mais.

É claro que ele disse que era a mulher mais bonita que ele já vira, pensou Eleanor. Era mesmo, sem dúvida.

Eleanor estava com doze anos, e não podia imaginar um cara magoando sua mãe mais do que o pai fizera.

Não sabia que existiam coisas piores do que o egoísmo.

***

Enfim. Ela sempre tentava sair da casa de Park antes do jantar, apenas para o caso de sua mãe estar certa a respeito de "gastar a hospitalidade" deles, e porque, se Eleanor saísse cedo, a chance de não encontrar Richie em casa era maior.

Sair com Park todos os dias estava realmente acabando com sua rotina de tomar banho. (Coisa que ela jamais contaria para ele; não importava quão íntimos ficassem.)

O único momento tranquilo para tomar banho na casa dela era depois da aula. Se Eleanor ia até a casa de Park logo depois da escola, tinha de torcer para que Richie ficasse no Broken Rail até depois que ela chegasse em casa. E depois precisava tomar um banho muito rápido, porque a porta dos fundos ficava bem em frente ao banheiro, e poderia abrir-se a qualquer momento.

Dava para ver que todo esse esquema de tomar banho às escondidas estava deixando sua mãe nervosa, mas não era bem culpa de Eleanor. Pensara em tomar banho no vestiário da escola, mas isso poderia ser ainda mais perigoso graças a Tina *et al*.

Outro dia, no almoço, Tina fizera questão de passar pela mesa de Eleanor e falar só mexendo os lábios a palavra-que-começa-com-x. X-o-x-o-t-a. (Nem Richie usava essa palavra, o que implicava um grau inimaginável de nojeira.)

– Qual é o problema dela? – perguntou DeNice. Retoricamente.

– Ela se acha grande coisa – disse Beebi.

– E nem é tudo isso – comentou DeNice. – Zanzando por aí parecendo mais um garotinho de minissaia.

Beebi riu.

– E esse cabelo é um erro total – disse DeNice, ainda fitando Tina. – Ela precisava acordar um pouco mais cedo pra resolver se quer parecer a Farrah Fawcett ou o Rick James.

Beebi e Eleanor caíram na gargalhada.

– Tipo, escolha um, gata – disse DeNice, enfatizando. – Escolha. Um.

– Olha lá, menina! – exclamou Beebi, dando um tapinha na perna de Eleanor. – Lá está seu *boy*. – As três olharam pela janela de vidro da cantina. Park vinha passando com outros garotos. Estava usando calça jeans e uma camiseta que dizia "Minor Threat". Ele olhou para a cantina e sorriu quando viu Eleanor. Beebi riu.

– Ele é uma *graça* – disse DeNice. Como se passasse um certificado.

– Eu sei – respondeu Eleanor. – Tenho vontade de engoli-lo de tanto beijo.

As três desataram a rir até que DeNice as fez retomarem o foco.

park

– Então – disse Cal.

Park continuava sorrindo. Mesmo tendo passado pela cantina fazia um bom tempo.

– Você e a Eleanor, hein?

– Hm... é.

– É – disse Cal, meneando a cabeça. – Todo mundo tá sabendo. Tipo, eu sempre soube. Dava pra ver pelo jeito que você olhava pra ela na aula de Inglês... Só fiquei esperando que *você* me contasse.

– Ah – começou Park, olhando para o amigo. – Desculpa. Tô ficando com a Eleanor.

– Por que não contou antes?

– Saquei que você sabia.

– Eu sabia – disse Cal. – Mas, sabe, a gente é amigo, e amigos costumam falar sobre as coisas.

– Pensei que você não fosse curtir.

– Não curto. Sem ofensa. A Eleanor ainda me mata de medo. Mas, se você tá curtindo... *curtindo*, se é que você me entende... quero saber tudo. Quero o relatório completo.

– É por isso mesmo. Por isso que eu não te contei.

35

eleanor

A mãe de Park pediu-lhe que colocasse a mesa. Era a deixa para que Eleanor fosse embora. Não estava conscientemente seguindo o conselho da mãe, mas, visto que as aulas tinham voltado, ela queria mesmo não abusar da hospitalidade da família dele. Tentava chegar em casa todo dia antes de escurecer.

Naquela noite, ficou até um pouco mais tarde. Deve ter sido por isso que não viu o pai de Park na entrada da garagem.

– Ei, Eleanor – ele disse, assustando-a. Estava mexendo com alguma coisa na traseira da caminhonete.

– Oi – ela cumprimentou. Ele realmente se parecia muito com o cara do *Magnum*. Não era fácil de se acostumar.

– Oi, venha aqui. – Ela teve um pressentimento esquisito nas vísceras. Deu um passo à frente, bem comedido. – Olhe – ele disse –, tô cansado de ficar te convidando pro jantar.

– Tá bem... – ela afirmou.

– Sabe, Eleanor... Eu conheço seu padrasto.

Esse papo poderia seguir milhões de caminhos diferentes, ela pensou. Todos horríveis.

O pai de Park continuou falando, uma mão no automóvel, outra na nuca, como se estivesse com dor:

– Crescemos juntos. Sou mais velho que o Richie, mas o bairro é pequeno, e uma época eu frequentei o Rail... – O sol já se pusera havia muito tempo; não dava para enxergar o rosto dele. Eleanor ainda não compreendera aonde ele queria chegar. – Sei que seu padrasto não é do tipo fácil de se conviver – afirmou o pai de Park, finalmente, aproximando-se dela. – E só queria dizer que, sabe, se for mais fácil ficar por aqui, então você devia ficar aqui. Isso faria eu e a Mindy nos sentirmos muito melhor, viu?

– Tá bom.

– Então, hoje é a última vez que vou te convidar pra jantar.

Eleanor sorriu, e ele sorriu de volta e, por um segundo, se pareceu muito mais com Park do que com Tom Selleck.

park

Os pais de Park disseram que Eleanor tinha convite permanente. Poderia ficar até as oito da noite em dias de aula, e até as onze nos fins de semana, a não ser que Park tivesse taekwondo ou outro compromisso.

Começou a parecer rotina. Eleanor na casa dele toda tarde, no sofá, jogando Nintendo. Segurando a mão dele, assistindo à TV. Em frente a ele na mesa do jantar, fazendo lição de casa. Ajudando-o a carregar compras para a avó. Comendo, educadamente, tudo o que a mãe dele fazia para o jantar, ainda que fosse algo totalmente nojento, tipo fígado ou cebola.

Ela ainda o mantinha à distância de um braço sempre que havia alguém por perto. O que ocorria quase sempre.

Os dois estavam sempre juntos, e ainda não era suficiente.

Park ainda não inventara um jeito de envolvê-la totalmente com seus braços. Ainda não tivera oportunidades suficientes para beijá-la. Ela não ia ao quarto com ele...

– Podemos ouvir música – ele dizia.

– Sua mãe...

– Não liga. A gente deixa a porta aberta.

– Onde vamos nos sentar?

– Na minha cama.

– Gente, não.

– No chão.

– Não quero que ela pense que eu sou oferecida.

Ele não sabia muito bem nem se sua mãe pensava em Eleanor como sendo uma menina.

Mas gostava dela. Mais do que antes. Outro dia, disse que ela tinha excelentes maneiras.

– É muito quieta – comentou, como se isso fosse uma coisa boa.

– É que ela fica nervosa – disse Park.

– Por que fica nervosa?

– Não sei. Ela sempre fica.

Mas ele sabia que sua mãe ainda odiava as roupas de Eleanor. Analisava-a de cima a baixo, e balançava a cabeça quando pensava que Eleanor não estava olhando.

A garota era impecavelmente educada com a mãe dele. Tentava até puxar assunto. Num sábado, depois do jantar, a mãe de Park estava organizando seus produtos Avon em cima da mesa, enquanto Park e Eleanor jogavam baralho.

– Há quanto tempo você é esteticista? – Eleanor perguntou, fitando todas as garrafinhas.

A mãe dele adorava essa palavra.

– Desde que Josh começou escola. Consegui diploma Ensino Médio, fiz aula de estética, consegui licença, consegui permissão...

– Uau – disse Eleanor.

– Sempre fiz cabelo – continuou a mãe. – Mesmo antes. – Ela abriu um frasco rosa de loção e cheirou-o. – Quando era menina... cortava cabelo de boneca, passava maquiagem.

– Parece a minha irmã – falou Eleanor. – Eu nunca soube fazer nada disso.

– Não é difícil... – disse a mãe dele, olhando-a. Seus olhos se acenderam. – Ah, tenho uma ideia. Posso fazer seu cabelo. Fazer noite da transformação.

Eleanor ficou boquiaberta. Devia estar se imaginando com o cabelo em camadas e cílios postiços.

– Ah, não... – disse. – Não quero incomodar...

– Sim – afirmou a mãe –, tão gostoso!

– Mãe, não – disse Park –, Eleanor não quer uma transformação... Ela não precisa de transformação – ele acrescentou, assim que lhe ocorreu a frase.

– Não transformação grande – explicou a mãe. Já estava pegando no cabelo de Eleanor. – Não vou cortar. Nada que não dá pra tirar.

Park olhou para Eleanor, implorando. Com sorte, ela saberia que ele implorava para ela satisfazer a mãe, e não por achar que havia algo de errado com ela.

– Não vai cortar? – Eleanor perguntou.

A mãe dele enrolava um cachinho no dedo.

– Luz melhor na garagem. Vem.

eleanor

A mãe de Park levou Eleanor para a cadeira de lavar cabelos e estalou os dedos para Park. Para o horror de Eleanor, um horror sem fim, Park se aproximou e começou a encher a pia de água. Pegou uma toalha rosa de uma pilha alta e envolveu o pescoço da garota, levantando-lhe o cabelo cuidadosamente.

– Desculpa – disse ele. – Quer que eu saia?

– Não – ela murmurou só com os lábios, agarrando-o pela camiseta. *Quero*, pensou. Já começava a derreter de vergonha. Não sentia as pontas dos dedos.

Mas, se Park saísse, não haveria ninguém para impedir que a mãe dele implantasse em Eleanor uma franja gigante em forma de garra ou fizesse um permanente espiralado. Ou ambos.

Eleanor não tentaria impedi-la, não importava o que fizesse; era uma convidada naquela garagem. Comera da comida daquela mulher e manuseara-lhe o filho: não estava em posição de discutir.

A mãe de Park empurrou-o para o canto e deitou com firmeza a cabeça de Eleanor na pia.

– Que tipo de xampu você usa?

– Não sei.

– Como não sabe? – perguntou a mãe, manuseando os fios da garota. – Tá muito seco. Cabelo cacheado é seco, sabia? – Eleanor fez que não. – Hmmm – disse a mãe de Park. Ela puxou a cabeça de Eleanor de volta para dentro da pia e pediu a Park que colocasse um pacote de óleo quente no micro-ondas.

Foi muito, muito esquisito ter os cabelos lavados pela mãe do Park. Estava praticamente por cima do colo de Eleanor; o pingente de anjo que levava no colar pendurava-se sobre a boca da garota. Além disso, o processo fazia muitas cócegas. Eleanor não sabia se Park estava assistindo. Esperava que não.

Depois de alguns minutos, aplicado o óleo quente, o cabelo da garota foi envolvido numa toalha tão apertada que lhe doía a testa. Park estava sentado em frente a ela, tentando sorrir, mas parecia também desconfortável.

A mãe dele fuçava de uma caixa de produtos para outra.

– Sei que tá aqui em algum lugar – disse. – Canela, canela, canela... A-há! – Girou na cadeira, virando-se para Eleanor. – Certo. Fecha olho.

Eleanor fitou-a. Estava segurando um pequeno lápis marrom.

– Fecha olho – ela repetiu.

– Por quê?

– Não se preocupa. Isso sai depois.

– Mas eu não uso maquiagem.

– Por que não?

Talvez Eleanor devesse dizer que não lhe era permitido. Seria mais gentil do que "Porque maquiagem é uma mentira".

– Não sei – respondeu Eleanor –, não faz muito meu tipo.

– É, você – disse a mãe dele, olhando para o lápis. – Ótima cor pra você. Canela.

– Isso é batom?

– Não, delineador.

Eleanor definitivamente não usava delineador.

– O que isso faz?

– É maquiagem – disse a mãe, exasperada. – Te deixa bonita.

Eleanor sentiu uma coisa esquisita no olho. Queimava.

– Mãe... – disse Park.

– Olha – ela começou. – Vou mostrar. – Então, virou-se para Park e, já antes que os meninos compreendessem o que ela planejava, ela tinha metido o dedão no canto do olho dele. – Canela é muito claro – murmurou ela. Escolheu outro lápis. – Ônix.

– Mãe... – disse Park, sentindo dor, mas não se mexeu.

A mãe dele se sentou de forma que Eleanor pudesse ver o que ela fazia, depois desenhou habilmente uma comprida linha na pálpebra de Park.

– Abre. – Ele abriu. – Bom... fecha. – Ela fez o mesmo no outro olho. Depois acrescentou outra linha sob o olho dele e lambeu o dedo para limpar um borrado. – Pronto, legal. Viu? – disse ela, encostando-se na cadeira, para que Eleanor pudesse ver. – Fácil. Lindo.

Park não estava lindo. Parecia perigoso. Tipo Ming, o Impiedoso. Ou um membro do Duran Duran.

– Tá igual ao Robert Smith – disse Eleanor. *Mas...*, pensou ela, *é mais bonito*.

Ele olhou para baixo. Eleanor não conseguia desviar o olhar.

A mãe passou voando entre os dois.

– Certo, agora fecha olho – disse para Eleanor. – Abre. Legal... Fecha de novo... – a sensação era exatamente a de alguém desenhando nos seus olhos. Acabou logo, e a mãe de Park passou a esfregar uma coisa gelada nas bochechas da garota.

– É um hábito bem fácil – explicou ela. – Base, pó, delineador, sombra, rímel, contorno labial, batom, blush. Oito passos, leva quinze minutos no máximo.

A mãe de Park era toda dinâmica, tipo apresentadora de programa de culinária. Pouco depois, desembrulhou o cabelo de Eleanor e parou em frente a ela.

Eleanor queria olhar para Park de novo, agora que podia, mas não queria que ele olhasse de volta. Seu rosto estava tão pesado e grudento que ela devia estar a cara de uma das personagens de *Designing Women*.

Park puxou sua cadeira para perto de Eleanor e começou a dar soquinhos no joelho dela. Demorou um segundo para que ela entendesse que ele a estava desafiando para jogar "pedra, papel ou tesoura".

Ela entrou no jogo. Ai, ai. Qualquer coisa para poder tocá-lo. Qualquer coisa para não ter de olhar para ele diretamente. Ele esfregara os olhos, não estava mais pintado, mas ainda estava com uma carinha que Eleanor não encontrava palavras para descrever.

– É assim que Park mantém as criancinhas ocupadas enquanto cortam cabelo – disse a mãe. – Você deve estar com medo, Eleanor. Não preocupa. Prometo não cortar.

Ela e Park fizeram "tesoura".

A mãe dele derramou meia lata de mousse no cabelo de Eleanor, depois o secou com um difusor (do qual Eleanor jamais ouvira falar, mas que devia ser muito, muito importante).

De acordo com a mãe de Park, tudo o que Eleanor fazia com seu cabelo, ou seja, lavar de qualquer jeito, escovar ou amarrar contas e flores de seda, estava completamente errado.

Ela devia secá-lo com difusor e amassá-lo, e, se possível, usar fronha de seda para dormir.

– Acho que você fica muito bem de franja – disse a mãe. –Talvez, na próxima, a gente tenta franja. – Não haveria próxima vez, Eleanor prometera a si e a Deus. – Certo, tudo pronto. – A mãe de Park era só sorriso. – Ficou tão bonita... Pronta pra ver? – Ela virou Eleanor para o espelho. – *Tchã-nam*!

Eleanor abaixou os olhos.

– Tem que olhar, Eleanor. Olha, espelho, tão bonita!

Eleanor não conseguia. Sentia que ambos a fitavam. Queria sumir, ser tragada por uma porta mágica. Tudo aquilo fora uma má ideia. Uma péssima ideia. Queria chorar, queria aprontar um fuzuê. A mãe de Park voltaria a odiá-la.

– Ei, Mindy – o pai de Park abriu a porta da garagem. – Telefone pra você. Ah, ei, olha só, Eleanor, tá igual a uma dançarina do Solid Gold.

– Viu? – disse a mãe dele. – Eu disse, bonita. Não olhe no espelho até eu voltar. Olhar no espelho é a melhor parte.

Ela correu para dentro da casa, e Eleanor enterrou o rosto nas mãos, tentando não estragar nada. Sentiu as mãos de Park em seus punhos.

– Desculpe – ele disse. – Acho que eu sabia que você ia odiar isso, mas não pensei que fosse odiar tanto.

– É tão vergonhoso.

– Por quê?

– Porque... tá todo mundo olhando pra mim.

– Estou sempre olhando pra você.

– Eu sei, queria que parasse.

– Ela só tá tentando te conhecer melhor – disse ele. – Essa é a parada dela.

– Eu tô parecendo uma dançarina do Solid Gold?

– Não...

– Ai, meu Deus. Eu tô.

– Não, parece... Veja você mesma.

– Não quero.

– Olhe agora – ele disse –, antes que minha mãe volte.

– Só se você fechar os olhos.

– Certo, já fechei.

Eleanor descobriu o rosto e olhou-se no espelho. Não foi tão vergonhoso quanto pensara, porque era como ver outra pessoa. Alguém com maçãs do rosto e olhos gigantes e lábios bem molhados. O cabelo ainda estava encaracolado, mas domado. Menos bagunçado.

Eleanor odiou, odiou tudo aquilo.

– Posso abrir os olhos? – Park pediu.

– Não.

– Tá chorando?

– Não. – Claro que sim. Estava prestes a destruir aquele rosto falso e fazer a mãe dele odiá-la.

Park abriu os olhos e se sentou em frente à garota, no toucador.

– É tão ruim assim? – perguntou.

– Não sou eu.

– É claro que é você.

– É que parece que estou fantasiada. Como se tentasse ser algo que não sou.

Como se tentasse ser bonita e popular. Era a parte de *tentar* que dava tanto nojo.

– Acho que o seu cabelo ficou muito legal – Park disse.

– Não é *meu* cabelo.

– É sim...

– Não quero que sua mãe me veja assim. Não quero magoá-la.

– Me beija.

– O quê?

Ele a beijou. Eleanor sentiu os ombros penderam e o estômago relaxar. Depois, começou a se revirar de novo. Ela se afastou.

– Tá me beijando porque tô parecendo outra pessoa?

– Não tá parecendo outra pessoa. Além do mais, isso é loucura.

– Você gosta mais de mim assim? Porque nunca vou ficar assim de novo.

– Gosto de você do mesmo jeito... e sinto falta de ver suas sardas. – Ele esfregou as bochechas dela com a manga da camiseta. – Pronto.

– Até *você* tá parecendo outra pessoa, e só tá de delineador.

– Gosta mais de mim assim?

Ela entortou os olhos, mas sentiu um calor na nuca.

– Você ficou diferente. Ficou desconcertante.

– E você parece você mesma, mas com o volume no talo.

Ela olhou para o espelho de novo. Viu a si mesma dessa vez. E notou que não mais chorava.

– O fato é que acho que minha mãe se conteve. Acho que para ela esse é um look natural.

Eleanor riu. A porta da garagem se abriu.

– Aaaah, eu pedi pra vocês esperaram – disse ela. – Ficou surpresa?

Eleanor fez que sim.

– Você chorou? Ai, eu perdi!

– Desculpa se borrei – Eleanor disse.

– Nada borrado, rímel à prova d'água e base fixa.

– Obrigada – Eleanor disse, cautelosa. – Mal deu pra acreditar na diferença.

– Vou te dar um kit – disse a mãe dele. – São cores que eu nunca uso mesmo. Aqui, senta aqui, Park. Vou aparar seu cabelo já que estamos aqui. Tá com cara de relaxado...

Eleanor sentou-se na frente dele e fez "pedra, papel ou tesoura" no joelho dele.

park

Ela parecia outra pessoa, e Park *não sabia* se gostava mais assim. Ou se gostara de fato.

Ele não conseguia entender por que aquilo a deixara tão chateada. Às vezes, parecia que ela tentava esconder tudo que tinha de bonito. Como se quisesse ser feia.

Isso era algo que a mãe dele diria. Motivo pelo qual ele não dissera nada a Eleanor. (Agir assim contava como esconder alguma coisa?)

Compreendeu por que Eleanor se esforçava tanto para parecer diferente. Ou quase. Era porque ela era diferente, e porque *queria* ser. E porque não tinha medo de ser. (Ou talvez tivesse *mais* medo de ser como os demais.)

Havia algo de muito excitante nisso tudo. Ele gostava de ficar perto dessa espécie de bravura louca.

"Desconcertante como?", queria ter perguntado.

Na manhã seguinte, Park levou o delineador ônix para o banheiro e passou. Fez mais sujeira do que a mãe, mas pensou que ficaria mais legal. Mais masculino.

Olhou-se no espelho. "Isso aqui faz o olho destacar", dizia a mãe dele às clientes, e era verdade. O delineador destacava mesmo os olhos. E o fazia parecer ainda menos branco.

Em seguida, Park ajeitou os cabelos como costumava fazer: espetado no meio, bagunçado e para o alto, como se quisesse alcançar alguma coisa. Geralmente, assim que terminava, Park penteava o cabelo e o abaixava de novo.

Naquele dia, deixou-o bagunçado.

***

O pai dele surtou no café da manhã. *Surtou*. Park tentou sair de fininho sem que o pai o visse, mas a mãe não abria negociação quanto ao desjejum. Park quase enfiou a cabeça no pote de cereais.

– Qual é o problema com o seu cabelo? – perguntou o pai.

– Nada.

– Espere um minuto; olhe pra mim... Eu disse *olhe pra mim*. – Park ergueu a cabeça, mas desviou o olhar. – Que droga é essa, Park?

– Jamie! – exclamou a mãe.

– Olhe pra ele, Mindy, tá usando maquiagem! Tá de gozação comigo, Park?

– Não tem desculpa "palavlão" – disse a mãe, que olhou toda nervosa para Park, como se aquilo fosse culpa dela. Talvez fosse mesmo. Talvez não devesse ter testado amostras de batom nele quando estava no jardim de infância. Não que Park quisesse usar batom.

Quem sabe.

– De jeito nenhum – rugiu o pai. – Vá lavar esse rosto, Park.

O garoto ficou onde estava.

– Vá lavar o rosto, Park.

Park deu uma colherada no cereal.

– Jamie... – disse a mãe.

– Não, Mindy. Não. Deixo esses meninos fazerem tudo que eles querem. Mas, não, Park não vai sair desta casa com cara de menina.

– Um monte de caras usa maquiagem – Park argumentou.

– O quê? Do que você tá falando?

– David Bowie – disse Park. – Marc Bolan.

– Não tô nem ouvindo isso. Vá lavar o rosto.

– Por quê? – Park bateu os punhos na mesa.

– Porque eu mandei. Porque você tá com cara de menina.

– E qual é a novidade? – Park arremessou a tigela de cereal para longe.

– Que foi que você disse?

– Eu disse: *qual é a novidade*. Não é isso que você pensa?

Park sentiu lágrimas escorrendo pelo rosto, mas não quis tocar os olhos.

– Vai pra escola, Park – disse a mãe, gentilmente. – Vai perder o ônibus.

– Mindy... – disse o pai, quase não mais se controlando –, vão acabar com ele.

– Você me fala que Park quase adulto agora, quase homem, toma próprias decisões. Então deixa ele tomar próprias decisões. Deixa ele ir.

O pai não disse nada; jamais erguia a voz para a mãe de Park. E ele viu a oportunidade e saiu.

***

Park foi para o próprio ponto de ônibus, não o de Eleanor. Queria lidar com Steve antes de encontrá-la. Se o garoto fosse espancá-lo por causa disso, Park preferia que Eleanor não estivesse na plateia.

Mas Steve quase não disse nada.

– Ué, Park, que é isso, velho? Tá usando maquiagem?

– É – disse Park, apoiando-se na mochila.

Todos em volta de Steve riam baixinho, esperando o que ele diria em seguida.

– Tá parecendo o Ozzy, mano – disse Steve. – Parece pronto pra arrancar uma cabeça de morcego com a boca.

Todos riram. Steve deu um soquinho no ombro de Park, e pronto.

Quando Eleanor entrou no ônibus, estava bem-humorada.

– Você veio! Pensei que talvez tivesse ficado doente quando não te vi na esquina de casa.

Ele a olhou. Ela pareceu surpresa, e sentou-se sem dizer nada.

Olhou para as próprias mãos.

– Estou parecendo uma dançarina do Solid Gold? – ele perguntou finalmente, quando não aguentou mais o silêncio dela.

– Não – ela disse, olhando de soslaio –, você tá...

– Desconcertante? – Ela riu e fez que sim. – Desconcertante *como*?

***

Ela deu-lhe um beijo de língua. *No ônibus.*

36

park

Park pediu a Eleanor que não fosse à casa dele depois da escola. Imaginou que estaria de castigo. Lavou o rosto assim que chegou e enfiou-se no quarto.

A mãe entrou para vê-lo.

– Estou de castigo? – ele perguntou.

– Não sei – ela respondeu. – Como foi seu dia na escola?

Ou seja: "Alguém tentou enfiar sua cabeça na privada e deu a descarga?".

– Foi tudo bem.

Alguns moleques xingaram Park pelos corredores, mas não foi chato como ele pensou que seria. Muitas outras pessoas disseram que havia ficado legal.

A mãe sentou-se na cama dele. Parecia ter enfrentado um dia difícil. Dava para ver o contorno labial.

Ela fitava um grupo de bonequinhos de *Guerra nas estrelas* arranjados sobre uma estante em cima da cama. Park não os pegava havia anos.

– Park, você... *quer* vestir roupa de menina? Eleanor veste igual menino. Você veste igual menina?

– Não... – Park disse. – Só gostei disso. Gostei de como fiquei.

– Igual menina?

– *Não* – disse ele. – Igual a mim mesmo.

– Seu pai...

– Não quero falar dele.

A mãe permaneceu ali quieta por um minuto, depois saiu.

Park ficou no quarto até que Josh veio chamá-lo para jantar. O pai não o olhou quando Park se sentou.

– Onde está Eleanor? – perguntou.

– Pensei que eu estava de castigo.

– Não está de castigo – disse o pai, focado no bolo de carne.

Park olhou ao redor da mesa. Somente Josh lhe retribuiu o olhar.

– Vai conversar comigo sobre o que aconteceu hoje de manhã? – Park perguntou.

O pai deu outra mordida, mastigou lentamente, depois engoliu.

– Não, Park, por ora não consigo pensar em nada que queira te dizer.

37

eleanor

Park tinha razão. Nunca ficavam sozinhos.

Ela pensou outra vez em sair de fininho, mas o risco era incompreensível. Fazia um frio de rachar lá fora, e ela acabaria perdendo uma orelha congelada. Coisa que sua mãe, sem dúvida, repararia.

Já reparara no rímel. (Ainda que fosse marrom-claro e dissesse "Look natural sutil" na embalagem.)

– Foi a Tina que me deu – disse Eleanor. – A mãe dela é vendedora da Avon.

Se ela trocasse o nome de Park pelo de Tina toda vez que mentisse, sentiria como se fosse uma única grande mentira em vez de um milhão de mentiras menores.

Era meio engraçado imaginar-se indo à casa de Tina todo dia, fazendo as unhas uma da outra, provando gloss labial...

Seria péssimo se a mãe dela acabasse de fato encontrando a Tina em algum lugar, mas isso não parecia provável. A mãe nunca conversava com ninguém no bairro. Se você não tivesse nascido nas Colinas, se sua família não estivesse lá há dez gerações, se seus pais não tivessem os mesmos bisavós, você era considerado um forasteiro.

Park sempre dizia que era por isso que as pessoas o deixavam em paz, mesmo ele sendo oriental e esquisito. Porque a família dele detinha propriedades no local desde a época em que o bairro não passava de uma plantação de milho.

Park. Eleanor ficava corada sempre que pensava nele. Devia acontecer fazia muito tempo, mas estava piorando. Porque ele já era fofo e legal antes, mas passara a ser muito mais.

Até DeNice e Beebi concordavam.

– Ele tá igual um rock star – disse DeNice.

– Igual o El DeBarge – Beebi concordou.

Estava igual a ele mesmo, pensou Eleanor, mas mais maduro. Como Park com o volume no talo.

park

Nunca ficavam sozinhos.

Tentavam fazer a caminhada do ônibus até a casa de Park durar para sempre, e, às vezes, permaneciam um pouco nos degraus em frente à casa dele... Até que a mãe abria a porta e os chamava para entrar por causa do frio.

Talvez fosse melhor no verão. Poderiam sair. Talvez fazer caminhadas. Talvez ele finalmente tirasse a carteira de motorista...

Não. O pai nem conversara com ele desde o dia em que brigaram.

– O que seu pai tem? – Eleanor perguntou. Estava em pé um degrau abaixo dele na escada.

– Está bravo comigo.

– Por quê?

– Por não ser como ele.

Eleanor pareceu não entender.

– Então ele tá bravo com você há dezesseis anos?

– Basicamente.

– Mas sempre pareceu que vocês se davam bem...

– Não, nunca. Assim, a gente meio que se aturou por um tempo, porque eu finalmente entrei numa briga, e porque ele achou que a minha mãe tava implicando muito com você.

– Sabia que ela não gostava de mim! – Eleanor cutucou o braço dele.

– Bom, agora ela gosta, então meu pai voltou a não gostar mais de mim.

– Seu pai te ama – ela disse. Parecia importar-se muito com a questão.

Park fez que não.

– Só porque ele precisa. Sou uma decepção pra ele.

Eleanor colocou a mão no peito dele, e a mãe abriu a porta.

– Entrem, entrem. Muito frio.

eleanor

– Seu cabelo tá ótimo, Eleanor – disse a mãe de Park.

– Obrigada.

Eleanor não andava secando com difusor, mas estava usando o condicionador que a mãe de Park lhe dera. E encontrara, de verdade, uma fronha de seda na pilha de toalhas e porcarias que tinha no armário do quarto, o que foi praticamente um sinal divino de que Deus queria que Eleanor cuidasse melhor do cabelo.

A mãe de Park parecia ter passado a gostar mesmo da garota. Eleanor não consentira outra transformação total, mas a mãe de Park estava sempre testando novas sombras nela ou mexendo em seu cabelo quando ela se sentava à mesa da cozinha com Park.

– Eu devia ter tido filha – dizia a mãe.

Eu devia ter tido uma família como esta, pensava Eleanor. E poucas vezes se sentia uma traidora ao pensar assim.

38

eleanor

As noites de quarta-feira eram os piores dias de todos.

Park tinha aula de taekwondo, então Eleanor ia direto para casa depois da aula, tomava banho, depois tentava se esconder no quarto a noite toda, lendo.

Estava frio demais para brincar lá fora, então os irmãos subiam pelas paredes. Quando Richie chegou naquela noite, não havia lugar algum para que se escondessem.

Ben tinha tanto medo de que Richie o mandasse para o porão mais cedo que ficava sentado dentro do armário, brincando com os carrinhos.

Quando Richie resolveu que queria assistir ao *Mike Hammer*, a mãe levou Maisie para o quarto também, mesmo que o outro tivesse dito que ela podia ficar na sala.

Maisie entrou pisando forte, entediada e nervosa e irritada. Veio até o beliche.

– Posso subir?

– Não.

– Por favor...

A cama era pequena, de solteiro, mal havia espaço para Eleanor – e Maisie não era uma daquelas meninas de nove anos franzinas...

– Tá bom – Eleanor gemeu.

Eleanor afastou-se com cuidado, como se deitasse sobre gelo, empurrando a caixa de *grapefruit* para o canto. Ela estava lotada de contrabando, e tudo vinha de Park. Maquiagem, fitas diversas, pilhas, gibis...

Que coisa. Maisie devia viver subindo ali quando Eleanor não estava. Igualzinho ao gato.

Assim que a menina ajeitou-se na cama, perguntou a Eleanor o que ela estava lendo.

– *Watership Down*.

Maisie nem prestou atenção. Cruzou os braços e inclinou para perto da irmã.

– A gente sabe que você tá namorando – sussurrou.

O coração de Eleanor parou.

– Não tô namorando – disse, com frieza, imediatamente.

– A gente já sabe.

Eleanor olhou para Ben, sentado no armário. Ele a fitava, sem delatar nada. Graças a Richie, todos estavam se tornando verdadeiros *experts* no departamento da cara de pau. Deviam entrar para uma competição de pôquer em família...

– Bobbie contou pra gente – disse Maisie. – A irmã mais velha dele namora o Josh Sheridan, e o Josh disse que você é namorada do irmão dele. Ben disse que não, e Bobbie riu dele.

Ben nem piscava.

– Vão contar pra mãe? – Eleanor perguntou. Vamos direto ao que interessa.

– Ainda não contamos – disse Maisie.

– Vão contar? – Eleanor resistiu ao impulso de jogar Maisie para fora da cama. Maisie ficaria furiosa. – Ele vai me pôr pra fora, sabia? – Eleanor disse, firme. – Se eu tiver sorte, isso é o pior que vai acontecer.

– Não vamos contar – Ben sussurrou.

– Mas não é justo – Maisie disse, afundando-se na parede.

– O quê? – Eleanor perguntou.

– Não é justo você poder sair o tempo todo – disse Maisie.

– Que quer que eu faça? – Eleanor perguntou. Os outros a fitavam, desesperados e quase... quase esperançosos.

Tudo o que todos diziam naquela casa tinha um tom de desespero. O desespero era apenas ruído branco, Eleanor compreendera. Era a *esperança* que lhe agarrava o coração com dedinhos sujos. Teve certeza de estar com um parafuso a menos, com seus botões trocados, porque, em vez de ser mais delicada com eles, em vez de ser gentil, percebeu-se fria e maldosa.

– Não posso levar vocês comigo – disse –, se é nisso que estão pensando.

– Por que não? – perguntou Ben. – A gente fica brincando com as outras crianças.

– Não tem mais crianças – disse Eleanor –, não é assim.

– Você não liga pra gente – Maisie falou.

– Ligo sim – Eleanor sibilou. – Só não posso... *ajudar* vocês.

A porta se abriu, e Mouse entrou.

– Ben, Ben, Ben, cadê meu carrinho, Ben? Cadê meu carrinho? Ben? – Ele pulou sobre Ben sem motivo aparente. Às vezes, não dava para saber o que Mouse queria quando pulava em cima de alguém, se abraçar ou matar.

Ben tentou afastar o irmão o mais gentilmente que pôde. Eleanor jogou um livro nele. (Um livro de bolso. Calma.)

Mouse saiu correndo do quarto, e Eleanor inclinou-se para fora da cama a fim de fechar a porta. Dava quase para abrir a cômoda sem sair da cama.

– Não posso ajudar vocês – disse. Era como deixá-los à deriva em alto mar. – Não posso nem me ajudar. – A cara de Maisie estava fechada feito uma parede de concreto. – Por favor, não contem – Eleanor pediu.

Maisie e Ben trocaram olhares de novo, então Maisie, ainda dura e fria, virou-se para Eleanor.

– Vai deixar a gente usar suas coisas?

– Que coisas? – Eleanor perguntou.

– Seus gibis – Ben disse.

– Não são meus.

– Sua maquiagem – Maisie afirmou.

Deviam ter catalogado todas as coisas dela. Já deviam ter mexido em tudo, tinha certeza.

– Vocês vão ter que guardar depois de usar – Eleanor falou. – E os gibis não são meus, Ben, são emprestados. Você tem que cuidar bem deles... E, se vocês forem pegos – disse, virando-se para Maisie –, a mãe vai tirar tudo da gente. Principalmente a maquiagem. Daí ninguém vai ter mais nada. – Ambos concordaram. – Eu teria deixado você usar um pouco de qualquer jeito – ela disse a Maisie. – Era só pedir.

– Mentirosa – Maisie retrucou.

E ela tinha razão.

park

As quartas-feiras eram os piores dias de todos.

Eleanor não vinha. E o pai o ignorava durante o jantar e a aula de taekwondo.

Park imaginava se a questão toda se resumia apenas ao delineador, ou se este fora somente a gota d'água. Como se Park tivesse passado dezesseis anos agindo de forma estranha e afeminada, e o pai suportara o fato em suas costas gigantescas. E, então, Park passou maquiagem, e pronto, seu pai passara a desmerecê-lo.

"Seu pai te ama", Eleanor dissera. E tinha razão. Mas não importava. Era só dá boca para fora. O pai o amava puramente por obrigação, como Park amava Josh.

Mas seu pai não podia mais vê-lo.

Park continuou usando delineador para ir à escola. E continuou retirando-o quando chegava em casa. E o pai continuou fingindo que ele não estava por perto.

eleanor

Era apenas questão de tempo. Se Maisie e Ben sabiam, a mãe logo descobriria. Uma das crianças contaria, ou ela encontraria alguma pista que Eleanor deixara passar... Algo aconteceria.

Eleanor não tinha onde esconder seus segredos. Numa caixa, sobre a cama. Na casa de Park, a um bloco dali.

O tempo de ambos juntos estava acabando.

39

eleanor

Na quinta à noite, depois do jantar, a avó de Park veio arrumar o cabelo, e a mãe dele desapareceu na garagem. O pai trabalhava com o encanamento abaixo da pia, trocando a caixa de gordura. Park tentava contar a Eleanor sobre uma fita nova que comprara. Elvis Costello. Não conseguia parar de falar.

– Tem umas músicas de que você vai gostar, mais lentas. Mas o resto é bem animado.

– Tipo punk? – ela entortou o nariz.

Eleanor aturava alguma coisa de Dead Milkmen, mas odiava a música punk que Park ouvia.

– Parece que estão gritando comigo – ela dizia quando ele tentava colocar um pouco de punk nas fitas. – Pare de gritar comigo, Glenn Danzig!

– Esse é o Henry Rollins.

– Todos parecem o mesmo quando estão gritando comigo.

Naquela época, Park andava muito interessado em New Wave. Pós-punk, ele chamava. Ele ouvia bandas tanto quanto Eleanor lia livros.

– Não – ele disse –, Elvis Costello é mais musical. Mais gentil. Vou gravar uma fita pra você.

– Ou pode colocar para eu ouvir.

Park inclinou a cabeça.

– Isso implicaria você entrar no meu quarto.

– Tá bem – ela disse, não muito casualmente.

– "Tá bem"? – ele perguntou. – Meses de "nãos", e agora "tá bem"?

– Tá bem – disse Eleanor. – Você vive dizendo que sua mãe não se importa.

– Minha mãe não se importa.

– Então?

Park levantou-se num átimo, sorrindo, e a puxou. Pararam na cozinha.

– Vamos ouvir música no meu quarto.

– Tá bom – disse o pai, debaixo da pia. – Só não engravide ninguém.

Isso teria sido constrangedor, mas o pai de Park tinha um jeito de passar longe do constrangimento. Eleanor queria que ele não ficasse ignorando-os o tempo todo.

A mãe de Park devia deixá-lo levar meninas para o quarto porque dava praticamente para ver lá dentro da sala de estar, e era preciso passar dentro do quarto para entrar no banheiro.

Porém, para Eleanor, o quarto de Park parecia incrivelmente íntimo.

Ela não conseguia parar de pensar nele passando boa parte do tempo ali, deitado. (Eram apenas 90° de diferença, mas imaginá-lo desse jeito a tirava do sério.) Além disso, ele trocava de roupa naquele lugar.

Não havia onde se sentar além da cama, o que Eleanor nem cogitava fazer. Então, sentaram-se entre a cama e o aparelho de som, lugar em que só havia espaço para sentar de pernas cruzadas.

Assim que se sentaram, Park começou a avançar a fita do Elvis Costello. Ele tinha pilhas e pilhas de fitas, e Eleanor pegou algumas para ver.

– Ah... – Park disse, sentido.

– O quê?

– Estão em ordem alfabética.

– Ah, tá. Eu sei o alfabeto.

– Ah, tá – ele parecia envergonhado. – Foi mal. Sempre que o Cal vem aqui, ele bagunça tudo.

– Cal? Da aula de Inglês?

– U-hum. Aqui, esta é a música que eu queria que você ouvisse. Escute.

– Ele vem aqui?

– É, às vezes – Park aumentou o volume.

– Mas agora só eu venho...

– O que pra mim tá ótimo, porque eu gosto muito mais de você.

– Mas você não sente falta dos seus outros amigos?

– Você não tá escutando.

– Nem você.

Ele parou a fita, como se não quisesse perder a música, deixando-a como pano de fundo.

– Desculpa – ele disse. – A gente tá falando sobre eu sentir falta do Cal? Eu almoço com ele quase todo dia.

– E ele não liga de você passar o resto do tempo comigo? Nenhum dos seus amigos liga?

Park passou a mão pelo cabelo.

– Ainda vejo eles na escola... Não sei, não sinto falta deles; nunca senti falta de ninguém além de você.

– Mas não sente minha falta agora. Estamos juntos o tempo todo.

– Tá brincando? Sinto falta de você constantemente.

Ainda que Park tivesse lavado o rosto assim que chegara em casa, o preto em torno dos seus olhos não saíra completamente. E isso tornava todas as suas atitudes um pouco mais dramáticas.

– *Isso* é loucura – ela disse. Park começou a rir.

– Eu sei...

Ela sorriu para ele. Ele pegou a mão dela. Parecia novidade.

Ela quis contar-lhe sobre Maisie e Ben e sobre seus dias estarem contados, mas ele não compreenderia, e o que ela esperava que ele fizesse?

Park apertou o play.

– Como se chama essa música? – ela perguntou.

– *Alison*.

park

Park colocou Elvis Costello para ela ouvir. E Joe Jackson, e Jonathan Richman e os Modern Lovers.

Ela o cutucou, dizendo que eram todos bonitos e melódicos, e "e do mesmo filão de Hall & Oates", e ele ameaçou expulsá-la do quarto.

Quando a mãe veio vê-los, estavam sentados com centenas de fitas ao redor, e, assim que ela saiu, Park inclinou-se para a frente e beijou Eleanor. Parecia o melhor momento para não serem pegos.

Ela estava um pouco longe demais, então ele colocou a mão nas costas dela e a puxou para perto. Tentou agir como se o movimento fosse algo que fazia o tempo todo, como se tocá-la num local novo não fosse como descobrir a Passagem do Noroeste.

Eleanor chegou mais perto. Colocou as mãos no chão entre os dois e inclinou-se para ele, o que foi tão encorajador que ele pousou a outra mão na cintura dela. E então foi demais para ficar no quase-mas-não-abraçando--de-verdade. Park foi mais à frente, ficou de joelhos e a puxou com força.

Meia dúzia de fitas crepitaram sob o peso dos dois. Eleanor caiu de costas, e Park caiu em cima.

– Desculpa – ela disse. – Ai, gente... Olha o que a gente fez com *Meat is murder*.

Park sentou-se e olhou para as fitas. Queria varrê-las do caminho.

– São mais as caixas, acho – ele disse. – Não se preocupe. – Começou a pegar os plásticos quebrados.

– Os Smiths e seus pedacinhos... – ela falou. – Até quebramos em ordem alfabética. – Ele tentou sorrir, mas ela não o fitava. – Acho melhor eu ir – ela disse. – Acho que são quase oito também.

– Ah. Tá bom, eu te levo.

Ela se levantou, e Park a seguiu. Foram para fora e desceram a entrada, e, quando chegaram à casa dos avós dele, Eleanor não parou.

eleanor

Maisie estava perfumada feito uma vendedora Avon, e arrumada como uma prostituta da Babilônia. Sem dúvida que seriam todos pegos. Pense num castelo de cartas em ruínas. *Ca. Ram. Ba.*

E Eleanor não conseguia formular uma estratégia porque tudo que lhe vinha à mente eram as mãos de Park em sua cintura e em suas costas e em sua barriga, sendo que tudo isso devia causar nele uma sensação completamente nova. Todos na família de Park eram magros o bastante para atuar num comercial do cereal Special K. Até a avó.

Eleanor só poderia participar do comercial naquela cena em que a pessoa belisca o pneuzinho e olha para a câmera como se o mundo fosse acabar.

Na verdade, teria de emagrecer um pouco para participar da cena. Dava para beliscar uma porção de banha – ou duas, ou três – em qualquer ponto no corpo dela. Devia dar para beliscar um pneuzinho até na testa.

Ficar de mãos dadas era OK. As dela não eram um embaraço total. E beijar parecia seguro porque lábios carnudos são uma coisa boa, e porque Park geralmente fechava os olhos.

Mas não havia local seguro no torso de Eleanor. Não havia local entre o pescoço e os joelhos dela com estrutura discernível.

Assim que Park a tocou nas costas, ela comprimiu a barriga e inclinou-se para a frente. O que gerou todo o efeito colateral. E a fez sentir-se como se fosse o Godzilla. (Mas até o Godzilla não era gordo. Era só gigantesco.)

A parte mais enlouquecedora era Eleanor querer que Park a tocasse de novo. Queria que ele a tocasse constantemente. Até se isso o fizesse entender que ela era parecida demais com uma morsa para ser sua namorada... De tão *bom* que era. Ela sentia-se como um vampiro que provou sangue humano e não quer saber de outra coisa. Uma morsa que provou sangue humano.

40

eleanor

Park queria que Eleanor passasse a conferir os livros, principalmente depois da Educação Física.

– Porque, se for a Tina – dava para perceber que ele ainda não acreditava nessa hipótese –, você precisa contar pra alguém.

– Pra quem?

Estavam sentados no quarto dele, encostados na cama, tentando fingir que Park não envolvia os ombros dela com o braço pela primeira vez desde que ela esmagara suas fitas. Só encostado, na verdade, não abraçado.

– Podia contar pra Sra. Dunne – ele disse. – Ela gosta de você.

– Tá, então eu conto pra Sra. Dunne, e mostro qualquer coisa nojenta que Tina tenha escrito nos meus livros, provavelmente alguma coisa sobre chupar, porque Tina só pensa em chupar, e então a Sra. Dunne vai perguntar: "Como sabe que foi Tina quem escreveu?". Vai ser tão cética quanto você, mas sem a parte romântica complicada...

– Não tem parte romântica complicada.

– Você a beijou? – Eleanor não queria ter perguntado. Em voz alta. Foi quase como se ela tivesse perguntado apenas mentalmente tantas vezes que a pergunta lhe escapara.

– A Sra. Dunne? Não. Mas já a abracei várias vezes.

– Você entendeu... Você a beijou?

Ela tinha certeza de que sim. Tinha certeza de que fizeram outras coisas também. Tina era tão pequena; Park devia conseguir envolvê-la com os braços e apertar uma mão na outra atrás da cintura dela.

– Não quero falar sobre isso – ele disse.

– Porque você beijou.

– Não importa.

– Importa sim. Foi seu primeiro beijo?

– Foi – disse ele –, e esse é um dos motivos pelos quais não importa. Foi tipo só pra aprender.

– E quais são os outros motivos?

– Era a Tina, eu tinha doze anos, eu nem gostava de meninas ainda...

– Mas você nunca vai se esquecer. Foi seu primeiro beijo.

– Vou me lembrar que não importa.

Eleanor queria mudar de assunto; as vozes mais dignas de confiança em sua mente gritavam para que mudasse de assunto.

– Mas... – ela continuou –, como você pôde beijá-la?

– Eu tinha doze anos.

– Mas ela é horrível.

– Ela tinha doze também.

– Mas... Como pôde beijá-la e depois me beijar?

– Eu nem sabia que você existia.

O braço de Park, subitamente, fez contato, contato total, com as costas de Eleanor. Ele se aproximou dela, e ela se aprumou, instintivamente, tentando afinar a silhueta.

– Eu e a Tina não temos nada em comum... – disse ela. – Como pode ter gostado de nós duas? Você sofreu algum ferimento na cabeça transformador no fim do Ensino Fundamental?

Park envolveu-a com o outro braço.

– Por favor. Me escute. Não faz diferença.

– Faz sim – Eleanor sussurrou. Com os dois braços em torno dela, não havia muito espaço separando-os. – Porque você foi a primeira pessoa que eu beijei. E isso importa.

Ele encostou a testa na dela. Eleanor não sabia onde pôr seus olhos e suas mãos.

– Nada antes conta – ele disse. – E nem consigo imaginar um depois.

Ela balançou a cabeça.

– Pare – ela disse.

– O quê?

– Nem fale de depois.

– Eu quis dizer que... Eu quero ser a última pessoa que vai te beijar... Sei que soa mal, como uma ameaça de morte ou algo assim. Quero dizer que você é a única. Não quero mais nada.

– Pare – ela disse. Não queria que ele falasse desse jeito. Ela desejara embarcar no assunto, mas nem tanto.

– Eleanor...

– Não quero pensar em depois – disse ela.

– Por isso estou dizendo que talvez nem tenha depois.

– Claro que vai ter. – Ela colocou as mãos no peito dele, caso quisesse afastá-lo. – Assim... Gente, claro que vai ter. A gente não vai se casar, Park.

– Não agora.

– Pare... – Ela tentou entortar os olhos, mas sentiu dor.

– Não estou te pedindo em casamento – ele disse. – Só dizendo... que te amo. E nem posso me imaginar não amando mais...

Eleanor começou a chorar. O que tornou mais difícil argumentar.

– Mas você só tem doze anos.

– Tenho dezesseis... – disse ele. – Bono tinha quinze quando conheceu a esposa, e o Robert Smith tinha catorze...

– Romeu, doce Romeu...

– Não é assim, Eleanor, e você sabe. – Os braços dele a apertaram com força. O tom de brincadeira abandonou sua voz. – Não há motivo pra pensar que vamos deixar de amar um ao outro. E todo motivo pra pensar que não vamos.

Eu nunca disse que te amo, pensou Eleanor.

E, mesmo depois que ele a beijou, ela manteve as mãos no peito dele.

***

Bom. Enfim, Park queria que ela começasse a checar as capas dos livros. Principalmente depois da aula de Educação Física. Então, Eleanor ficava esperando até que quase todo mundo tivesse trocado de roupa e saído do vestiário, e depois examinava os livros cuidadosamente, procurando algo suspeito.

Era tudo muito minucioso.

DeNice e Beebi costumavam esperá-la. O que acabava atrasando-as para o almoço às vezes, mas permitia que se trocassem com certa privacidade, algo em que deveriam ter pensado meses antes.

Não parecia haver nada pervertido escrito nos livros de Eleanor naquele dia. Na verdade, Tina a ignorara durante a aula toda. Mesmo as capangas dela (até a mal-encarada da Annette) pareciam cansadas de mexer com Eleanor.

– Acho que acabou o repertório de maneiras de zoar do meu cabelo – disse Eleanor para DeNice enquanto checava o livro de álgebra.

– Podiam te chamar de Ronald McDonald – falou DeNice. – Já te chamaram disso?

– Ou de Wendy, daquela outra lanchonete – comentou Beebi, falando baixo, quase balbuciando: – "*Where is the beef*"?

– Cale a boca – disse Eleanor, olhando ao redor. – Suas danadinhas.

– Já foram – constatou DeNice. – Todo mundo já foi. Estão todos na cantina, comendo os *meus* Macho Nachos. Anda logo, gata.

– Podem ir – disse Eleanor. – Peguem lugar na fila. Ainda tenho que trocar de roupa.

– Beleza – retrucou a amiga –, mas pare de olhar pra esses livros. Você acabou de falar que não tem nada aí. Venha, Beebi.

Eleanor começou a empilhar os livros. Ouviu Beebi gritar "*Where is the beef?*" da porta do vestiário. *Boba*. Eleanor abriu o armário.

Estava vazio.

Hum.

Tentou o armário de cima. Nada. E nada embaixo. *Não*...

Eleanor recomeçou, abrindo todos os armários da parede, depois checou sua mochila, passou em seguida para a parede oposta, tentando não entrar em pânico. Talvez só tivessem mudado as roupas dela de lugar. Ah. Engraçado. Ótima piada, Tina.

– O que você está fazendo? – perguntou a Sra. Burt.

– Procurando as minhas roupas.

– Você devia usar o mesmo armário toda vez, assim fica fácil de se lembrar.

– Não, alguém... Acho que alguém pegou.

– Essas diabinhas – suspirou a Sra. Burt, como se não pudesse imaginar aborrecimento maior.

A professora começou a abrir armário do outro lado do cômodo. Eleanor checou a lata de lixo e os chuveiros. Depois, a Sra. Burt a chamou do banheiro.

– Achei!

Eleanor foi até o banheiro. O chão estava molhado, e a Sra. Burt em pé, em frente a um vaso sanitário.

– Vou pegar um saco – suspirou a professora, passando por Eleanor.

A garota olhou dentro do vaso. Ainda que soubesse o que veria, a sensação, quando confirmou foi como um tapa na cara. As calças novas e a camisa de caubói, misturadas numa pilha negra dentro do vaso, e os sapatos enfiados sob a tábua. Alguém dera a descarga, um pouco de água ainda derramava pelo topo. Eleanor observou a água correr.

– Tome – disse a Sra. Burt, entregando-lhe uma sacola amarela. – Pesque as roupas.

– Não quero – disse Eleanor, afastando-se. Não dava mais para usá-las, de qualquer maneira. Todos saberiam que eram as roupas saídas da privada.

– Bom, não pode deixá-las aí – disse a professora. – Pesque-as. – Eleanor encarou suas roupas. – Rápido – insistiu a mulher. Eleanor enfiou a mão dentro da privada e sentiu lágrimas escorrendo pela face. A Sra. Burt segurou o saco aberto. – Você precisa parar de deixar essas meninas te pegarem, sabe? – disse ela. – Você as encoraja.

É, obrigada, pensou Eleanor, espremendo as calças e a camisa amarrotada. Ela queria limpar os olhos, mas as mãos estavam molhadas.

A Sra. Burt entregou-lhe a sacola.

– Venha – disse. – Vou te escrever um bilhete.

– Pra quê?

– Pra levar pro seu orientador.

Eleanor respirou fundo.

– Não posso andar pelo corredor deste jeito – disse ela, com a voz entrecortada.

– Que quer que eu faça, Eleanor? – Tratava-se, obviamente, de uma pergunta retórica. A Sra. Burt nem a olhava. Eleanor a acompanhou até a sala da treinadora e esperou pelo bilhete.

Depois o pegou o bilhete e disparou para o corredor. Assim que chegou lá, as lágrimas brotaram de vez. Não dava para andar ao redor da escola daquele jeito – de *uniforme*. Na frente dos meninos... E de todo mundo. Na frente da *Tina*. Gente, ela devia estar vendendo ingressos para quem quisesse ver o show. Eleanor não conseguiria. Não naquelas roupas.

Não era só o uniforme que era feio. (Lembre-se, poliéster. Peça única. Faixas vermelhas e brancas, mais um zíper branco comprido.)

Era *extremamente* apertado.

Os shorts mal cobriam sua roupa de baixo, e o tecido era tão esticado sobre os seios que as costuras estavam começando a rasgar embaixo das axilas.

Era uma verdadeira monstruosidade naquele uniforme. Um desastre.

As pessoas já estavam aparecendo para a aula de Educação Física seguinte. Algumas meninas mais novas viram Eleanor e começaram a cochichar. A sacola pingava.

Sem pensar muito bem, Eleanor fez a curva errada no corredor e foi em direção à porta que dava para o campo de futebol. Agiu como se fosse normal andar lá fora no meio do dia, como se estivesse empenhada em alguma missão do tipo choro/pouca-roupa/sacola-pingando.

A porta se fechou, e Eleanor recostou-se nela, entregando-se. Só por um minuto. Meu Deus. *Meu Deus*.

Havia um latão de lixo do lado de fora da porta, e ela se levantou e meteu a sacola ali dentro. Limpou as lágrimas com a manga do uniforme. *Certo*, disse a si mesma, respirando fundo, *recomponha-se. Não deixe que te atinjam*. Aquelas calças que estavam no lixo eram novinhas. E os sapatos favoritos. Da Vans. Ela foi até o latão e balançou a cabeça, enfiando a mão para pegar a sacola. *Vá pro inferno, Tina. Vá pro inferno pra sempre.*

Respirou fundo mais uma vez. *Tudo bem*, disse a si mesma, *você consegue*.

Não havia salas de aula naquele canto da escola, então, pelo menos, não havia ninguém para ver. Eleanor pôs-se a andar. Caminhou grudada no prédio e, quando virou à direita, passou por baixo da fileira de janelas. Pensou em ir direto para casa, o que talvez fosse pior. Definitivamente, seria mais demorado.

Se conseguisse chegar à porta de entrada, as salas dos orientadores ficavam logo ali. A Sra. Dunne poderia ajudá-la. Não diria para ela não chorar.

O segurança da entrada agiu como se Eleanor não fosse a primeira garota de uniforme de ginástica a passar por ali. Ele checou o bilhete e fez sinal para que seguisse.

Quase lá, pensou Eleanor. *Não corra, queixo erguido, só mais algumas portas...*

Ela devia ter imaginado que Park sairia de alguma delas.

Desde o primeiro dia em que se viam, Eleanor sempre o via em locais inesperados. Era como se suas vidas fossem linhas que se entrecruzavam, como se gravitassem em torno um do outro. Geralmente, esse serendipismo lhe parecia a maior dádiva do universo.

Park saiu de uma porta no lado oposto do corredor e parou assim que a viu. Ela tentou desviar o olhar, mas não o fez a tempo. O rosto de Park ficou vermelho feito tomate. Encarou-a. Ela puxou os shorts para baixo e cambaleou adiante, correndo pelos últimos metros que a separavam das salas dos orientadores.

***

– Você não precisa mais voltar pra lá – disse a mãe depois que Eleanor lhe contou a história toda. (Quase a história toda.)

Eleanor pensou por um momento sobre o que faria se não voltasse mais para a escola. Ficaria em casa o dia todo? E o que mais?

– Tudo bem – disse ela. A Sra. Dunne levara Eleanor até em casa no próprio carro, e prometera trazer um cadeado para pôr no armário da garota.

A mãe virou a sacola dentro da banheira e começou a enxaguar as roupas, entortando o nariz, mesmo que elas não cheirassem assim tão mal.

– Essas meninas são tão más... – disse. – Você tem sorte de ter uma amiga em quem confia. – Eleanor deve ter feito cara de confusão. – Tina – explicou a mãe. – Você tem sorte de ter a Tina.

Eleanor fez que sim.

Ela ficou em casa naquela noite. Ainda que fosse sexta-feira, e a família de Park sempre assistisse a filmes e comesse pipoca às sextas-feiras.

Ela não poderia sequer encarar Park. Tudo o que veria dali por diante seria aquela expressão dele, no corredor. E ela se sentia como se ainda estivesse lá, de uniforme.

41

park

Park foi para a cama cedo. A mãe ficou incomodando-o, perguntando sobre Eleanor: "Cadê Eleanor?"; "Tá atrasada!"; "Você arranjou briga?".

Toda vez que ela dizia o nome de Eleanor, Park sentia o rosto arder.

– Sei que tem algo errado – disse a mãe, durante o jantar. – Você arranjou briga? Terminaram de novo?

– Não – Park respondeu. – Acho que ela foi para casa por estar doente. Não apareceu no ônibus.

– Também tô namorando – disse Josh –; ela pode vir pra cá?

– Nada de namorada – disse a mãe –, muito novo.

– Tenho quase treze!

– Claro – disse o pai –, sua namorada pode vir. Se você estiver disposto a ficar sem seu Nintendo.

– O quê? – Josh ficou petrificado. – Por quê?

– Porque sim. Fechado?

– Não! De jeito nenhum – disse Josh. – O Park tem que ficar sem videogame?

– Sim. Tudo bem pra você, Park?

– Tudo.

– Eu sou tipo o Rei Salomão – disse o pai –, guerreiro e sábio.

Não foi bem uma conversa, mas foi o máximo que o pai disse a Park em semanas. Talvez ele tivesse convencido a vizinhança inteira a invadir a casa com tochas e forquilhas assim que vissem Park de delineador.

Mas quase ninguém ligava. Nem mesmo os avós. ("Ficou igual o Rodolfo Valentino", disse a avó. "Você devia ver como andava a garotada na época em que você estava na Coreia", disse o avô ao pai.)

– Vou pra cama – falou Park, levantando-se da mesa. – Também não tô legal.

– Então, se o Park não vai mais poder jogar – Josh perguntou –, posso pôr no meu quarto?

– Park pode jogar quando quiser.

– Poxa, tudo que vocês fazem é injusto.

***

Park apagou a luz e deitou-se de costas por não conseguir ajeitar-se de frente. Por causa das mãos. Por causa do cérebro.

Depois que viu Eleanor naquele dia, não lhe ocorrera, pelo menos por uma hora, por que ela estava passando pelo corredor com o uniforme de ginástica. E levou mais uma hora para ponderar que devia ter dito algo a ela. Poderia ter dito: "Oi", ou "Tudo bem?", ou "Você tá bem?". Em vez disso, ficou encarando-a como se nunca a tivesse visto na vida.

A *sensação* foi como se nunca a tivesse visto na vida.

Não que não tivesse pensado bastante nisso (e muito), em como Eleanor era por baixo das roupas. Mas jamais conseguira imaginar nenhum dos detalhes. As únicas mulheres que ele de fato imaginava nuas eram as das revistas que o pai às vezes se lembrava de esconder embaixo da cama.

Revistas desse tipo deixavam Eleanor louca de raiva. Bastava mencionar Hugh Hefner para que ela passasse meia hora discursando sobre prostituição e escravidão e a Queda de Roma. Park nunca comentara sobre as *Playboy* antigas do pai, mas não as tocava desde que conhecera a namorada.

Estava imaginando os detalhes. Imaginando como era o corpo dela. Não conseguia parar de imaginar. Como nunca percebera quão apertado era aquele uniforme da Educação Física? E tão curto...

E por que não imaginara que ela seria tão linda? Tanto contraste nos contornos?

Fechou os olhos e a visualizou mais uma vez. Um montinho de coraçõezinhos sardentos, uma casquinha de sorvete perfeitamente moldada. Como Betty Boop desenhada por uma mão pesada.

Ei, pensou ele. *Tudo bem? Você tá bem?*

Não devia estar. Não estivera no ônibus no trajeto de volta. Não viera à casa dele depois da aula. E já era sexta-feira. E se não a visse o fim de semana todo?

Como poderia encará-la? Não conseguiria. Não sem despi-la daquele uniforme em sua mente. Sem pensar naquele zíper branco comprido.

Caramba.

42

park

A família toda ia à exposição de barcos no dia seguinte, depois almoçariam fora e talvez fossem ao shopping...

Park levou séculos para tomar café da manhã e banho.

– Ande logo, Park – disse o pai, áspero –; vista-se e não esqueça a maquiagem.

Como se ele pretendesse usar maquiagem para ir à exposição.

– Anda – disse a mãe, checando o batom no espelho do corredor –, sabe que seu pai odeia multidão.

– Eu tenho que ir?

– Não quer ir? – Ela amassou e agitou o cabelo na nuca.

– Não, eu quero – disse Park. Não queria. – Mas e se a Eleanor aparecer? Não quero perder a chance de falar com ela.

– Tem algo errado? Não brigaram mesmo?

– Não, nada de briga. É que... tô preocupado com ela. E você sabe que não tem como telefonar.

A mãe se afastou do espelho.

– Certo... – disse, franzindo o cenho. – Fica aqui. Mas limpa o carpete, tá? E guarda a pilha de roupas que está no seu quarto.

– Obrigado – disse Park, e abraçou-a.

– Park! Mindy! – o pai chamou da porta de entrada. – Vamos!

– Park vai ficar – disse a mãe. – E a gente vai indo.

O pai lançou-lhe um olhar, mas não discutiu.

***

Park não estava acostumado a ficar sozinho em casa. Limpou o carpete. Guardou as roupas. Fez um sanduíche e assistiu a uma maratona de *Young Ones* na MTV; acabou adormecendo no sofá.

Quando ouviu a campainha, saltou para atender antes mesmo de ter de fato acordado. Seu coração martelava, daquele jeito que fica às vezes quando a gente acorda de uma soneca, como se seu corpo achasse que não era permitido dormir em plena luz do dia.

Tinha certeza de que era Eleanor. Abriu a porta sem ver quem era.

eleanor

O carro não estava na entrada, então Eleanor supôs que a família de Park havia saído. Talvez para um programa familiar incrível. Almoçar no Bonanza ou tirar fotos com blusões combinando.

Já desistira de esperar à porta quando esta se abriu. E, antes que pudesse fingir que estava envergonhada ou desconfortável com o acontecido no dia anterior – ou fingir que *não* estava –, Park abriu a tela protetora e a puxou pela manga da camiseta.

Ele nem fechou a porta antes de envolvê-la nos braços, os braços inteiros, tomando as costas dela como um todo.

Park costumava abraçá-la com as mãos em sua cintura, como se estivessem dançando lento. Aquilo não foi dançar lento. Foi... outra coisa. Os braços dele a envolveram, seu rosto entrou no cabelo dela, e não havia para Eleanor outro lugar para ir senão ao encontro dele.

Ele estava quente... Tipo, *muito* quente e macio. Como um bebê dorminhoco, pensou ela. (Algo assim. Não exatamente.) Dava para perceber o coração batendo no peito dele.

Tentou sentir-se envergonhada de novo.

Park fechou a porta com o pé e encostou-se nela, puxando-a ainda mais para perto. Seu cabelo estava limpo e liso, e pendia por cima dos olhos, que estavam quase fechados. Macio. Quentinho.

– Estava dormindo? – ela sussurrou. Para o caso de ainda estar.

Ele não respondeu, mas sua boca encontrou a dela, aberta, e a cabeça dela pendeu contra a mão dele. Ele a mantinha tão próxima que não havia como se esconder. Não havia como ficar tensa ou se fechar ou manter segredos.

Park fez um ruído, que ressoou na garganta dela. Ela sentia todos os dedos dele. No pescoço, nas costas... As suas mãos ficaram penduradas feito bobas ao lado do corpo. Como se nem estivessem na mesma cena que as mãos dele. Como se *ela* não estivesse na mesma cena.

Park devia ter notado, porque interrompeu o beijo. Tentou limpar a boca no ombro da camiseta, e fitou-a como se a visse pela primeira vez desde que ela ali chegara.

– Ei... – disse ele, tomando fôlego, focando. – Tudo bem? Você tá bem?

Eleanor olhou-o no rosto, tão cheio de alguma coisa que ela não decifrava. O queixo pendeu à frente, como se a boca dele não quisesse afastar-se da dela, e os olhos estavam tão verdes que podiam transformar dióxido de carbono em oxigênio.

Ele a tocava em todos os lugares que ela tinha medo de que alguém tocasse...

Eleanor tentou pela última vez parecer envergonhada.

park

Por um segundo, ele pensou ter ido longe demais.

Não tivera essa pretensão; estava praticamente um sonâmbulo. E andara pensando em Eleanor, sonhando com ela, por tantas horas; o desejo o deixara perdido.

Ela permanecia imóvel nos braços dele. Por um segundo, ele pensou ter ido longe demais, que dera um passo em falso.

Então, Eleanor o tocou. Tocou-lhe o pescoço.

É difícil dizer por que essa vez foi diferente de todas as outras vezes em que ela o tocara. *Ela* estava diferente. Imóvel, e depois não mais.

Tocou-lhe o pescoço, depois riscou uma linha peito abaixo. Park quis ser mais alto e largo; torceu para que ela não parasse.

Ela era tão gentil, se comparada a ele. Talvez não o desejasse como ele a desejava. Mas ainda que seu desejo fosse a metade do dele...

eleanor

Era assim que ela se imaginava tocando-o.

Do queixo para o pescoço para o ombro.

Ele era muito mais quente do que ela imaginava, e mais forte. Como se todos os músculos e ossos ficassem na superfície; como se o coração batesse logo abaixo da camiseta.

Ela tocou Park com suavidade, meiguice, com receio de errar no toque.

park

Park relaxou de encontro à porta.

Sentiu a mão de Eleanor na garganta, no peito, depois lhe pegou a outra mão e a pressionou contra o rosto. Soltou um barulhinho, como se estivesse magoado, mas decidira pensar no assunto depois.

Se ficasse tímido ali, não conseguiria nada do que queria.

eleanor

Park estava vivo, ela, acordada, e aquilo era permitido.

Ele era dela.

Para possuir e abraçar. Não para sempre, talvez – não para sempre, com certeza –, e não de modo figurado. Mas literalmente. E naquele instante. Naquele instante, ele era dela. E queria que ela o tocasse. Era como o gatinho que empurra a cabeça para baixo da nossa mão.

As mãos de Eleanor, desceram pelo peito de Park, com os dedos separados, depois ela os ergueu novamente por baixo da camiseta dele.

Fez isso porque quis. E porque, uma vez que começara a tocá-lo do jeito que imaginava, estava difícil parar. E porque... E se nunca mais tivesse a chance de tocá-lo desse jeito?

park

Quando sentiu os dedos dela na barriga, ele emitiu o barulhinho de novo. Abraçou-a e foi para a frente, empurrando Eleanor para trás, cambaleando em torno da mesa de centro, até o sofá.

Nos filmes, isso acontecia de modo suave ou cômico. Na sala de Park, foi apenas esquisito. Ninguém se soltava, então Eleanor caiu de costas, e Park caiu por cima dela, no canto do sofá.

Queria olhá-la nos olhos, mas ficava difícil, estando assim tão perto.

– Eleanor... – ele sussurrou.

– Hum.

– Eu te amo.

Ela olhou para ele, os olhos negros e brilhantes, depois desviou o olhar.

– Eu sei – disse.

Ele puxou os braços e passou a mão pela lateral do corpo dela, contra o sofá. Poderia passar o dia inteiro assim, passando a mão pelas costelas dela, depois pela cintura, depois pelas costelas e de volta... Se tivesse o dia todo, ficaria. Se ela não fosse feita de tantos outros milagres.

– Você sabe? – ele repetiu. Ela sorriu, então ele a beijou. – Você não é o Han Solo desse relacionamento, viu?

– Eu sou totalmente o Han Solo – sussurrou ela. Era gostoso ouvi-la. Era bom lembrar-se de que era Eleanor por baixo daquele novo corpo descoberto.

– Bom, eu não sou a Princesa Leia – disse ele.

– Não fique tão preso a questões de gênero – comentou Eleanor. Park passou a mão pelas costelas dela e subiu de novo, envolvendo-lhe a blusa no dedão. Eleanor engoliu saliva e ergueu o queixo.

Ele puxou a blusa dela para cima e, então, sem pensar no porquê, puxou sua camiseta também e deitou a barriga nua contra a dela.

Eleanor franziu o cenho, o que o deixou perturbado.

– Você pode ser o Han Solo – disse ele, beijando-a na garganta. – E eu vou ser o Boba Fett. Vou cruzar o espaço por você.

eleanor

Coisas que ela descobrira, que não sabia duas horas antes:

– Park era coberto de pele. Por todo canto. E era tudo tão macio e cor de mel como a pele das mãos dele. Era mais grossa e robusta em alguns pontos, mais parecida com veludo amarrotado do que seda. Mas era tudo dele. E tudo maravilhoso.

– Ela também era coberta de pele. E a pele dela era, aparentemente, coberta de terminações nervosas superpoderosas que não haviam feito coisa alguma durante a sua vida toda, mas ganharam vida feito gelo e fogo e picadas de abelha assim que Park a tocou. Onde quer que ele a tivesse tocado.

– Mesmo com vergonha da barriga e das sardas e do fato de que seu sutiã era sustentado por dois alfinetes, ela queria que Park a tocasse muito mais do que sentia vergonha. E, quando ele a tocava, parecia não se importar com nada dessas coisas. De algumas ele até gostava. Como as sardas. Ele dizia que ela era salpicada de doçura.

– Ela queria que ele a tocasse em todo lugar.

– Ele parou na beirada do sutiã e somente mergulhou os dedos por dentro da calça dela, nas costas, mas não foi Eleanor quem o conteve.

Não faria isso. Quando Park a tocava, a sensação era melhor do que qualquer coisa que ela já sentira na vida. Qualquer coisa. E ela queria sentir aquilo o máximo que podia. Queria um estoque da sensação.

– Nada era vulgar. Não com Park.

Nada era vergonhoso.

Porque Park era o Sol, e essa era a única explicação que Eleanor poderia dar.

park

Conforme começou a escurecer, Park ficou preocupado, pensando que os pais poderiam entrar em casa a qualquer minuto, que já deviam ter voltado. E não queria que eles os encontrassem daquele jeito, Park com o joelho entre as pernas de Eleanor, a mão no quadril dela e a boca o mais baixo que alcançava no decote da blusa.

Ele se afastou dela e tentou voltar a pensar com clareza.

– Aonde você vai? – ela perguntou.

– Não sei. A lugar nenhum... Meus pais devem estar pra chegar; melhor a gente se ajeitar aqui.

– Tá bom – ela disse, e se sentou. Mas estava tão aturdida e linda que ele subiu em cima dela e a empurrou para baixo.

Meia hora depois, ele tentou de novo. Dessa vez, levantou-se.

– Vou ao banheiro.

– Vá – ela respondeu. – E não olhe pra trás. – Ele deu um passo, e olhou para trás. – Então vou eu – disse ela, segundos depois.

Enquanto ela estava no banheiro, Park aumentou o volume da TV. Pegou refrigerante para os dois e olhou para o sofá, para checar se ele parecia ilícito. Não parecia.

Quando Eleanor voltou, o rosto estava molhado.

– Você lavou o rosto?

– Sim...

– Por quê?

– Porque eu tava esquisita.

– E pensou que dava pra consertar lavando?

Ele a checara da mesma forma que fizera com o sofá. Os lábios da garota estavam inchados, e os olhos pareciam mais vivos do que de costume. Mas as blusas de Eleanor sempre pareciam esticadas, e o cabelo vivia mesmo sempre desgrenhado.

– Você tá OK – disse ele. – E eu?

Ela o fitou, depois sorriu.

– Você tá bem... Muito bem, por sinal.

Ele tomou a mão dela e a puxou para o sofá. Com mais gentileza dessa vez.

Ela se sentou ao lado dele e fitou o próprio colo.

Park inclinou-se sobre ela.

– Não vai ficar esquisita agora, vai?

Ela fez que não e riu.

– Não – disse –, só por um minuto, um pouco.

Ele nunca vira o rosto dela tão iluminado. As sobrancelhas não estavam franzidas, o nariz não estava enrugado. Passou o braço em torno dela, e Eleanor deitou a cabeça no peito dele sem qualquer resistência.

– Ah, olhe – disse ela –, *Young Ones*.

– É... Ei. Você ainda não me contou: o que aconteceu ontem? Quando eu te vi. Qual era o problema?

Ela suspirou.

– Eu tava indo pra sala da Sra. Dunne porque alguém roubou minhas roupas na aula de Educação Física.

– Tina?

– Não sei, deve ter sido.

– Meu... – disse ele – Que horror.

– Tudo bem – afirmou ela, como se não se importasse mesmo.

– Você achou? As roupas?

– Sim... Mas não quero mais falar sobre isso.

– Tá bom.

Eleanor acariciou o peito dele com o rosto, e ele a abraçou. Desejou que pudessem passar a vida toda desse jeito. Que pudesse colocar-se fisicamente entre Eleanor e o mundo.

Talvez Tina fosse mesmo um monstro.

– Park? Só mais uma coisa. Quer dizer, posso te perguntar uma coisa?

– Sabe que pode me perguntar o que quiser. É o nosso trato.

Ela pôs a mão no peito dele.

– O jeito que você agiu hoje tem alguma coisa a ver com ter me visto ontem?

Ele quase não quis responder. O desejo inebriante do dia anterior pareceu ainda mais apropriado naquele momento, sabendo ele o que o ativara.

– Sim.

Eleanor não disse nada por um minuto. E então:

– A Tina ficaria irada se soubesse.

eleanor

Quando os pais de Park chegaram em casa, pareceram genuinamente felizes em ver Eleanor. O pai comprara um novo rifle de caça na exposição de barcos, e tentou mostrar-lhe como a arma funcionava.

– Dá pra comprar armas na exposição? – Eleanor perguntou.

– Dá pra comprar de tudo na exposição. Que valha a pena ter.

– Livros?

– Livros sobre armas e barcos.

Ela ficou até mais tarde por ser sábado, e, no caminho de volta, ela e Park pararam na entrada da garagem dos avós dele, como sempre.

Mas, naquela noite, Park não se inclinou para beijá-la. Em vez disso, abraçou-a forte.

– Será que vamos conseguir ficar sozinhos assim de novo? – ela perguntou.

– Algum dia? Sim. Mas logo? Não sei...

Ela o abraçou o mais forte que pôde, e foi para casa sozinha, para seu castelo de cartas.

***

Richie estava em casa, acordado, assistindo ao *Saturday Night Live*. Ben dormia no chão, e Maisie, no sofá, perto do padrasto.

Eleanor teria ido direto para a cama, mas precisava ir ao banheiro. O que significava passar entre ele e a TV. Duas vezes.

Quando chegou ao banheiro, puxou o cabelo com força para trás e lavou o rosto novamente. Correu, passando em frente à TV, sem olhar para os lados.

– Por onde andou? – Richie perguntou. – Aonde você vai quando sai?

– À casa da minha amiga – Eleanor respondeu. Continuou andando.

– Que amiga?

– Tina – disse Eleanor. Pôs a mão na porta do quarto.

– Tina – repetiu Richie. Tinha um cigarro na boca e uma lata de Old Milwaukee na mão. – A casa dessa Tina deve ser tipo a Disneylândia, né? Você não se cansa de ir lá.

Ela esperou.

– Eleanor? – ouviu a mãe chamando do quarto. Parecia sonolenta.

– E aí, com que gastou o dinheiro que te dei de Natal? – Richie perguntou. – Falei pra comprar alguma coisa legal.

A porta do quarto se abriu, e a mãe saiu. Estava usando o roupão do marido, um daqueles robes asiáticos de suvenir, de cetim vermelho com um tigre enorme e de mau gosto.

– Eleanor – disse a mãe –, vá pra cama.

– Eu só tava perguntando pra Eleanor o que ela comprou com o dinheiro que lhe dei no Natal – explicou Richie.

Se Eleanor inventasse alguma coisa, ele ia querer ver, não importa o que fosse. Se ela dissesse que não tinha gastado, ele poderia querer de volta.

– Um colar – respondeu.

– Um colar – ele repetiu. Fitou-a com uma expressão confusa, como se procurasse algo desagradável para dizer, mas somente deu mais um gole na cerveja e recostou-se na poltrona.

– Boa noite, Eleanor – disse a mãe.

43

park

Os pais de Park quase nunca brigavam, e, quando o faziam, era quase sempre por causa dele ou de Josh.

Haviam passado mais de uma hora no quarto, com a porta fechada, e, quando chegou a hora de saírem para o jantar de domingo, a mãe veio dizer aos filhos que fossem sem eles.

– Digam à sua avó que estou com dor de cabeça.

– O que você fez? – Josh perguntou ao Park assim que alcançaram o gramado da frente.

– Nada. O que *você* fez?

– Nada. Foi você. Quando fui pro quarto, ouvi a mãe dizer seu nome.

Mas Park não fizera nada. Nada desde o delineador, assunto que ele sabia não estar acabado, mas parecia suspenso, por ora. Talvez os pais soubessem algo do que acontecera no dia anterior.

Mesmo que soubessem, Park não fizera com Eleanor nada que fosse explicitamente proibido. A mãe jamais conversara com ele sobre esse tipo de coisa. E o pai não dissera nada além de "Não engravide ninguém" desde que conversaram sobre sexo, quando Park estava no sétimo ano. (O pai conversou com o Josh na mesma época, o que foi revoltante.)

De qualquer modo, Park não fizera mesmo nada tão extremo com Eleanor. Não a tocara em lugar algum que não fosse mostrado na televisão. Mesmo querendo tocar.

Queria ter tocado. Talvez demorassem meses para ficar sozinhos de novo.

eleanor

Na manhã de segunda, antes da aula, Eleanor foi à sala da Sra. Dunne, que lhe deu um cadeado novo para o armário. Era de um cor-de-rosa bem vivo.

– Conversamos com algumas meninas da sua sala – disse a Sra. Dunne –, mas todas se fizeram de bobas. A gente ainda vai descobrir o que aconteceu, eu prometo.

Não há mistério, pensou Eleanor. *É só a Tina.*

– Tudo bem – disse ela à orientadora. – Não tem problema.

Tina observara Eleanor subir no ônibus naquela manhã com uma expressão de desafio, como se esperasse que Eleanor surtasse do nada, ou como se tentasse descobrir se Eleanor estava usando alguma das roupas retiradas da privada. Mas Park estava logo ali, praticamente puxando Eleanor para o colo, então foi fácil ignorar Tina e os demais. Ele estava tão gatinho naquela manhã... Em vez da camiseta de banda preta assustadora de costume, vestia uma verde com os dizeres "Beije-me; sou irlandês".

Ele acompanhou a namorada à sala da orientadora, e disse que ela devia procurá-lo imediatamente se alguém roubasse suas roupas outra vez.

Não aconteceu nada.

Beebi e DeNice ouviram sobre o acontecido por meio de outro aluno da turma, ou seja, a escola toda sabia. Disseram que nunca mais deixariam Eleanor sozinha para irem à cantina na hora do almoço; os Macho Nachos que esperassem.

– Aquelas vadias têm que saber que você possui amigas – disse DeNice.

– U-hum – Beebi concordou.

park

A mãe estava esperando no Impala, na tarde de segunda, quando ele e Eleanor desceram do ônibus. Abaixou o vidro:

– Oi, Eleanor, desculpe, mas o Park tem compromisso. A gente se vê amanhã, tá?

– Claro – Eleanor disse. Olhou para ele, e ele pegou na mão dela, conforme ela foi andando.

Park entrou no carro.

– Anda logo – disse a mãe –, por que você faz tudo tão devagar? Aqui. – Entregou-lhe um livrinho. *Manual de direção do estado de Nebraska*. – Teste prático no final – disse ela –, agora aperte o cinto.

– Aonde vamos?

– Tirar sua carteira de motorista, bobinho.

– O pai sabe disso?

A mãe dele se sentava sobre um travesseiro quando dirigia, pendurada em cima do volante.

– Ele sabe, mas não precisa falar sobre isso com ele, tá? Agora, esse assunto fica entre a gente. Agora, olha teste. Não é difícil. Passei de primeira.

Park abriu no final do livro e checou o exame prático. Estudara o manual todo quando completara quinze anos e tirara a permissão.

– O pai vai ficar bravo comigo?

– Esse assunto diz respeito a quem agora?

– A nós.

– Você e eu.

***

Park passou no teste de primeira. Chegou a fazer baliza com o Impala, que era o mesmo que estacionar uma nave espacial. A mãe limpou as pálpebras dele com lenço umedecido antes que tirasse a foto.

E deixou que ele dirigisse para casa.

– Então, se não vamos contar pro pai – Park perguntou –, significa que não vou poder dirigir? – Queria levar Eleanor para algum lugar. Qualquer lugar.

– Eu cuido disso – a mãe respondeu. – Enquanto isso, você tem carteira se precisar. Pra emergência.

Parecia uma desculpa bem esfarrapada para se tirar carteira de motorista. Park passara dezesseis anos sem precisar dirigir numa emergência.

***

Na manhã seguinte, no ônibus, Eleanor perguntou qual fora o compromisso secreto, e ele mostrou-lhe a carteira.

– O quê? – disse ela. – Olha só, olha isso! – Ela não queria devolvê-la. – Não tenho nenhuma foto sua – falou.

– Te arranjo outra.

– Mesmo? Promete?

– Posso te dar uma foto de escola. Minha mãe tem várias.

– Precisa escrever alguma coisa atrás.

– Tipo o quê?

– Tipo "Oi, Eleanor, me liga, te amo como amiga, continue assim, fofa, Park".

– Mas eu não te amo como amiga – disse ele. – E você não é fofa.

– Sou fofa – ela retrucou, afrontada, escondendo a carteira dele.

– Não... Você tem outras qualidades – ele falou, roubando o documento da mão dela –, mas não é fofa.

– É agora que você me chama de canalha, e eu digo que acho que você gosta de mim justamente por eu ser canalha? Porque a gente já passou por isso, eu sou o Han Solo da história.

– Vou escrever "Para Eleanor, te amo. Park".

– Gente, não pode escrever isso; minha mãe pode encontrar.

eleanor

Park deu-lhe uma foto tirada na escola. Era de outubro, mas ele já estava tão diferente... Mais velho. No fim das contas, ela não deixou que ele escrevesse nada, porque não queria estragá-la.

Ficaram no quarto dele depois do jantar (caçarola de batatas) e conseguiram dar uns beijinhos enquanto perpassaram todas as fotos dos álbuns escolares de Park. Vê-lo criancinha só deu vontade de beijá-lo ainda mais. (Nojento, mas e daí? Contanto que não quisesse sair por aí beijando crianças de verdade, não pretendia se preocupar com isso.)

Quando Park lhe pediu que lhe desse uma foto dela, Eleanor ficou aliviada por não ter uma.

– Vamos tirar uma então – ele disse.

– Hum... tá bom.

– Beleza, legal, vou pegar a máquina da minha mãe.

– Agora?

– Por que não?

Ela não sabia o que responder.

A mãe ficou empolgada para tirar a foto. Boa hora para a "Transformação, Parte II", mas Park acabou com a história antes de começar, felizmente, dizendo:

– Mãe, quero uma foto em que a Eleanor se pareça com ela mesma.

A mãe insistiu em tirar a foto dos dois juntos também, e com isso Park não se importou nem um pouco. Ele colocou o braço em torno dela.

– Não devemos esperar? – perguntou Eleanor. – Por uma comemoração, ou algo mais memorável?

– Quero me lembrar de hoje à noite – Park disse.

Às vezes, ele era tão bobo.

***

Eleanor devia ter entrado em casa toda saltitante, porque a mãe a acompanhou até os fundos, como se pudesse captar a alegria no ar. (Alegria que tinha o cheiro da casa do Park. Cheiro de creme para a pele e de alimentos dos quatro grupos.)

– Vai tomar banho? – perguntou a mãe.

– U-hum.

– Vou vigiar a porta pra você.

Eleanor abriu a água quente e entrou na banheira vazia. Vinha um ar tão frio da porta que a água começara a esfriar antes mesmo de a banheira encher. Eleanor tomava banho com tanta pressa que costumava terminar antes disso.

– Passei na loja da Eileen Benson hoje – disse a mãe. – Lembra dela, da igreja?

– Acho que não – Eleanor respondeu. Sua família não ia à igreja havia três anos.

– Ela tinha uma filha da sua idade, a Tracy.

– Talvez...

– Bom, ela está grávida. E Eileen está perdida. Tracy se envolveu com um garoto do bairro, um negro. O marido de Eileen está surtando.

– Não me lembro deles – disse Eleanor. A banheira estava quase cheia o suficiente para enxaguar o cabelo.

– Bom, só me fez pensar em como tenho sorte.

– De não ter se envolvido com um negro?

– Não. Refiro-me a você. Tenho sorte por você ser tão esperta com relação aos meninos.

– Não sou esperta com relação aos meninos – Eleanor protestou. Enxaguou o cabelo rapidamente, depois se levantou, cobrindo-se com uma toalha. Em seguida, vestiu-se.

– Você fica longe deles. Isso é ser esperta.

Eleanor removeu o tampo do ralo e pegou as roupas sujas com cuidado. A foto de Park estava no bolso de trás, e ela não queria que molhasse. A mãe estava em pé, ao fogão, vendo a filha.

– Mais esperta do que eu – disse a mãe. – E mais corajosa. Nunca fiquei sozinha desde a oitava série.

Eleanor abraçou as calças sujas.

– Você fala como se houvesse dois tipos de garotas – disse ela. – As espertas e as de quem os meninos gostam.

– Mas é mais ou menos por aí – afirmou a mãe, tentando tocar Eleanor no ombro. A filha deu um passo para trás. – Você vai ver – continuou. – Espere só até ficar mais velha.

As duas ouviram a caminhonete de Richie entrando na garagem.

Eleanor passou voando pela mãe e correu para o quarto. Ben e Mouse entraram logo em seguida.

***

Eleanor não podia pensar num lugar seguro o bastante para guardar a foto de Park, então ela a enfiou no bolso da mochila. Depois de tê-la olhado muitas e muitas e muitas vezes.

44

eleanor

A noite de quarta-feira não foi das piores.

Park estava no taekwando, mas Eleanor ainda sentia Park, a memória dele, em toda parte. (Todo lugar em que ela foi tocada por ele parecia intocável. Todo lugar em que ela foi tocada por ele parecia um lugar seguro.)

Richie teve de trabalhar até tarde naquela noite, então a mãe de Eleanor fez pizza congelada para o jantar. As pizzas deviam estar em promoção no Food 4 Less, já que o freezer estava repleto delas.

Enquanto comiam, assistiram a *O Homem que veio do Céu* na televisão. Então, Eleanor sentou-se com Maise na sala-de-estar e tentaram ensinar Down Down Baby a Mouse. Sem sucesso. Ele conseguia se lembrar da letra ou de bater palmas, mas nunca das duas coisas ao mesmo tempo. Maise ficou doida com aquilo.

– De novo! – ela dizia.

– Bem, venha nos ajudar – disse Eleanor. – É mais fácil com quatro pessoas.

Down, down baby, down by the roller coaster.

Sweet, sweet baby, I'll never let you go.

Shimmy, shimmy, cocoa puff, shimmy…

– Pelo amor de Deus, Mouse. Primeiro a mão direita, a direita primeiro. De novo...

Down, down baby...

– Mouse!

45

park

– Não tô a fim de fazer jantar – disse a mãe.

Estavam somente os três, Park, a mãe e Eleanor, sentados no sofá, assistindo ao programa *A roda da fortuna*. O pai fora caçar peru e não voltaria até muito tarde, e Josh ia dormir na casa de um amigo.

– Posso esquentar uma pizza – Park sugeriu.

– Ou podemos comprar uma – disse a mãe.

Park olhou para Eleanor; não sabia quais eram as regras, no que tangia a sair. Ele escancarou os olhos e deu de ombros.

– É – disse, sorrindo amarelo –, vamos comprar pizza.

– Tô com muita preguiça – falou a mãe. – Vão vocês comprar.

– Quer que eu dirija?

– Claro. Tá com medo?

Uau, agora ela o estava chamando de mariquinha.

– Não, posso dirigir. Quer da Pizza Hut? Será que é melhor pedir por telefone primeiro?

– Vão aonde quiserem – disse a mãe. – Nem tô com muita fome. Vão vocês. Jantem. Depois um cinema ou algo assim.

Ele e Eleanor fitaram-na, sem entender.

– Tem certeza? – ele perguntou.

– Sim, vão – disse ela. – Nunca fico com casa só pra mim.

Ela ficava em casa o dia inteiro, todos os dias, sozinha, mas Park preferiu não mencionar o fato. Ele e Eleanor se levantaram cautelosamente do sofá. Como se esperassem que a mãe estivesse brincando de "Primeiro de abril!", duas semanas atrasado.

– Chaves no contato. Me dá minha bolsa. – Ela tirou vinte dólares da carteira, e entregou-lhe mais dez.

– Obrigado... – Park falou, ainda hesitante. – Bom, então, acho que vamos, né?

– Ainda não... – Ela olhou para as roupas de Eleanor e franziu o cenho. – Eleanor não pode sair desse jeito. – Se as duas tivessem o mesmo tamanho, ela tentaria vestir a garota com uma minissaia jeans ali mesmo.

– Mas eu estou deste jeito desde que cheguei – disse Eleanor. Vestia folgadas calças camufladas e uma camisa masculina de manga curta por cima de uma espécie de camiseta de manga comprida roxa. Park tinha achado legal. (Na verdade, pensou que ela estava adorável, mas essa palavra teria feito Eleanor engasgar.)

– Deixa só arrumar seu cabelo – disse a mãe dele. Ela arrastou Eleanor até o banheiro e começou a puxar grampos do cabelo. – Senta, senta, senta.

Park encostou-se no batente da porta e ficou só assistindo.

– Tão esquisito você vendo isso – disse Eleanor.

– Nada que eu não tenha visto antes.

– Park talvez me ajude a arrumar seu cabelo no casamento – disse a mãe.

Ele e Eleanor fitaram o chão.

– Vou esperar na sala – disse ele.

Em poucos minutos ela ficou pronta. O cabelo estava perfeito, cada cachinho brilhante e no lugar, e os lábios cobertos de *gloss* rosa. Dava para saber, só de olhar, que o gosto era de morango.

– Pronto – disse a mãe –, vão. Divirtam-se.

Foram até o Impala, e Park abriu a porta para Eleanor.

– Posso fazer isso sozinha – ela disse. Quando ele alcançou a porta do motorista, ela havia inclinado para o lado e aberto a porta para ele.

– Aonde vamos? – ele perguntou.

– Não sei – ela respondeu, afundando-se no banco. – Podemos sair do bairro? Sinto como se eu estivesse tentando passar de fininho por cima do muro de Berlim.

– Ah, sim. – Park deu partida no carro e olhou para ela. – Abaixe mais. Seu cabelo quase brilha no escuro.

– Valeu.

– Enfim, você entendeu.

Park seguiu para o oeste. Não havia nada ao leste das Colinas, além do rio.

– Não passe perto do Rail – ela disse.

– Do quê?

– Vire aqui.

– Tá bom...

Ele a fitou e riu: ela estava quase agachada no chão.

– Não tem graça.

– Tem um pouco – ele disse. – Você escondida aí embaixo, e eu só podendo dirigir porque meu pai tá fora da cidade.

– Seu pai quer que você dirija. Tudo o que tem a fazer é aprender a dirigir carro automático.

– Já sei dirigir carro automático.

– Então qual é o problema?

– O problema sou eu – disse ele, começando a se irritar. – Viu? Acabamos de sair do bairro; será que você pode se sentar direito?

– Vou me sentar direito quando chegarmos à 24ª rua.

Ela se sentou na 24ª rua, mas ninguém disse nada até a 42ª.

– Aonde vamos? – ela perguntou.

– Não sei – respondeu ele. Não sabia mesmo. Sabia o caminho da escola e o caminho do centro, e nada mais. – Aonde quer ir?

– Não sei – ela disse.

eleanor

Eleanor quis ir ao Inspiration Point. Que, até onde sabia, só existia no Happy Days.

E não queria dizer ao Park: "Então, aonde vocês costumam ir quando querem embaçar os vidros?". Porque, afinal, o que ele ia pensar dela? E se ele tivesse resposta?

Eleanor se esforçou bastante para não ficar impressionada com as habilidades de Park ao volante, mas, toda vez que ele trocava de faixa ou checava o retrovisor, ela tinha um pequeno chilique. Não se surpreenderia se ele acendesse um cigarro ou pedisse um uísque; aquilo tudo o fazia parecer tão maduro...

Eleanor não tinha carteira de motorista ainda. A mãe não podia dirigir, então tirar a carteira de Eleanor não era bem uma prioridade.

– Temos que ir a algum lugar? – ela perguntou.

– Bom, a gente tem que ir *para* algum lugar...

– Mas temos que fazer alguma coisa?

– Como assim?

– Não podemos só parar em algum lugar e ficar juntos? Onde as pessoas vão pra ficar juntas? Nem ligo se nem sairmos do carro...

Ele a fitou, depois olhou de volta, nervoso, para a pista.

– Tá – disse. – Tá. É, vou só... – Ele entrou num estacionamento e deu meia-volta. – Vamos ao centro.

park

No fim, acabaram saindo do carro. Quando chegaram ao centro, Park quis mostrar a Eleanor a Drastic Plastic e a Antiquarium e todas as lojas de discos. Ela nunca fora ao Mercado Antigo, que era praticamente o único lugar para se visitar em Omaha.

Havia um grupo de jovens reunido no centro, muitos deles mais esquisitos que Eleanor. Park a levou à sua pizzaria favorita. E depois à sorveteria favorita. E a uma das lojas de gibis favoritas.

Ficava fingindo que era um encontro de verdade, até que se lembrava de que era mesmo.

eleanor

Park segurou-a pela mão a noite toda, como se fosse namorado dela. *Porque ele é seu namorado, sua boba*, ela repetia a si mesma.

O que contrariou demais a menina que trabalhava na loja de discos. Tinha oito furos em cada orelha, e obviamente achou Park um superbrasa-mora. A menina olhou para Eleanor como se dissesse: "Você tá de gozação". E Eleanor olhou de volta como quem diz: "Viu só?".

Andaram por todas as ruas dentro da área do mercado, depois pegaram o carro e foram a um parque. Eleanor nem sabia que tudo aquilo existia. Não imaginava que Omaha pudesse ser um lugar tão legal para morar. (Na cabeça dela, isso se devia também a Park. O mundo se reconstruía como um lugar melhor em torno dele.)

park

Foram parar no Central Park. Versão de Omaha. Eleanor nunca havia ido ali também, e, ainda que estivesse úmido e lamacento e um pouco frio, ela ficava dizendo que tudo era muito legal.

– Ah, olhe – ela disse. – Cisnes.

– Acho que são gansos.

– Bom, são os gansos mais lindos que já vi.

Sentaram-se num dos bancos do parque e observaram os gansos sentando-se na margem do lago. Park passou o braço em volta de Eleanor e sentiu-a repousar sobre ele.

– Vamos fazer isso sempre – ele falou.

– O quê?

– Sair.

– Vamos sim – ela disse. Não comentou nada sobre ele aprender a dirigir um carro com câmbio manual. O que ele apreciou.

– A gente podia ir ao baile de formatura – ele disse.

– O quê? – ela até ergueu a cabeça.

– Baile. Sabe? Formatura.

– Sei o que é, mas por que a gente iria lá?

Porque ele queria ver Eleanor num vestido bonito. Porque queria ajudar a mãe a arrumar o cabelo dela.

– Porque é o baile – ele respondeu.

– E é tosco.

– Como sabe?

– Porque o tema vai ser: "*I want to know what love is*".

– A música não é ruim.

– Você bebeu? É do Foreigner.

Park deu de ombros e afagou-a.

– Sei que o baile é tosco – disse. – Mas é uma coisa que não dá pra fazer de novo. Só tem uma chance.

– Na verdade, tem três...

– Tá, então você vai comigo ao baile ano que vem?

Ela começou a rir.

–Tá – disse –, beleza. Podemos ir ano que vem. Assim, meus amigos ratinhos e passarinhos vão ter bastante tempo pra me fazer um vestido. Sem dúvida. Claro. Vamos ao baile.

– Você acha que nunca vai acontecer. Você vai ver. Não vou a lugar algum; vou ficar com você.

– Não até aprender a dirigir carro com câmbio manual.

Ela não desistia.

eleanor

Baile. Beleza. Até parece que ela iria.

A quantidade de chicanice necessária para escapar da mãe... estava além da compreensão.

Entretanto, depois que Park sugeriu, Eleanor conseguiu até imaginar a ideia dando certo. Poderia dizer à mãe que iria ao baile com Tina. (Boa e velha Tina.) E poderia se aprontar na casa de Park, a mãe dele acharia o máximo. A única coisa que Eleanor teria de resolver seria o vestido...

Será que havia vestidos de baile no tamanho dela? Teria de comprar na seção para a mãe da noiva. E teria de roubar um banco. Falando sério. Ainda que uma nota de cem dólares caísse do céu, Eleanor jamais poderia gastar numa coisa idiota como um vestido de baile.

Gastaria em tênis Vans novos. Ou em um sutiã decente. Ou num aparelho de som.

Na verdade, acabaria dando o dinheiro para a mãe.

Baile. Até parece.

park

Depois que ela concordou em ir ao baile com ele no ano seguinte, Eleanor também concordou em acompanhar Park ao seu primeiro baile de debutante, à festa após o Oscar e a todo e qualquer baile para o qual ele fosse convidado.

Riram tanto que os gansos reclamaram.

– Podem reclamar – disse Eleanor. – Acham que vão me intimidar com essa beleza de cisne, mas eu não sou dessas.

– Sorte a minha – Park comentou.

– Por que sorte sua?

– Deixa pra lá. – Ele quis não ter dito isso. Quis ser engraçado e autodepreciativo, mas não queria abordar o assunto do quanto ela era atraente para ele.

Eleanor o estudou com frieza.

– É por sua culpa que a gansa pensa que sou fútil – disse.

– Acho que é um ganso. Acho que esse é o macho.

– Ah, tá, ganso. Deve ser. Que bonitinho... Então, por que sorte a sua?

– Porque sim – ele respondeu, como se até doesse dizer isso.

– Porque o quê?

– Isso não sou eu quem fala?

– Novo acordo – ela retrucou. – Porque o quê?

– Por causa dessa minha beleza típica norte-americana.

Ele passou a mão pelos cabelos e olhou para a lama.

– Está querendo dizer que não é bonito? – ela perguntou.

– Não quero falar disso – disse Park, afastando a cabeça para trás. – Podemos voltar a falar do baile?

– Tá falando isso só pra eu dizer quão gatinho você é?

– *Não* – ele disse. – Falei só porque é meio óbvio.

– Não é óbvio... – Eleanor falou. Ela se virou no banco para fitá-lo de frente, e colocou as mãos em torno da cintura dele.

– Ninguém acha os orientais atraentes – Park disse finalmente. Teve de desviar o olhar quando falou, bem para longe, virando totalmente a cabeça. – Pelo menos não aqui. Imagino que os orientais se deem bem na Ásia.

– Não é verdade – Eleanor argumentou. – Olhe sua mãe e seu pai...

– Com as meninas orientais é diferente. Os caras brancos acham exótico.

– Mas...

– Tá tentando pensar num oriental supergostoso pra provar que estou errado? Porque não tem nenhum. Tive a vida toda pra pensar nisso.

Eleanor cruzou os braços. Park olhou para o lago.

– E aquele programa de TV antigo com o cara do karatê...

– Da série *Kung Fu*?

– Isso.

– O ator era branco, e o personagem, um monge.

– E aquele...

– Não tem nenhum – Park disse. – Pense em *M*A*S*H*. O programa se passa na Coreia, e os médicos vivem flertando com as coreanas, certo? Mas as enfermeiras não vão até Seul pra pegar coreanos bonitões. Tudo que uma oriental tem de exótico faz o cara oriental parecer mulher.

O ganso continuava brandindo para eles. Park pegou um naco de neve amolecida e arremessou sem compaixão na direção da ave. Ainda não conseguia fitar Eleanor.

– Não entendi o que isso tem a ver comigo – ela disse.

– Tem tudo a ver comigo – ele afirmou.

– Não. – Ela pôs a mão no queixo dele e o fez fitá-la. – Não tem... nem me ocorre que você é coreano.

– Porque é óbvio?

– Sim, *exatamente*. Mais do que óbvio.

Então, beijaram-se. Ele adorava quando ela o beijava primeiro.

– Quando olho pra você – ela disse, recostando-se nele –, não sei se te acho bonito porque você é coreano, mas não acho que é *apesar* disso. Só sei que te acho um gato. Tipo, *muito gatinho*, Park...

Ele adorava quando Eleanor dizia o nome dele.

– Vai ver eu tenho uma coisa com coreanos – ela falou –, e nem sabia.

– Que bom que sou o único coreano em Omaha.

– E que bom que não vou a lugar algum.

– Tá reclamando do câmbio manual de novo?

– *Não* – ela riu –, mas eu deveria.

Estava esfriando, e devia ser tarde; Park não estava de relógio.

Ele se levantou e puxou Eleanor, colocando-a em pé. Deram as mãos e cruzaram o parque para chegar ao carro.

– Não ocorre nem a mim que sou coreano...

– Bom, não me ocorre ser dinamarquesa ou escocesa – ela disse –, mas quem se importa?

– Eu me importo, porque é a primeira coisa que as pessoas usam pra me identificar. É meu atributo número um.

– Estou te dizendo, acho que seu atributo número um é ser um gato. Você é praticamente adorável.

Park não achava ruim a palavra adorável.

eleanor

Haviam estacionado na lateral mais distante do parque, e o local estava praticamente vazio quando voltaram. Eleanor sentiu-se tensa e imprudente mais uma vez. Talvez fosse por causa do carro...

O Impala não tinha nada de pervertido no exterior, nada como uma van de estofado acarpetado ou algo do gênero... mas o interior era outra história. O banco da frente parecia quase do tamanho da cama de Eleanor, e o de trás, um romance de Erica Jong apenas esperando para ser encenado.

Park abriu a porta para ela, depois correu para o outro lado para entrar.

– Não é tão tarde quanto eu pensei – disse ele, fitando o painel. Oito e meia.

– É...

Eleanor pôs a mão no banco, entre os dois. Tentou fazer o gesto casualmente, mas acabou sendo bastante óbvio.

Park pôs a mão sobre a dela.

Era aquele tipo especial de noite. Toda vez que ela o olhava, ele já a estava olhando. Toda vez que ela pensava em beijá-lo, ele já estava de olhos fechados.

Leia minha mente agora, pensou ela.

– Tá com fome? – ele perguntou.

– Não.

– Tá bom.

Park tirou a mão e a levou à ignição. Eleanor puxou a manga da blusa dele antes que pudesse ligar o carro.

Ele baixou a mão e, tudo ao mesmo tempo, virou-se e a pescou nos braços. Sério, *pescou*. Sempre era mais forte do que ela esperava que pudesse ser.

Se alguém os estivesse observando ali (o que daria totalmente para fazer, visto que o vidro ainda não estava embaçado), pensaria que Eleanor e Park faziam esse tipo de coisa o tempo todo. E não que se tratava da segunda vez.

E dessa vez já foi diferente.

Não avançavam as etapas ordenadamente, como se brincassem de amarelinha. Nem conseguiam mirar os beijos direto na boca. (Alinhar-se corretamente levava tempo demais.) Eleanor escalou-o pela camisa, e sentou-se no colo dele. Park a puxava para perto, mesmo ela não podendo chegar mais perto ainda.

A garota ficou entre Park e o volante, e, quando ele levou a mão sobre a camisa dela, resvalou na buzina. Os dois deram um pulo, e Park mordeu a língua dela, sem querer.

– Tudo bem? – ele perguntou.

– Sim – ela respondeu, contente por ele não ter retirado a mão. A língua não parecia estar sangrando. – E você?

– Também... – ele respirava com dificuldade, e isso era maravilhoso. *Eu fiz isso com ele*, Eleanor pensou consigo.

– Você não acha... – ele disse.

– O quê? – Ele devia estar pensando que eles deviam parar. *Não*, ela pensou, *não, não acho. Não pense, Park*.

– Acha que a gente... Não pense que eu sou um monstro, viu? Acha que a gente podia ir ao banco de trás?

Ela se afastou dele e deslizou para o banco de trás. Meu, era grande, era incrível.

Nem um segundo depois, Park pousou por cima dela.

park

Era tão bom senti-la ali embaixo, melhor ainda do que ele esperava. (E ele esperava que a sensação fosse tipo céu, mais nirvana, mais aquela cena de *A fantástica fábrica de chocolates* em que o Charlie começa a voar.) Park ofegava tanto que não conseguia oxigênio algum.

Parecia impossível que a sensação pudesse ser tão boa para Eleanor quanto era para ele, e ela fazia expressões que ele jamais vira antes. Parecia uma figurante de um videoclipe do Prince. Se Eleanor estava sentindo pelo menos um pouco do que ele sentia, por que raios deviam parar?

Ele tirou a camisa dela.

– Bruce Lee – ela sussurrou.

– O quê? – Devia haver algo errado. As mãos de Park congelaram.

– Um oriental supergostoso. Bruce Lee.

– Ah... – ele riu, não pôde evitar. – Tá. Bruce Lee eu aceito...

Ela arqueou as costas e ele fechou os olhos. Estava viciado nela.

46

eleanor

A caminhonete de Richie estava na garagem, mas a casa mergulhava na escuridão, felizmente. Eleanor tinha certeza de que alguma coisa iria entregá-la. O cabelo. A camisa. A boca. Tudo parecia radioativo.

Ela e Park ficaram sentados na rua por um instante, no banco da frente, só de mãos dadas, aturdidos. Pelo menos era como Eleanor se sentia. Não que ela e Park tivessem ido longe demais, necessariamente, mas foram muito mais longe do que ela se sentia preparada para ir. Ela nunca imaginara participar de uma cena de amor como a de um livro de Judy Blume.

Park devia estar com uma sensação estranha também. Deixou duas canções do Bon Jovi tocarem sem nem encostar no rádio. Eleanor deixara-lhe uma marca no ombro, mas não dava mais para ver.

Isso era culpa da mãe dela.

Se Eleanor pudesse ter relacionamentos normais com meninos, não acharia que tinha de marcar um golaço na primeira vez em que foi parar no banco traseiro de um carro. Não pensaria que essa seria sua única vez em campo. (E não usaria essas metáforas idiotas de futebol.)

Não fora um golaço, de qualquer modo. Ficaram nas preliminares. (Isso era o que ela pensava; Eleanor ouvira definições conflitantes sobre o que eram as preliminares.) Mas mesmo assim...

Foi maravilhoso.

Tão maravilhoso que ela não podia imaginar como sobreviver sem repetir aquilo.

– Melhor eu entrar – ela disse a Park, depois que passaram meia hora ou mais sentados no carro. – Costumo já estar em casa a essa hora. – Ele fez que sim, mas não a olhou nem lhe soltou a mão.

– Tá – ela disse. – Tá... tudo bem entre a gente, né?

Então, ele a olhou. O cabelo estava mais liso, e caiu em cima dos olhos. Ele parecia preocupado.

– Sim – disse. – Ah, *sim*. É só...

Ela esperou.

Ele fechou os olhos e balançou a cabeça, como se estivesse com vergonha.

– Eu... só não queria me despedir de você, Eleanor. Nunca mais.

Ele abriu os olhos e mirou direto nos dela. Talvez esse fosse o golaço.

Ela hesitou.

– Você não precisa se despedir de mim pra sempre. Só agora.

Park sorriu.

Depois, ergueu uma sobrancelha. Eleanor quis poder fazer isso.

– Agora... – ele disse – Mas não nunca mais?

Ela entortou os olhos. Estava começando a falar do jeito dele. Feito uma boba. Torceu para que estivesse escuro o bastante na rua para que ele não a visse corando.

– Tchau – ela disse, balançando a cabeça. – Te vejo amanhã. – Ela abriu a porta do Impala; pesava tanto quanto um cavalo. Parou e olhou para ele. – Mas tá tudo bem entre a gente, né?

– Tá tudo ótimo – ele disse, inclinando-se para a frente para beijá-la na bochecha. – Espero até você entrar.

***

Assim que Eleanor deslizou casa adentro, ouviu-os discutindo.

Richie praguejava sobre alguma coisa, e a mãe chorava. Eleanor aproximou-se do quarto o mais silenciosamente possível.

Os irmãos estavam todos deitados no chão, até Maisie. Dormiam em meio ao caos. *Imagino quantas noites eu também não durmo em meio ao caos*, pensou Eleanor. A garota conseguiu passar entre as crianças e subir na cama sem pisar ninguém, mas pousou em cima do gato. Ele guinchou, e ela o puxou para cima, pondo-o no colo.

– Xiiiiu – sussurrou, coçando o pescoço do bicho.

Richie gritou de novo – "minha casa" –, e tanto Eleanor quanto o gato pularam. Algo a pinicou por baixo.

Ela levou a mão sob a perna e puxou dali um gibi bem amassado. Era um X-Men anual. *Droga, Ben*. Ela tentou desamassar o gibi no colo, mas estava coberto de meleca. O cobertor também parecia molhado, era uma loção ou algo assim... Não, base. Com pedacinhos de vidro quebrado. Eleanor removeu com cuidado um estilhaço da cauda do gato e a colocou de lado, depois limpou os dedos molhados no pelo dele. Um pedaço de rolo de fita cassete estava enroscado na perna dele. Eleanor o libertou. Olhou para o pé da cama e piscou os olhos, até acostumar-se com o escuro.

Páginas de gibi rasgadas.

Pó.

Pocinhas de sombra verde.

Quilômetros de fita cassete.

Os fones de ouvido, partidos ao meio, estavam pendurados na beirada da cama. A caixa de *grapefruit*, ao pé da cama, e Eleanor soube antes mesmo de alcançá-la que estaria leve feito ar. Vazia. A tampa estava rasgada quase ao meio, e alguém escrevera nela com uma canetinha preta – uma das canetinhas de Eleanor:

"acha que pode me enganar? essa é a minha casa você acha que pode biscatear pelo bairro bem embaixo do meu nariz e eu não vou descobrir é isso que acha? eu sei o que você é e acabou"

Eleanor fitou a tampa e lutou para reunir as letras em palavras, mas não conseguia ir além do vômito usual de letras minúsculas.

Em algum canto da casa, sua mãe chorava como se não fosse parar nunca mais.

47

eleanor

Eleanor ponderou quanto a suas opções.

1.

48

eleanor

eu te deixo molhadinha?

Eleanor removeu o cobertor sujo e pôs o gato sobre o lençol limpo que havia embaixo. Depois, desceu para a cama de baixo do beliche. Sua mochila estava no chão, junto à porta. Abriu-a sem sair da cama e tirou a foto de Park do bolso lateral. Passou pela janela, atravessou a varanda e logo estava correndo pela rua mais rápido do que já correra numa aula de Educação Física.

Não desacelerou até que alcançou a quadra seguinte, e o fez somente por não saber aonde ir. Estava quase chegando à casa de Park... Mas não podia ir à casa de Park.

dá, logo, vai

– Ei, ruiva.

Eleanor ignorou a voz da menina. Olhou para a rua. E se tivessem ouvido ela saindo de casa? E se ele viesse atrás dela? Pulou para fora da calçada, entrando no jardim de alguma casa. Escondeu-se atrás de uma árvore.

– Ei, *Eleanor*.

Eleanor olhou ao redor. Parara em frente à casa de Steve. A porta da garagem estava entreaberta, sustentada por um taco de beisebol. Eleanor podia ver alguém andando lá dentro, e Tina vinha pela entrada da garagem, com uma latinha de cerveja na mão.

– *Ei* – a menina sibilou. Parecia mais incomodada com Eleanor do que nunca. Eleanor pensou em correr, mas sentia as pernas enfraquecidas. – Seu padrasto tá procurando você – disse Tina. – Tá dando voltas no bairro a noite toda.

– O que você disse pra ele? – Eleanor perguntou. Será que Tina havia causado tudo aquilo? Teria sido graças a ela que ele descobrira tudo?

– Só perguntei se o pinto dele é maior do que a caminhonete – Tina respondeu. – Não contei nada.

– Contou pra ele sobre o Park?

Tina estreitou o olhar. Depois, fez que não.

– Mas alguém ainda vai contar.

me chupa

Eleanor olhou de novo para a rua. Tinha de se esconder. Tinha de fugir dele.

– Qual é seu problema, afinal? – Tina perguntou.

– Nada.

Um par de faróis parou no fim do quarteirão. Eleanor protegeu a cabeça com os braços.

– Venha aqui – disse Tina, num tom de voz que Eleanor jamais ouvira antes. – É só você ficar fora do caminho dele até que o homem se acalme.

Eleanor acompanhou Tina pela entrada da garagem, agachou e entrou no escuro cômodo. (Se o diabo aparecesse ali do nada e abrisse um portal, Eleanor não hesitaria em desafiá-lo para uma partida de xadrez.)

– É a Ruivona? – Steve sentava-se num sofá. Mikey estava lá também, no chão, com uma das meninas do ônibus. Escutavam um som pesado, Black Sabbath, que vinha de um carro suspenso por blocos bem no meio da garagem.

– Senta aí – disse Tina, apontando para a outra ponta do sofá.

– Você tá ferrada, Ruivona – disse Steve. – Seu papai tá te procurando. – Steve sorria de orelha a orelha. Sua boca era maior que a de um leão.

– É padrasto dela – informou Tina.

– *Padrasto* – corrigiu Steve, arremessando uma lata de cerveja contra a parede oposta. – Uma droga de um *padrasto*? Quer que eu mate ele pra você? Porque já vou matar o da Tina. Posso dar cabo dos dois no mesmo dia. Dois coelhos... – riu. – Dois coelhos, um tiro só.

Tina abriu uma cerveja e jogou-a no colo de Eleanor. A garota a pegou, apenas para segurar algo.

– Beba aí – disse Tina.

Eleanor deu um gole, obediente. O sabor era amargo e amarelo.

– A gente podia jogar moeda – Steve balbuciou. – Ei, Ruiva, você tem alguma moedinha?

Eleanor fez que não.

Tina ajeitou-se perto dele no sofá e acendeu um cigarro.

– A gente tinha umas moedas – disse. – Gastamos com a cerveja, lembra?

– Aquilo nem era moeda – Steve respondeu. – Cinco centavos.

Tina fechou os olhos e espalhou fumaça para o teto.

Eleanor também fechou os olhos. Tentou pensar no que faria em seguida, mas nada lhe veio à mente. A música trocou, de Sabbath para AC/DC para Zeppelin. Steve cantava junto, a voz surpreendentemente suave: "*Hangman, hangman, turn your head a while*". Eleanor ouvia Steve cantando canção atrás de canção por sobre os batimentos do seu coração. A cerveja ficou choca em suas mãos.

eu sei que você é uma biscate você tem cheiro de porra

– Tenho que sair daqui – disse ela.

– Meu – Tina disse –, relaxa. Ele não vai te encontrar aqui. Já deve estar no Rail bebendo pra esquecer.

– Não – disse Eleanor. Levantou-se. – Ele vai me matar.

Era verdade, ela percebera, ainda que não fosse.

Tina fechou a cara.

– Então, aonde você vai?

– Embora. Tenho que contar pro Park.

park

Park não conseguia dormir.

Naquela noite, antes de passarem para o banco de trás do Impala, ele tirara todas as roupas de Eleanor e até desabotoara o sutiã dela. Depois, deitara-a sobre o estofado azul. Ela parecia uma visão ali, uma sereia. Um branco frio em meio à escuridão, as sardas reunidas nos ombros e nas bochechas feito creme surgindo do leite.

A visão o perseguia. Ela brilhava dentro de suas pálpebras cerradas.

Seria uma tortura constante, já que descobrira como ela era por baixo das roupas, e não havia uma *próxima vez* num futuro próximo. A noite fora um acaso, um golpe de sorte, um presente...

– Park – alguém disse. Ele sentou-se na cama e olhou ao redor, meio abobado.

– Park.

Ouviu alguém bater na janela, e correu até ela, abrindo a cortina.

Era Steve. Através do vidro, ele sorria feito um maníaco. Devia estar pendurado no beiral da janela. O rosto do garoto desapareceu, e Park o ouviu cair com força no chão. Que babaca. A mãe de Park ia acabar escutando tudo.

Park abriu a janela rapidamente e inclinou-se para fora. Ia mandar Steve sair dali, mas então viu Eleanor escondida na sombra projetada pela casa de Steve, com Tina.

Estava presa, feita refém?

Estava bebendo cerveja?

eleanor

Assim que ele a viu, escalou pela janela e pendurou-se a mais de um metro do chão: ia esmagar os tornozelos. Eleanor sentiu um soluço preso na garganta.

Park pousou agachado, feito o Homem-Aranha, e correu até ela. Eleanor largou a cerveja na grama.

– Poxa – disse Tina. – Valeu. Essa era a última lata.

– Ei, Park, assustei você? – Steve perguntou. – Pensou que era o Freddy Krueger? "*Achou que fosse escapar de mim*"?

Park aproximou-se de Eleanor e pegou-a pelos braços.

– O que foi? Algum problema?

Ela começou a chorar. Tipo, caiu em prantos. Sentiu-se voltar a ser quem era assim que ele a tocou, e foi horrível.

– Está sangrando? – Park perguntou, pegando-lhe a mão.

– Carro – disse Tina, em tom de alerta.

Eleanor puxou Park para perto da garagem, e esperaram as luzes passar.

– O que tá acontecendo? – perguntou de novo.

– Melhor a gente voltar pra garagem – disse Tina.

park

Park não visitava a garagem de Steve desde o primário. Jogavam pebolim lá. O brinquedo fora substituído por um carro suspenso por blocos e um sofá velho encostado na parede.

Steve sentou-se num canto do sofá e imediatamente acendeu um baseado. Estendeu-o para Park, que fez que não queria. A garagem já cheirava como se milhares de baseados tivessem sido fumados ali, apagados, em seguida, em milhares de latas de cerveja. O Camaro chacoalhava de leve; Steve deu um chute na porta.

– Calma aí, Mikey; você vai derrubar o carro.

Park mal podia imaginar as reviravoltas que trouxeram Eleanor até ali, mas ela praticamente o tragara para dentro da garagem, e aconchegou-se nele. Park ainda pensava que talvez a tivessem raptado. Devia pagar resgate?

– Fale comigo – disse ele para o topo da cabeça de Eleanor. – O que tá acontecendo?

– O padrasto tá procurando ela – disse Tina. Estava sentada no braço do sofá, com as pernas sobre o colo de Steve. Pegou o baseado da mão dele.

– É verdade? – Park perguntou a Eleanor. Ela fez que sim, com a cabeça enfiada no peito dele. Ela não o deixava afastar-se o bastante para olhá-la.

– Malditos padrastos – disse Steve. – Malditos, todos eles. – E caiu na gargalhada. – Ah, droga, Mikey, você ouviu isso? – Ele chutou o Camaro de novo. – Mikey?

– Tenho que ir embora – Eleanor sussurrou.

Até que enfim. Park afastou-se dela e pegou sua mão.

– Ei, Steve, a gente vai voltar pra minha casa.

– Tome cuidado, mano, ele tá dando volta por aí naquele Micro Machine cor de bosta...

Park inclinou-se para elevar o portão da garagem. Eleanor parou atrás dele.

– Obrigada... – disse ela. Park podia jurar que ela se dirigia a Tina.

A noite não poderia ficar mais esquisita.

***

Park levou Eleanor pelo quintal dos fundos, depois deram a volta na casa dos avós dele, passaram na entrada da garagem, pelo cantinho onde gostavam de se despedir.

Quando chegaram ao trailer, Park abriu a porta.

– Pode entrar – disse ele. – Tá sempre destrancada.

Ele e Josh costumavam brincar lá. Era como uma casinha, com uma cama num canto e uma cozinha no outro. Havia até fogão e geladeira em miniatura. Na última vez que Park entrara ali, não conseguiu ficar em pé sem bater a cabeça no teto.

Havia uma mesa encostada na parede, com duas cadeiras. Park sentou-se num lado, e Eleanor, no lado oposto. Ele pegou as mãos dela. A palma da mão direita estava manchada de sangue, mas a garota parecia não sentir nada.

– Eleanor... – ele disse. – O que tá acontecendo? – ele falava como se implorasse.

– Tenho que ir embora – ela respondeu. Olhava para frente, parecendo ter visto um fantasma. Como se fosse um.

– Por quê? – ele perguntou. – Tem a ver com esta noite?

Na cabeça de Park, tudo parecia girar em torno daquela noite. Como se nada tão bom ou tão ruim pudesse acontecer na mesma noite, a não ser que fosse algo relacionado. Não importava o que fosse.

– Não – Eleanor disse, esfregando os olhos. – Não. Não tem a ver com a gente. Quer dizer... – Ela olhou para fora, pela janela.

– Por que seu padrasto tá te procurando?

– Não sei... porque eu fugi.

– Por quê?

– Porque ele sabe – a voz dela falhou. – Porque foi ele.

– O quê?

– Eu não devia ter vindo aqui – disse ela. – Só estou piorando as coisas. Me desculpe.

Park queria sacudi-la, chacoalhá-la. Eleanor não estava falando coisa com coisa. Duas horas antes, fora tudo perfeito entre eles, e então... Park tinha de voltar para casa. A mãe ainda estava acordada, e o pai chegaria em casa a qualquer minuto.

O garoto se inclinou sobre a mesa e pegou Eleanor pelos ombros.

– Podemos começar de novo? – sussurrou ele. – Por favor. Não sei do que você tá falando.

Eleanor fechou os olhos e fez que sim, cansada.

Começou de novo.

Começou a chorar de novo.

E as mãos de Park começaram a tremer antes mesmo de ela terminar de contar tudo.

***

– Talvez ele não vá te machucar – disse, desejando que fosse verdade –; talvez só queira te botar medo. Venha cá... – Ele puxou a manga da blusa para a frente do punho e tentou limpar o rosto de Eleanor.

– Não – disse ela. – Você não sabe, não sabe como... Como ele olha pra mim.

49

Como ele olha pra mim.

Como se espreitasse.

Não como se me quisesse. Como se esperasse a hora certa. Quando não houver mais nada nem ninguém pra destruir.

Como ele espera por mim.

Sabe de tudo que faço.

Como está sempre por perto. Quando estou comendo. Quando estou lendo. Quando estou penteando o cabelo.

Você não sabe.

Porque eu finjo não saber.

50

park

Ela removia os cachos do rosto um por um, como se procurasse clarear as ideias.

– Eu tenho que ir – ela disse.

Ela estava fazendo mais sentido agora, e olhava para ele, mas Park ainda sentia como se tivessem colocado o mundo de cabeça para baixo e alguém o estivesse sacudindo.

– Você pode falar com sua mãe amanhã – ele disse. – Tudo vai ser diferente amanhã de manhã.

– Viu o que ele escreveu nos meus livros – disse, calma. – Quer que eu volte pra lá?

– Eu... Só não quero que vá embora. Aonde poderia ir? Pra casa do seu pai?

– Não, ele não me quer.

– Mas se você explicasse...

– Ele *não* me quer.

– Então, aonde?

– Não sei. – Ela respirou fundo e alinhou os ombros. – Meu tio disse que eu podia passar o verão com ele. Talvez me deixe ir pra St. Paul mais cedo.

– St. Paul, Minnesota.

Ela fez que sim.

– Mas... – Park olhou Eleanor nos olhos, e as mãos dela desabaram na mesa.

– Eu sei – ela soluçou, despencando para a frente. – Eu sei...

Não havia onde se sentar ao lado dela, então Park caiu no chão, de joelhos, perto de Eleanor.

eleanor

Ela se arrastou pelo chão de fórmica e sentou-se junto a ele.

– Quando você vai? – ele perguntou. Afastou os cabelos da testa dela, ajeitando-os na nuca.

– Hoje à noite. Não posso voltar pra casa.

– Como vai chegar lá? Já ligou pro seu tio?

– Não. Não sei. Pensei em pegar um ônibus.

Na verdade, pretendia pedir carona.

Não pensara em todos os detalhes; pensaria neles durante o caminho. Eleanor imaginou que conseguiria andar até a rodovia interestadual, onde esticaria o dedão para caminhões e minivans. Carros de família. Se não fosse estuprada, assassinada ou vendida como escrava branca até chegar em Des Moines, ligaria para o tio, para buscá-la. Ele viria, nem que fosse para levá-la para casa.

– Não tem como você pegar ônibus sozinha – Park disse.

– Não tenho plano melhor.

– Eu levo você.

– Pro terminal de ônibus?

– Pra Minnesota.

– Park, não, seus pais não vão deixar.

– Então, não vou pedir.

– Mas seu pai vai te matar.

– Não. Vai me deixar de castigo.

– Pra sempre.

– Acha que eu me importo com isso agora? – Segurou o rosto dela nas mãos. – Acha que me importo com qualquer coisa além de você?

51

eleanor

Park disse que voltaria depois que o pai chegasse em casa, e ele e a mãe pegassem no sono.

– Pode demorar um pouco. Não acenda a luz nem nada, tá?

– *Dã*.

– E fique de olho no Impala.

– Tá bem.

Ele estava mais sério do que ela jamais o vira, desde o dia em que acabou com Steve. Ou desde o primeiro dia no ônibus, quando a mandou se sentar. Nunca mais o ouvira falar com tamanha grosseria.

Ele se inclinou para dentro do trailer e a beijou.

– Por favor, tome cuidado – ela disse.

E então ele se foi.

Eleanor sentou-se à mesa. Dava para ver a entrada da garagem da casa de Park, por entre as cortinas. Subitamente, sentiu-se cansada. Só queria deitar um pouco a cabeça. Já passava da meia-noite; talvez Park levasse horas para voltar...

Talvez ela devesse se sentir mal por envolver Park naquilo tudo, mas não sentia. Ele tinha razão, a pior coisa que poderia lhe acontecer (além de algum acidente terrível) era ficar de castigo. E ficar de castigo na casa dele era como ganhar no *O preço certo* em comparação com o que aconteceria com Eleanor, caso ela fosse pega.

Será que ela devia ter deixado um bilhete?

Será que a mãe dela ia ligar para a polícia? (Será que ela estava bem? Será que estavam todos bem? Eleanor devia ter checado para ver se os irmãos ainda respiravam.)

O tio provavelmente nem a deixaria ficar quando descobrisse que ela fugira.

Meu Deus, quanto mais pensava no plano, mais ele ruía. Mas já era tarde demais para voltar atrás. Naquele momento, fugir parecia ser a coisa mais importante a fazer, e o lugar mais importante era o mais distante possível.

Depois de fugir, ela poderia pensar no que fazer.

Ou talvez não pensasse...

Talvez fugisse, e apenas parasse.

Eleanor jamais pensara em se suicidar – jamais –, mas pensava muito em parar. Correr até que não pudesse correr mais. Pular de altura tamanha que jamais alcançasse o chão.

Será que o Richie ainda estava procurando-a?

Maisie e Ben contariam tudo sobre Park, se já não tivessem contado. Não porque gostavam de Richie, embora às vezes parecesse que sim. Porque ele os mantinha sob grilhões. Como no primeiro dia, quando Eleanor voltou para casa e viu Maisie sentada no colo dele.

Droga. Mas que... droga.

Eleanor tinha de voltar e buscar Maisie.

Tinha de voltar e buscar todos eles. Tinha de descobrir um jeito de meter todos nos bolsos, mas devia, sem dúvida, voltar e buscar Maisie. Maisie fugiria com Eleanor. Não pensaria duas vezes...

E então o tio Geoff mandaria as duas de volta para casa.

A mãe, com certeza, chamaria a polícia se acordasse e não encontrasse Maisie em casa. Levar Maisie poderia arruinar tudo muito mais do que já estava arruinado.

Se Eleanor fosse o herói de algum gibi, tipo *The Boxcar Children* ou algo do gênero, tentaria. Se fosse Dicey Tillerman, daria um jeito.

Seria corajosa e nobre, e daria um jeito.

Mas não era. Eleanor não era nada disso. Só estava tentando sobreviver àquela noite.

park

Park caminhou quieto até sua casa, e entrou pela porta dos fundos; ninguém da família dele nunca trancava nada.

A TV ainda estava ligada no quarto dos pais. Ele foi direto para o banheiro e entrou no chuveiro. Certamente, estava carregado do cheiro de todas as coisas que poderiam colocá-lo numa fria.

– Park? – chamou a mãe quando ele saiu do banheiro.

– Oi – ele respondeu. – Indo dormir.

Enfiou as roupas sujas no fundo do cesto e reuniu o dinheiro que sobrara do montante gasto de aniversário e de Natal, o qual estava na gaveta de meias. Sessenta dólares. Devia ser suficiente para a gasolina... Provavelmente, não tinha certeza.

Se conseguissem chegar a St. Paul, o tio de Eleanor os ajudaria a resolver tudo. Ela não tinha certeza de que o tio a deixaria ficar, mas dissera que ele era um cara legal, e que "a esposa dele fazia parte do Corpo da Paz".

Park já deixara um bilhete para os pais:

Mãe e Pai,

Tive que ajudar Eleanor. Vou ligar amanhã, e voltarei em um ou dois dias. Sei que estou numa baita enrascada, mas foi uma emergência, e tive que ajudar.

Park

A mãe sempre guardava as chaves no mesmo lugar: numa pequena vasilha em formato de chave, na entrada da casa, na qual se lia "chaves".

Park pretendia pegar as chaves e sair de fininho pela porta da cozinha, a saída mais distante do quarto dos pais.

O pai chegara em casa por volta de 1h30. Park ouviu-o zanzar pela cozinha, depois no banheiro. Ouviu a porta do quarto dos pais ser aberta, e ouviu a TV.

Park deitou-se na cama e fechou os olhos. (Não havia perigo de pegar no sono.) A imagem de Eleanor ainda brilhava dentro de suas pálpebras.

Tão linda. Tão serena... Não, não era bem isso, não serena, era mais como... em paz. Como se ficasse mais confortável sem a camisa do que vestindo-a. Como se ficasse feliz do avesso.

Quando ele abriu os olhos, viu-a do jeito que a deixara no trailer: tensa e resignada, tão distante que os olhos nem refletiam a luminosidade.

Tão distante que nem estava mais pensando nele.

***

Park esperou até tudo ficar quieto. Então, esperou mais vinte minutos. Pegou a mochila e seguiu os passos que planejara em sua mente. Parou na cozinha. O pai deixara o rifle de caça sobre a mesa; provavelmente, deixara-o ali para limpá-lo no dia seguinte.

Por um minuto, Park pensou em levar a arma, mas não pôde imaginar quando usá-la. Com certeza, não dariam de cara com Richie enquanto saíam da cidade. Com sorte, pelo menos.

Park abriu a porta dos fundos e estava prestes a sair quando a voz do pai o conteve.

– Park? – Podia ter saído em disparada, mas o pai com certeza o alcançaria. Ele sempre se gabava por estar com a melhor forma física na sua. – Aonde pensa que vai? – o pai sussurrou.

– Eu... Eu tenho que ajudar a Eleanor.

– Em que a Eleanor precisa de ajuda às duas da manhã?

– Ela vai fugir.

– E você vai junto?

– Não. Só vou levá-la pra casa do tio.

– E onde esse tio mora?

– Minnesota.

– Cacete, Park – disse o pai, no tom de voz usual. – Tá falando sério?

– Pai – Park deu um passo à frente, implorando. – Ela tem que ir. É o padrasto dela. Ele...

– Ele a tocou? Porque, se ele a tocou, vamos chamar a polícia.

– Ele escreve uns recados.

– Que tipo de recados?

Park coçou a testa. Não gostava de pensar nas frases.

– Uns recados doentios.

– Ela contou pra mãe dela?

– A mãe dela... não tá num bom momento. Acho que ele bate nela.

– Aquele bostinha... – O pai olhou para a arma, depois fitou Park novamente, coçando o queixo. – Então, você vai levar a Eleanor pra casa do tio. Ele vai aceitá-la?

– Ela acha que sim.

– Preciso te falar, Park, que esse plano não parece que vai dar muito certo.

– Eu sei.

O pai suspirou e alongou a nuca.

– Mas eu também não consigo pensar em coisa melhor. – Park ergueu a cabeça, surpreso. – Me liga quando chegar lá – disse o pai, calmo. – É só ir reto a partir de Des Moines... Você tem um mapa?

– Pensei em comprar um no posto de gasolina.

– Se ficar cansado, pare num motel. E não fale com ninguém a não ser que precise. Você tem dinheiro?

– Sessenta dólares.

– Tome... – O pai foi até um jarro de biscoitos e tirou um maço de notas de vinte. – Se não der certo com o tio dela, não leve Eleanor pra casa. Traga-a de volta pra cá, e vamos pensar no que fazer depois.

– Tá bom... Obrigado, pai.

– Não me agradeça ainda. Tenho uma condição. – *Chega de delineador*, pensou Park. – Você vai na caminhonete.

***

O pai ficou parado na entrada da casa, os braços cruzados. Claro que quis assistir. Como se estivesse avaliando um maldito golpe de taekwondo.

Park fechou os olhos. Eleanor ainda estava lá. *Eleanor*.

Deu partida no motor e colocou a marcha à ré com calma; deslizando pela entrada da garagem, engatou a primeira e foi para a frente sem um tremelique sequer.

Porque sabia dirigir carro de câmbio manual. *Cacete.*

52

park

– Tudo bem? – Ela fez que sim e entrou no carro. – Fique abaixada – disse ele.

***

Nem viram as duas primeiras horas passarem.

Park não estava habituado à caminhonete, e deixou que ela morresse algumas vezes nos faróis vermelhos. Acabou pegando a rodovia para o oeste, em vez do leste, e levou vinte minutos para fazer o retorno.

Eleanor não dizia nada. Só olhava para a frente, segurando o cinto com as duas mãos. Park comprou um refrigerante e um sanduíche para ela, e, quando voltou à caminhonete, ela estava encostada na porta, dormindo.

Que bom, pensou ele. *Ela está exausta*.

Jogou o sanduíche no painel.

Como ela conseguiu pegar no sono?

Se tudo desse certo naquela noite, ele voltaria sozinho no dia seguinte. Provavelmente, deixariam que ele fosse de carro aonde quisesse depois disso, mas não havia lugar a que quisesse ir sem Eleanor.

Como ela conseguia dormir durante as últimas horas que passariam juntos?

Como conseguia dormir sentada daquele jeito... O cabelo estava desgrenhado, para baixo, de um vermelho cor de vinho até mesmo na escuridão, e a boca, entreaberta. *Moranguinho*. Ele tentou se lembrar novamente do que pensara na primeira vez em que a vira. Tentou se lembrar de como acontecera, de como ela passou de alguém que ele não conheceria para a única pessoa que lhe importava.

E imaginou... Imaginou o que aconteceria se ele não a levasse para a casa do tio. O que aconteceria se ele apenas continuasse dirigindo.

Por que essa situação não veio um pouco mais tarde?

Se a vida de Eleanor tivesse virado do avesso no ano seguinte, ou no outro, ela poderia ter fugido para ficar *com* ele. E não longe dele.

Caramba. Por que ela não acordava?

Park ficou acordado por mais uma hora, mais ou menos, sustentado por refrigerante e mágoa, até que o peso da noite o alcançou. Não havia onde parar para descansar, então ele saiu para a estrada municipal, sobre o cascalho.

Tirou o cinto de segurança, tirou o dela, e puxou-a para si, deitando sua cabeça na dela. Ainda estava com o aroma da noite anterior. Cheiro de suor e doçura e do Impala. Derramou lágrimas sobre os cabelos dela até cair no sono.

eleanor

Ela acordou nos braços de Park. Ficou surpresa.

Poderia ter pensado que estava sonhando, mas seus sonhos eram sempre aterrorizantes. (Nazistas, bebês chorando, dentes apodrecendo na boca.) Eleanor jamais sonhara com algo bom como aquilo, bom como Park, dormindo, quentinho... Por inteiro. *Algum dia*, pensou ela, *alguém vai acordar nesta realidade todas as manhãs*.

O rosto de Park, dormindo, possuía toda uma beleza nova. Pele cor de luz-do-sol-capturada-em-âmbar. Lábios fartos, amplos. Maçãs do rosto fortes, arqueadas. (Eleanor nem tinha maçãs do rosto.)

Ele a pegou de surpresa, e, antes que ela pudesse evitar, seu coração se partiu por ele. Como se não tivesse mais por que partir.

Talvez não tivesse...

O sol estava nascendo no horizonte, e o interior da caminhonete, pintado de um rosa-azulado. Eleanor beijou o novo rosto de Park logo abaixo do olho, perto do nariz. Ele se mexeu, e ela sentiu cada parte dele mexer junto a ela. Então passou a ponta do nariz pela sobrancelha dele e beijou-lhe os cílios.

Os cílios de Park se agitaram feito asinhas. (Somente cílios fazem isso. E borboletas.) Os braços dele ganharam vida em torno dela.

– Eleanor... – ele suspirou.

Ela segurou aquele rosto lindo nas mãos e beijou-o como se o mundo fosse acabar.

park

Ela não ficaria mais com ele no ônibus.

Não entortaria os olhos para ele na aula de Inglês.

Não arranjaria briga com ele só por estar entediada.

Não choraria no quarto dele pelas coisas que ele não podia consertar para ela.

O céu estava todo colorido como a pele dela.

eleanor

Existia apenas um dele, pensou ela, e ele estava bem ali.

Ele sabe que vou gostar de uma canção antes mesmo de eu tê-la ouvido. Ele ri das minhas piadas antes mesmo que eu chegue ao final.

Tem um lugar no peito dele, logo abaixo da garganta, que me faz querer deixá-lo abrir portas para mim.

Existe apenas um dele.

park

Seus pais nunca falavam sobre como haviam se conhecido, mas, quando Park era mais novo, costumava tentar imaginar como ocorrera.

Adorava o quanto eles se amavam. Era nisso que pensava quando acordava assustado no meio da noite. Não que o amavam; eram seus pais, tinham de amá-lo. *Mas que amavam um ao outro.*

Não tinham de fazer isso. Dentre todos os amigos dele, nenhum tinha pais que ainda estavam juntos, e, em todos esses casos, isso parecia ser justamente o que havia dado de mais errado nas vidas desses amigos.

Mas os pais de Park se amavam. Beijavam-se na boca, não importava quem estivesse por perto.

Era muito raro encontrar alguém assim, ele pensava. Alguém para amar para sempre; alguém que também o amaria para sempre. E o que fazer quando essa pessoa nasce meio mundo distante?

Racionalmente, parecia tudo impossível. Como seus pais puderam ter tanta sorte?

Não havia como perceber tal sorte na época. O irmão do pai acabara de ser morto no Vietnã; por isso o pai fora enviado à Coreia. E, quando se casaram, a mãe teve de deixar tudo e todos que amava para trás.

Park ficava pensando se o pai vira a mãe pela primeira vez numa rua, ou na estrada, ou trabalhando num restaurante. Perguntava-se como os dois souberam...

***

Esse beijo teria que durar para sempre para Park.

Teria que levá-lo para casa.

Ele precisava se lembrar dele quando acordasse assustado no meio da noite.

eleanor

Na primeira vez em que ele pegou na mão dela, foi tão bom que todas as coisas ruins se afastaram. Essa sensação boa foi muito mais forte do que qualquer dor.

park

Os cabelos de Eleanor pareciam arder em chamas ao nascer do sol. Os olhos dela eram negros e brilhantes, e os braços dele a mantinham em segurança.

A primeira vez em que a tocou, ele soube.

eleanor

Não existia vergonha com Park. Nada era obsceno. Porque Park era o Sol, e essa era a melhor maneira de explicá-lo.

park

– Eleanor, não, a gente tem que parar.

– Não...

– A gente não pode fazer isso...

– Não. Não pare, Park.

– Nem sei como... Não tenho nada pra usar.

– Não importa.

– Mas não quero que você fique...

– Eu não ligo.

– *Eu* ligo. Eleanor...

– É nossa última chance.

– Não. Não, não posso... Eu, *não*... Preciso acreditar que não é nossa última chance... Eleanor? Tá me ouvindo? Preciso que você acredite também.

53

park

Eleanor saiu da caminhonete, e Park entrou no matagal para fazer xixi. (O que o deixou envergonhado, mas ficaria mais ainda se fizesse nas calças.)

Quando voltou, ela estava sentada na caçamba do veículo. Linda, ousada, inclinada para a frente feito um gárgula.

Ele subiu e se sentou ao lado dela.

– Oi – disse.

– Oi.

Deu um empurrãozinho no ombro dela com o dele e quase chorou de alívio quando ela encostou a cabeça nele. Chorar de novo naquele dia parecia ser inevitável.

– Você acredita mesmo nisso? – ela perguntou.

– No quê?

– Que vamos ter mais chances? Que vamos ter alguma chance?

– Claro.

– Não importa o que aconteça – ela disse, com vigor –, não vou voltar pra casa.

– Eu sei.

Ela ficou quieta.

– Não importa o que aconteça – disse Park –, eu te amo.

Ela abraçou a cintura dele, e ele lhe abraçou os ombros.

– Só não posso acreditar que a vida nos daria um ao outro pra tirar logo em seguida.

– Eu posso acreditar. A vida é uma droga.

Ele a abraçou com mais força e beijou-lhe o rosto e o pescoço.

– Mas depende da gente – ele disse. – Depende da gente não perder isso.

eleanor

Eleanor sentou-se bem perto dele durante o restante da viagem, ainda que não pudesse usar cinto de segurança assim, e tivesse de ficar com o câmbio bem no meio das pernas. Afinal, pensou ela, era muito mais seguro do que andar no banco de trás da Isuzu do Richie.

Pararam em outro posto, e Park comprou refrigerante e sanduíche. Ligou a cobrar para os pais. Ela ainda não acreditava que eles estavam levando a história numa boa.

– Meu pai, sim – disse ele. – Minha mãe tá surtando.

– Eles têm notícia da minha mãe ou... de alguém?

– Não. Ou, pelo menos, não comentaram nada.

Park perguntou se ela queria ligar para o tio. Ela não queria.

– Estou fedendo à garagem do Steve – disse ela. – Meu tio vai pensar que sou traficante.

Park riu.

– Acho que você derramou cerveja na camisa. Talvez só pense que você é alcoólatra.

Ela olhou para a camisa. Havia uma mancha de sangue de quando cortou a mão na cama e uma crosta no ombro, provavelmente ranho, de tanto choro.

– Tome – disse Park. Tirou a blusa. Depois a camiseta. Entregou-a para ela. Era verde e dizia *“Prefab Sprout”*.

– Não posso aceitar – disse ela, vendo-o vestir a blusa por cima do peito nu. – É nova. – Além disso, provavelmente não caberia.

– Pode me devolver depois.

– Feche os olhos – ela disse.

– Claro – Park concordou. Desviou o olhar.

Não havia mais ninguém no estacionamento. Eleanor agachou e vestiu a camiseta de Park por baixo da outra camisa. Era assim que se trocava na aula de Educação Física. A camiseta ficou tão apertada quanto o uniforme de ginástica... mas tinha cheiro de limpa, como Park.

– Pronto.

Ele a olhou de novo, e seu sorriso mudou.

– Fique com ela – disse.

***

Quando chegaram a Minneapolis, Park parou em outro posto de gasolina para pedir informações.

– É fácil? – ela perguntou assim que ele voltou à caminhonete.

– Fácil pra chuchu. Estamos bem perto.

54

park

Park ficou mais nervoso quanto à direção quando entraram na cidade. Dirigir em St. Paul não era como dirigir em Omaha.

Eleanor lia o mapa para ele, mas nunca havia lido um mapa fora da escola e, sem alguém para ajudar, ficavam dando voltas, errando o caminho.

– Desculpe – Eleanor ficava dizendo.

– Tudo bem – Park dizia, contente por tê-la sentada junto a ele. – Não estou nem um pouco com pressa.

Ela pôs a mão na perna dele.

– Andei pensando... – disse.

– Hum?

– Não quero que entre quando chegarmos lá.

– Quer dizer que quer falar com eles sozinha?

– Não... Bom, é. Mas, assim... Não quero que espere por mim.

Ele tentou olhá-la, mas teve medo de perder a entrada mais uma vez.

– O quê? – ele disse. – Não. E se eles não quiserem que você fique?

– Então, vão pensar num jeito de me mandar pra casa. Vou ser problema deles. Talvez isso até me dê mais tempo pra falar com eles sobre todas as coisas.

– Mas... – *Não estou pronto para não ter mais que me preocupar com você.*

– Faz mais sentido, Park. Se você for embora logo, vai conseguir chegar em casa antes de escurecer.

– Mas se eu for embora logo... – sua voz foi sumindo. – Vou embora logo.

– Vamos ter que nos despedir de qualquer jeito. Faz diferença se for agora ou daqui a algumas horas ou amanhã de manhã?

– Tá brincando? – Ele olhou para ela, torcendo para perder a entrada. – Claro que faz.

eleanor

– Faz mais sentido – ela disse. E, então, mordeu o lábio. A única forma de passar por aquela situação seria tendo muita força de vontade.

As casas estavam começando a parecer familiares. Eram casas grandes, de tábua branca e cinza, situadas ao fundo de seus gramados. Eleanor viera com a família toda, na Páscoa, um ano depois que o pai os deixou. O tio e a tia eram ateus, mas, mesmo assim, foi uma viagem divertida.

Não tinham filhos. *Provavelmente por escolha*, pensava Eleanor. Provavelmente porque sabiam que crianças bonitinhas cresciam e se tornavam adolescentes feios e problemáticos.

Mas o tio Geoff a *convidara*.

Queria que ela fosse e ficasse por, pelo menos, algumas semanas. Talvez Eleanor devesse perguntar se podia ficar até o final das férias de verão. No final das férias, eles confiariam nela, e ela poderia contar-lhes tudo.

– É aqui? – Park perguntou.

Parou em frente a uma casa cinza-azulada com um salgueiro chorão no jardim da frente.

– É – ela disse. Reconhecia a casa. Reconhecia o Volvo do tio na calçada.

Park pisou o acelerador.

– Aonde você vai?

– Só... dar a volta no quarteirão.

park

Deram a volta no quarteirão. Era o mínimo que podia fazer. Depois, parou algumas casas atrás da do tio, de forma que podiam vê-la do carro. Eleanor não tirava os olhos dela.

eleanor

Ela tinha que se despedir dele. Logo. Mas não sabia como.

park

– Lembra do meu telefone, né?

– 867-5309.

– Sério, Eleanor.

– Sério, Park. Nunca vou esquecer seu telefone.

– Me ligue assim que puder, tá? Hoje à noite. A cobrar. E me dê o número do seu tio. Ou, se ele não quiser que você ligue, me mande o número numa carta. Numa das muitas e muitas cartas que você vai escrever para mim.

– Talvez ele me mande de volta pra casa.

– Não. – Park soltou o câmbio e pegou na mão dela. – Você não vai voltar pra lá. Se seu tio te mandar pra casa, venha para a minha. Meus pais vão ajudar a gente a pensar em algo. Meu pai já me garantiu isso.

Eleanor pendeu o rosto para a frente.

– Ele não vai te mandar pra casa – disse Park. – Vai ajudar... – Ela fez que sim, fitando o chão. – E vai te deixar receber ligações longas, particulares e frequentes... – Ela permanecia imóvel. – Ei – disse Park, tentando levantar o queixo dela. – Eleanor.

eleanor

Mestiço idiota.

Mestiço idiota lindo.

Felizmente, ela não conseguia botar a língua para funcionar, porque, se pudesse, não haveria fim para o *nonsense* melodramático que ela lhe diria.

Tinha certeza de que lhe agradeceria por salvar-lhe a vida. Não somente no dia anterior, mas, tipo, praticamente todos os dias desde que se conheceram. O que a fazia se sentir a menina mais imbecil e fraca do mundo. Se você mesma não pode salvar sua própria vida, vale a pena alguém salvar?

Não existem príncipes encantados, pensou ela.

Não existem finais felizes.

Ela olhou para Park. Dentro dos olhos verdes dele.

Você salvou minha vida, ela tentou dizer. *Não para sempre, não definitivamente. Provavelmente, só por certo tempo. Mas salvou minha vida, e agora eu sou sua. O que sou agora é seu. Para sempre.*

park

– Não sei como te dizer adeus – ela disse.

Ele afastou os cabelos do rosto dela. Nunca a vira tão bela.

– Então, não diga.

– Mas tenho que ir...

– Então, vá – disse ele, com as mãos nas bochechas dela. – Mas não diga adeus. Não é um adeus.

Ela entortou os olhos e balançou a cabeça.

– Que bobeira.

– Mesmo? Você não pode me dar trégua nem por cinco minutos?

– É isso que as pessoas dizem, não é um adeus, quando estão com medo demais de enfrentar o que realmente sentem. Não vou te ver amanhã, Park. Não sei *quando* vou te ver de novo. Isso pede mais do que "não é um adeus".

– Não estou com medo de enfrentar o que estou sentindo.

– Você não – ela começou, com a voz falhando. – Eu estou.

– Você – ele disse, envolvendo-a com os braços, prometendo a si mesmo que não seria a última vez – é a pessoa mais corajosa que eu conheço.

Ela balançou a cabeça de novo, como se tentasse evitar as lágrimas.

– Só me dê um beijo de adeus – ela sussurrou.

Adeus por hoje, ele pensou. *Não para sempre*.

eleanor

A gente acha que abraçar uma pessoa com força vai trazê-la mais para perto. Pensamos que, se a abraçarmos com muita força, vamos senti-la, incorporada em nós, quando estivermos longe.

Toda vez que Eleanor ficava longe de Park, sentia sua perda.

Quando ela finalmente saiu da caminhonete, foi porque achava que não aguentaria mais tocá-lo e não *poder* mais tocá-lo. Da próxima vez que se separassem, perderia uma porção de pele.

Park fez menção de sair com ela, mas Eleanor o impediu.

– Não – ela disse. – Fique. – Olhou com ansiedade para a casa do tio.

– Vai ficar tudo bem – Park afirmou.

Ela fez que sim.

– Vai.

– Porque eu te amo.

Ela riu.

– Por causa disso?

– Sim, por isso mesmo.

– Tchau. Tchau, Park. Meu... Park.

– Tchau, Eleanor. Tipo, até hoje à noite. Quando você me ligar.

– E se eles não estiverem em casa? Gente, isso vai cortar o clima.

– Vai ser ótimo, na verdade.

– Bobo – ela sussurrou, com um restinho de sorriso no rosto. Deu um passo para trás e fechou a porta.

– Eu te amo – ele disse, sem fazer som. Talvez tivesse dito em voz alta. Não dava mais para ouvir.

55

park

Não andava mais de ônibus. Não precisava. Sua mãe lhe dera o Impala quando o pai lhe comprou um Taurus...

Não andava mais de ônibus porque teria o banco inteiro só para si.

Não que o Impala não estivesse igualmente destruído em memórias.

Em algumas manhãs, se Park chegava cedo à escola, permanecia sentado no carro, parado no estacionamento, e deixava o que restara de Eleanor jorrar sobre ele até ficar sem ar.

Ir para a escola estava igualmente difícil.

Não a via no armário dela. Nem na aula. O Sr. Stessman dizia que não fazia sentido ler *Macbeth* em voz alta sem Eleanor.

– Ó, meu Deus, ó... – lamentava ele.

Ela não ficava para o jantar. Não deitava nele para assistir à TV.

Park passava a maioria das noites deitado na cama, porque era o único lugar em que ela nunca estivera.

Ficava deitado na cama e nunca ligava o som.

eleanor

Ela não ia mais de ônibus para a escola. Ia com o tio, de carro. Ele a forçou a ir, ainda que só restassem quatro semanas para o fim do ano letivo, e todos estavam estudando para as provas finais.

Não havia nenhuma criança asiática na escola nova de Eleanor. Não havia nem sequer crianças negras.

Quandos seu tio foi a Omaha, ele disse que Eleanor não precisava ir com ele. Ele ficou lá por três dias e, quando voltou, trazia o saco de lixo preto que estava no armário do quarto de Eleanor. Eleanor já tinha roupas novas. E uma estante nova para livros, e um estéreo. E um pacote de fitas virgens.

park

Eleanor não ligou naquela primeira noite.

Não dissera que ligaria, foi o que ele pensou mais tarde. Também não dissera que escreveria, mas Park pensou que isso tivesse ficado nas entrelinhas. Achou que não precisava dizer.

Depois que Eleanor saiu da caminhonete, Park esperou em frente à casa do tio dela.

O combinado era que ele iria embora assim que a porta se abrisse, assim que ficasse claro que havia gente em casa. Mas ele não conseguia deixá-la daquele jeito.

Viu a mulher que abriu a porta dar um abraço apertado em Eleanor, depois viu a porta se fechar. E ficou esperando, para o caso de Eleanor mudar de ideia. Apenas para o caso de ela decidir que ele devia entrar também.

A porta continuou fechada. Park lembrou-se da promessa e foi embora. *Quanto antes chegar em casa*, pensou ele, *mais cedo vou ter notícias dela*.

Mandou um postal para Eleanor no primeiro posto em que parou. "Bem-vindo a Minnesota, Terra dos 10.000 Lagos."

***

Quando chegou em casa, a mãe correu para a porta para abraçá-lo.

– Tudo bem? – perguntou o pai.

– Sim.

– Como foi com a caminhonete?

– Bem – ele disse, e o pai foi lá fora se certificar de que tudo estava bem com ela.

– Você – disse a mãe –, fiquei tão preocupada com você.

– Tô bem, mãe, só cansado.

– E Eleanor? Tá bem?

– Acho que sim, ela ligou?

– Não. Ninguém ligou.

Assim que a mãe deu uma brecha, Park foi para o quarto e escreveu uma carta para Eleanor.

eleanor

Quando tia Susan abriu a porta, Eleanor já estava chorando.

– Eleanor... – tia Susan repetia. – Oh, meu Deus, Eleanor. O que você está fazendo aqui?

Eleanor tentou dizer a ela que estava tudo bem. O que não era bem a verdade, ela não estaria ali se estivesse tudo bem. Mas ninguém tinha morrido.

– Ninguém morreu... – ela disse.

– Ai, meu Deus. Geoffrey! – chamou tia Susan. – Espera aqui, querida. Geoff...

Sozinha, Eleanor percebeu que não deveria ter dito a Park que fosse embora logo.

Ela não estava pronta para isso, para que ele se fosse.

Ela abriu a porta da frente e correu para a rua. Park já tinha ido; ela olhou para ambos os lados da rua, procurando por ele.

Quando voltou-se novamente para a casa, seus tios estavam na porta da frente, olhando para ela.

***

Chamadas no telefone. Chá de hortelã. Seus tios conversando na cozinha horas depois de Eleanor ter ido para a cama.

– Sabrina...

– Cinco deles.

– Nós temos que tirá-los de lá, Geoffrey...

– E se ela não estiver falando a verdade?

Eleanor tirou a foto de Park do bolso de trás e alisou-a, sobre o colchão. Não parecia com ele. Era como se uma vida inteira já tivesse se passado desde outubro. E aquela tarde era como outra vida inteira. O mundo estava girando tão rápido que ela não sabia mais onde estava.

Sua tia tinha emprestado um pijama para Eleanor – elas vestiam o mesmo tamanho –, mas Eleanor colocou de volta a camiseta de Park assim que saiu do banho.

Estava com o cheiro dele. Com o cheiro da casa dele, com cheiro de poutpourri. Cheiro de sabonete, de garoto, de felicidade. Ela se jogou na cama, sentindo um vazio no estômago.

Ninguém iria acreditar nela.

***

Ela escreveu uma carta para a mãe.

Disse tudo o que queria dizer nos últimos seis meses. Disse que sentia muito.

Implorou que a mãe pensasse em Ben e Mouse... E em Maisie. Ameaçou ligar para a polícia.

Tia Susan deu um selo a ela.

– Eles estão na gaveta da bagunça, Eleanor. Pegue quantos quiser.

park

Quando ficava enjoado do quarto, quando não havia mais nada em sua vida que tinha cheiro de baunilha, Park passava pela casa de Eleanor.

Às vezes, a caminhonete estava lá, às vezes, não, às vezes, a rottweiler dormia na varanda. Mas não via mais os brinquedos quebrados, nem as crianças de cabelo vermelho-alourado brincando no jardim.

Josh disse que o irmão mais novo de Eleanor não estava mais indo à escola.

– Dizem que foram embora. A família toda.

– Isso é notícia boa – disse a mãe. – Vai ver a mãe acordou, viu situação ruim que vivia, sabe? Bom pra Eleanor.

Park só concordava.

Perguntava-se se suas cartas pelo menos chegavam ao destino.

eleanor

Tinha um telefone vermelho, de discar, no quarto de hóspedes. No quarto dela. Sempre que ele tocava, Eleanor tinha vontade de atender dizendo: "O que foi, comissário Gordon?".

Às vezes, quando estava sozinha em casa, Eleanor levava o telefone até sua cama e ficava escutando o tom de discagem.

Ela ensaiava ligar para Park, deslizando o dedo nos números do aparelho. Às vezes, depois que o tom parava, ela fazia de conta que Park estava sussurando em seu ouvido.

***

– Você já teve um namorado? – Dani perguntou. Dani estava no acampamento de teatro, também. Elas almoçavam juntas, sentadas no palco com as pernas soltas no fosso onde ficava a orquestra.

– Não – Eleanor respondeu.

Park não era um namorado, era um campeão.

– Você já beijou alguém?

Eleanor balançou a cabeça. Park não era seu namorado.

E eles nunca iriam terminar. Nem se cansar um do outro. Ou se separar. (Eles não iriam se tornar mais um desses namorinhos de escola bobos.)

Eles só iriam parar.

Eleanor tinha decidido isso antes, na caminhonete do pai de Park. Tinha decidido isso em Albert Lea, Minnesota. Já que eles não iriam se casar – já que não seria para sempre –, era apenas uma questão de tempo.

Eles só iriam parar.

Park nunca a amaria mais do que amava naquele dia, quando se despediram. E ela não podia suportar a ideia de que Park a amaria menos.

park

Quando não conseguia mais se segurar, Park ia até a antiga casa de Eleanor. Às vezes, a caminhonete estava lá. Às vezes, não estava. Às vezes, Park ficava parado em frente à entrada e odiava tudo o que aquela casa representava para ele.

56

eleanor

Cartas, cartões postais, pacotes que pareciam fitas cassete. Nada foi aberto, nada foi lido.

"Querido Park", ela escreveu em um papel de carta. "Querido Park", ela tentou explicar.

Mas as explicações se desmanchavam em suas mãos. Todas as verdades eram duras demais para serem escritas, e ele era muito para se perder. Tudo o que ela sentia por ele era quente demais para se tocar.

"Me desculpe", ela escreveu, e então riscou por cima. "É que...", ela tentou novamente.

Eleanor jogou fora a folha de papel rabiscada. Jogou os envelopes fechados na gaveta de baixo.

"Querido Park", ela sussurrou, com a testa sobre a penteadeira, "apenas pare".

park

O pai disse que Park devia arranjar um emprego temporário para pagar a gasolina.

Ninguém comentava que Park nunca ia a lugar algum. Ou que ele começara a aplicar delineador com o dedão. Escurecendo os olhos.

A aparência do garoto andava esquisita o bastante para conseguir trabalho na Drastic Plastic. A menina que o contratara tinha duas filas de furos em cada orelha.

A mãe dele parou de trazer a correspondência para dentro. Park sabia que era porque ela odiava ter de dizer-lhe que não havia nada para ele. Park passou a trazer a correspondência para dentro toda noite, quando chegava em casa do trabalho. Toda noite, torcia para que chovesse.

Tinha suprimento interminável e apetite insaciável por música punk.

– Não consigo ouvir meus pensamentos aqui – disse o pai, entrando no quarto do filho na terceira noite seguida para abaixar o volume.

Dã. Era o que Eleanor teria dito.

***

Eleanor não voltou à escola depois das férias. Não com Park, pelo menos.

Não comemorou pelo fato de não ter de ir à Educação Física. Não disse "Santo casal, Batman!" quando Steve e Tina fugiram juntos no feriado do dia do trabalho.

Park escrevera uma carta para Eleanor, contando sobre isso. Contara tudo o que acontecera, e o que não acontecera, todos os dias desde quando ela se fora.

Continuou escrevendo cartas durante meses após ter parado de enviá-las. Na véspera de Ano-Novo, escreveu dizendo que torcia para que ela conseguisse tudo o que sonhava ter. Depois, jogou a carta numa caixa, embaixo da cama.

57

park

Ele parou de tentar trazê-la de volta.

Ela só voltava quando bem entendia, em sonhos e mentiras e déjà-vus partidos.

Por exemplo, quando ele estava dirigindo para o trabalho e viu uma garota com os cabelos vermelhos, em pé na esquina. E ele podia jurar, pelo menos por um momento, ser ela.

Ou quando ele acordava no meio da noite, certo de que ela estaria lá fora, esperando por ele. Claro que ela precisava dele.

Mas ele não podia tê-la ali. Às vezes, ele mal se lembrava de como ela era, mesmo que estivesse olhando para uma fotografia sua. (Talvez ele tenha olhado demais para ela.)

Ele parou de tentar trazê-la de volta.

Então, por que ele insistia em voltar àquele lugar?

Àquela porcaria de casinha.

Eleanor não estava lá; nunca estava lá, de fato, e se fora fazia muito tempo.

Quase um ano.

Park virou-se para ir embora, mas a caminhonete marrom entrou com tudo na calçada, quase derrubando-o. Ele parou na calçada e esperou. A porta do motorista se abriu.

Talvez, Park pensou. Talvez fosse por isso que estava ali.

O padrasto de Eleanor, Richie, saiu lentamente do táxi. Park o reconhecera graças à única vez em que o vira, quando levara para Eleanor a segunda edição de *Watchmen*, e o homem atendera à porta...

A última edição de *Watchmen* saíra alguns meses depois que Eleanor se fora. Park ficou imaginando se ela a tinha lido, e se pensava que o Doutor Manhattan era vilão, e o que ela pensara quando ele disse "Nada nunca termina", no final. Park ainda imaginava o que Eleanor pensava sobre todas as coisas.

O padrasto dela não viu Park inicialmente. Richie se movia com lentidão, incerto. Quando notou o rapaz, fitou-o como se não acreditasse que ele estava realmente ali.

– Quem é você? – Richie gritou. Park não respondeu. Richie virou-se, cambaleante, caminhando em direção a Park. – O que quer?

Mesmo a alguns metros de distância, dava para sentir o cheiro azedo. De cerveja, de porão.

Park ficou imóvel.

Quero te matar, pensou. *E posso*, percebeu. *E deveria*.

Richie não era muito maior do que Park, e estava bêbado e desorientado. Além disso, não poderia querer machucar Park tanto quanto este queria machucá-lo.

A não ser que Richie estivesse armado, a não ser que desse sorte, Park conseguiria.

Richie chegou mais perto.

– O que quer? – gritou de novo. A força da própria voz desequilibrou-o e ele tropicou para a frente, caindo com tudo no chão. Park teve que se afastar para não colidirem. – Merda – disse Richie, erguendo-se nos joelhos, sustentando com dificuldade.

Quero te matar, Park pensou.

E posso.

Alguém deveria.

Park olhou para as botas de ponta de ferro da Docs. Acabara de comprá-las. (Em promoção, com seu desconto de vendedor.) Olhou para a cabeça de Richie, pendurada pelo pescoço feito um saco de couro.

Park odiava o homem mais do que pensava ser possível odiar alguém. Mais do que achava ser possível sentir alguma coisa...

Quase.

Ele ergueu a bota e chutou o chão em frente ao rosto de Richie. Gelo e lama e calçamento foram arremessados na boca aberta do homem. Richie tossiu violentamente e foi ao chão.

Park esperou que ele se levantasse, mas Richie só ficou ali, cuspindo palavrões, esfregando sal e cascalho dos olhos.

Não estava morto. Mas não se levantava.

Park esperou.

E foi embora para casa.

eleanor

Cartas, cartões postais, pacotes de papel amarelo passeavam por suas mãos. Nenhum deles aberto, nenhum deles lido.

Era ruim quando as cartas chegavam todos os dias. Foi ainda pior quando elas pararam de chegar.

Às vezes ela as colocava no carpete, como cartas de tarô, como barras de chocolate Wonka, imaginando se já seria tarde demais.

58

park

Eleanor não foi ao baile de formatura com ele.

Cat foi.

Cat, do trabalho. Era magra e morena, e tinha olhos azuis e oblíquos feito balas de menta. Quando Park segurava a mão de Cat, era como dar as mãos a um manequim, e sentiu um grande alívio quando a beijou. Adormeceu, na noite do baile, vestindo as calças do smoking e uma camiseta da Fugazi.

Acordou na manhã seguinte quando algo caiu em seu peito.

Abriu os olhos. O pai estava em pé, na frente dele.

– Correspondência – disse, quase gentilmente. Park levou a mão ao coração.

Eleanor não lhe escrevera uma carta.

Era um postal. "Saudações da Terra dos 10.000 Lagos", dizia na frente. Park virou o cartão e reconheceu a letra rasurada dela. Seu coração foi inundado por letras de músicas. Ele sentou. Sorriu. Sentia como se um peso enorme tivesse sido retirado de seu peito.

Eleanor não lhe escrevera uma carta; era um postal.

Com apenas três palavras.

Agradecimentos

Eu gostaria de agradecer a algumas das pessoas que tornaram este livro possível para mim... E que me fizeram possível para este livro.

Em primeiro lugar, a Colleen Eickelman, que insistiu que eu deveria passar do novo ano.

E às famílias Bent e Huntley, que me mantiveram viva com toda a sua bondade.

A meu irmão Forest, que promete não dizer todas essas coisas só porque sou sua irmã.

A Nicola Barr, Sara O'Keefe e Natalie Braine, por sua força e segurança, por fazerem o Oceano Atlântico desaparecer e, acima de tudo, por tomarem conta de Eleanor.

Obrigada a todos na Orion e na St. Martin's.

Um agradecimento especial à amável e brilhante Sara Goodman, em quem eu confiei logo de cara, desde o momento em que ela se sentou ao meu lado no ônibus.

A meu querido amigo Christopher Schelling, a melhor das hipóteses.

E, finalmente, eu gostaria de agradecer a Kai, Laddie e Rosey por seu amor e paciência. (Vocês são meus favoritos, desde sempre.)